Napoléon. L'exil en Amérique
Tome I
de Ginette Major
est le neuf cent quatorzième ouvrage
publié chez
VLB ÉDITEUR.

La collection « Roman »
est dirigée par Jean-Yves Soucy.

D1110788

VLB éditeur bénéficie du soutien de la Société de développement des entreprises culturelles du Québec (SODEC) pour son programme d'édition.

Gouvernement du Québec – Programme de crédit d'impôt pour l'édition de livres – Gestion SODEC.

Nous reconnaissons l'aide financière du gouvernement du Canada par l'entremise du Programme d'aide au développement de l'industrie de l'édition (PADIÉ) pour nos activités d'édition.

Nous remercions le Conseil des Arts du Canada de l'aide accordée à notre programme de publication.

NAPOLÉON
L'EXIL EN AMÉRIQUE

Tome 1 : *Le colonel Muiron*

Ginette Major

NAPOLÉON
L'EXIL EN AMÉRIQUE

Tome 1 : *Le colonel Muiron*

roman

vlb éditeur
Une compagnie de Quebecor Media

VLB ÉDITEUR
Groupe Ville-Marie Littérature inc.
Une compagnie de Quebecor Media
1010, rue de La Gauchetière Est
Montréal (Québec) H2L 2N5
Tél. : 514 523-1182
Téléc. : 514 282-7530
Courriel : vml@sogides.com

Maquette de la couverture : Anne Bérubé
Illustration de la couverture : Paul Delaroche (1797-1856), *Napoléon dans son bureau* (détail), huile sur toile. Collection privée / © Agnew's, Londres / The Bridgeman Art Library.

Cartographie : Julie Benoit

Catalogage avant publication de Bibliothèque et Archives nationales du Québec et Bibliothèque et Archives Canada
Major, Ginette, 1938-
Napoléon, l'exil en Amérique : roman

(Roman)
L'ouvrage complet comprendra 2 v.
Sommaire : [1] Le colonel Muiron.

ISBN 978-2-89649-065-3 (v. 1)

1. Napoléon, Ier, empereur des Français, 1769-1821 - Romans, nouvelles, etc. I. Titre. II. Titre : Le colonel Muiron.

PS8626.A419N36 2010 C843'.6 C2009-942729-X
PS9626.A419N36 2010

Pour en savoir davantage sur nos publications, visitez notre site : **www.edvlb.com**
Autres sites à visiter : www.edhexagone.com
• www.edtypo.com • www.edjour.com
• www.edhomme.com • www.edutilis.com

© VLB ÉDITEUR et Ginette Major, 2010
Dépôt légal : 1er trimestre 2010
Bibliothèque et Archives nationales du Québec, 2010
Bibliothèque et Archives Canada
Tous droits réservés pour tous pays
ISBN 978-2-89649-065-3

DISTRIBUTEURS EXCLUSIFS :

Pour le Canada et les États-Unis :
MESSAGERIES ADP*
2315, rue de la Province
Longueuil, Québec J4G 1G4
Tél. : 450 640-1237
Télécopieur : 450 674-6237
* filiale du Groupe Sogides inc., filiale du Groupe Livre Quebecor Media inc.

Pour la France et les autres pays :
INTERFORUM editis
Immeuble Paryseine, 3, Allée de la Seine
94854 Ivry CEDEX
Tél. : 33 (0) 4 49 59 11 56/91
Télécopieur : 33 (0) 1 49 59 11 33
Service commandes France Métropolitaine
Tél. : 33 (0) 2 38 32 71 00
Télécopieur : 33 (0) 2 38 32 71 28
Internet : www.interforum.fr
Service commandes Export – DOM-TOM
Télécopieur : 33 (0) 2 38 32 78 86
Internet : www.interforum.fr
Courriel : cdes-export@interforum.fr

Pour la Suisse :
INTERFORUM editis SUISSE
Case postale 69 – CH 1701 Fribourg – Suisse
Tél. : 41 (0) 26 460 80 60
Télécopieur : 41 (0) 26 460 80 68
Internet : www.interforumsuisse.ch
Courriel : office@interforumsuisse.ch
Distributeur : OLF S.A.
ZI. 3, Corminboeuf
Case postale 1061 – CH 1701 Fribourg – Suisse
Commandes : Tél. : 41 (0) 26 467 53 33
Télécopieur : 41 (0) 26 467 54 66
Internet : www.olf.ch
Courriel : information@olf.ch

Pour la Belgique et le Luxembourg :
INTERFORUM editis BENELUX S.A.
Boulevard de l'Europe 117,
B-1301 Wavre – Belgique
Tél. : 32 (0) 10 42 03 20
Télécopieur : 32 (0) 10 41 20 24
Internet : www.interforum.be
Courriel : info@interforum.be

Napoléon, à propos de l'Amérique

Si l'Empereur eût gagné l'Amérique, il comptait, disait-il, appeler à lui tous ses proches; il supposait qu'ils eussent pu réaliser au moins quarante millions [de francs]. Ce point serait devenu le noyau d'un rassemblement national, d'une patrie nouvelle. Avant un an, les événements de la France, ceux de l'Europe auraient groupé autour de lui cent millions [de francs] et soixante mille individus, la plupart de ceux-ci ayant propriété, talent et instruction. L'Empereur disait qu'il aurait aimé à réaliser ce rêve; c'eût été une gloire toute nouvelle.

L'Amérique, continuait-il, était notre véritable asile sous tous les rapports. C'est un immense continent, d'une liberté toute particulière. Si vous avez de la mélancolie, vous pouvez monter en voiture, courir mille lieues et jouir constamment du plaisir d'un simple voyageur; vous y êtes l'égal de tout le monde; vous vous perdez à votre gré dans la foule, sans inconvénients, avec vos mœurs, votre langue, votre religion etc., etc.

Las Cases, *Mémorial de Sainte-Hélène*, 26 mai 1816

Si cela était de mon choix, j'irais en Amérique. Les Anglais craignent pour le Canada qui est très français. Mon nom doit être d'un grand effet dans tout le Canada. Depuis vingt ans, on a entendu parler que de moi...

[...] Je serais très bien en Amérique; je rétablirais d'abord ma santé; je passerais ensuite six mois à parcourir le pays: cinq cents lieues de pays à voir me prendraient quelque temps. Je verrais la Louisiane...

Au général Bertrand, *Cahiers de Sainte-Hélène*, mars 1821

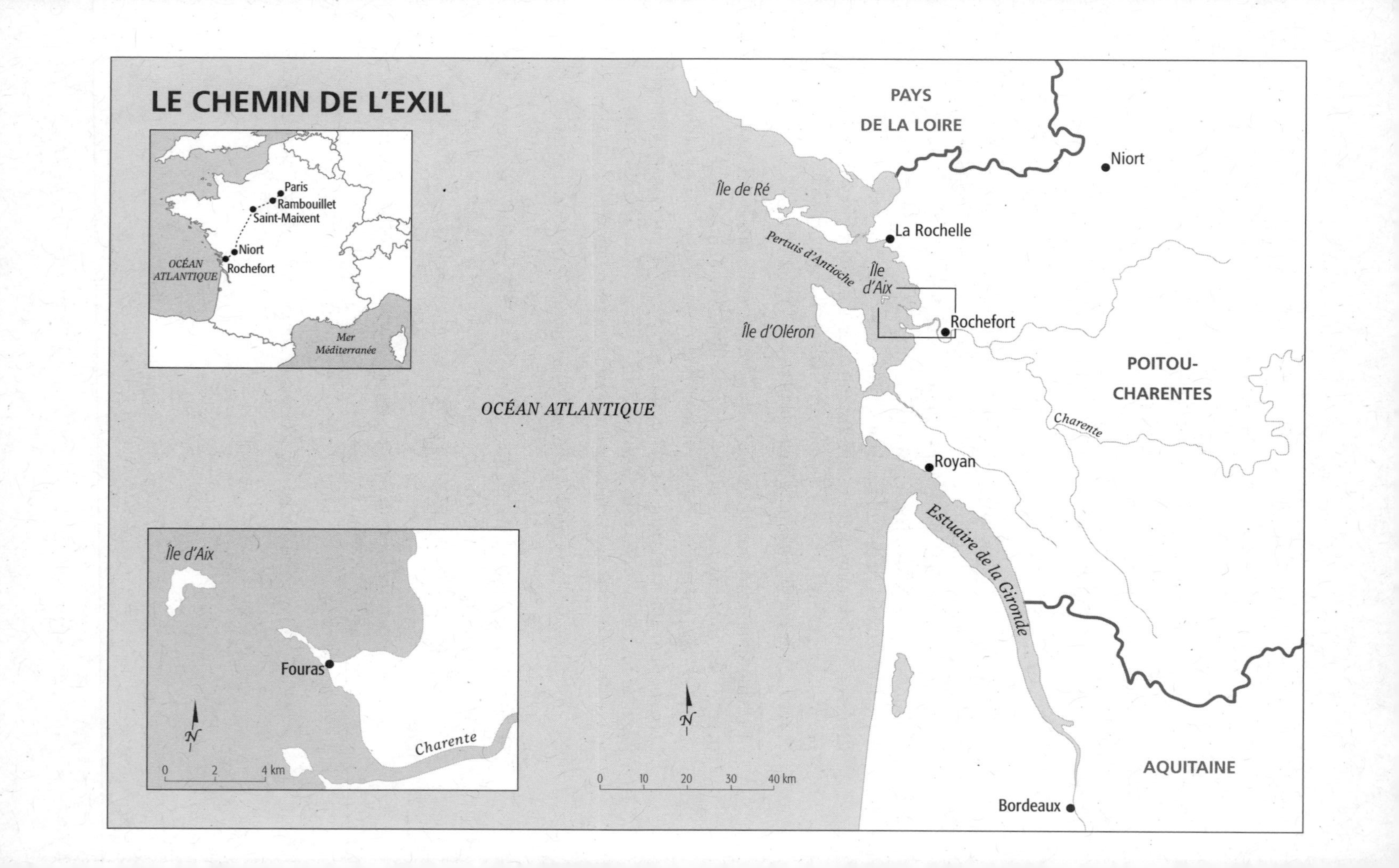
LE CHEMIN DE L'EXIL
Paris
Rambouillet
Saint-Maixent
Niort
Rochefort
OCÉAN ATLANTIQUE
Mer Méditerranée
PAYS DE LA LOIRE
Niort
Île de Ré
La Rochelle
Pertuis d'Antioche
Île d'Aix
Rochefort
Île d'Oléron
POITOU-CHARENTES
Charente
OCÉAN ATLANTIQUE
Royan
Estuaire de la Gironde
AQUITAINE
Bordeaux
0 10 20 30 40 km
N
Île d'Aix
Fouras
Charente
0 2 4 km
N

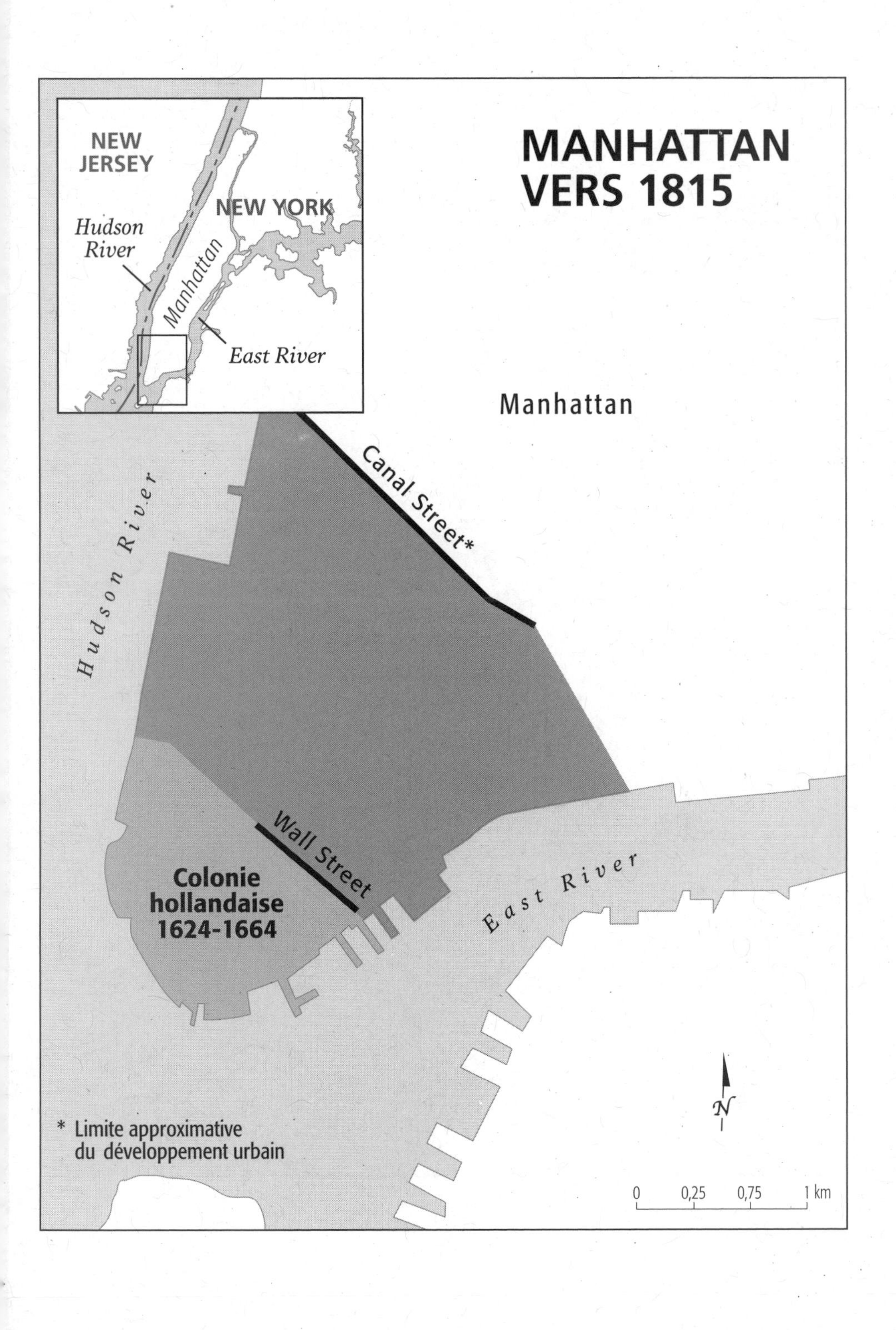

MANHATTAN
VERS 1815
NEW JERSEY
NEW YORK
Hudson River
Manhattan
East River
Manhattan
Canal Street*
Hudson River
Wall Street
Colonie hollandaise 1624-1664
East River
N
* Limite approximative du développement urbain
0
0,25
0,75
1 km

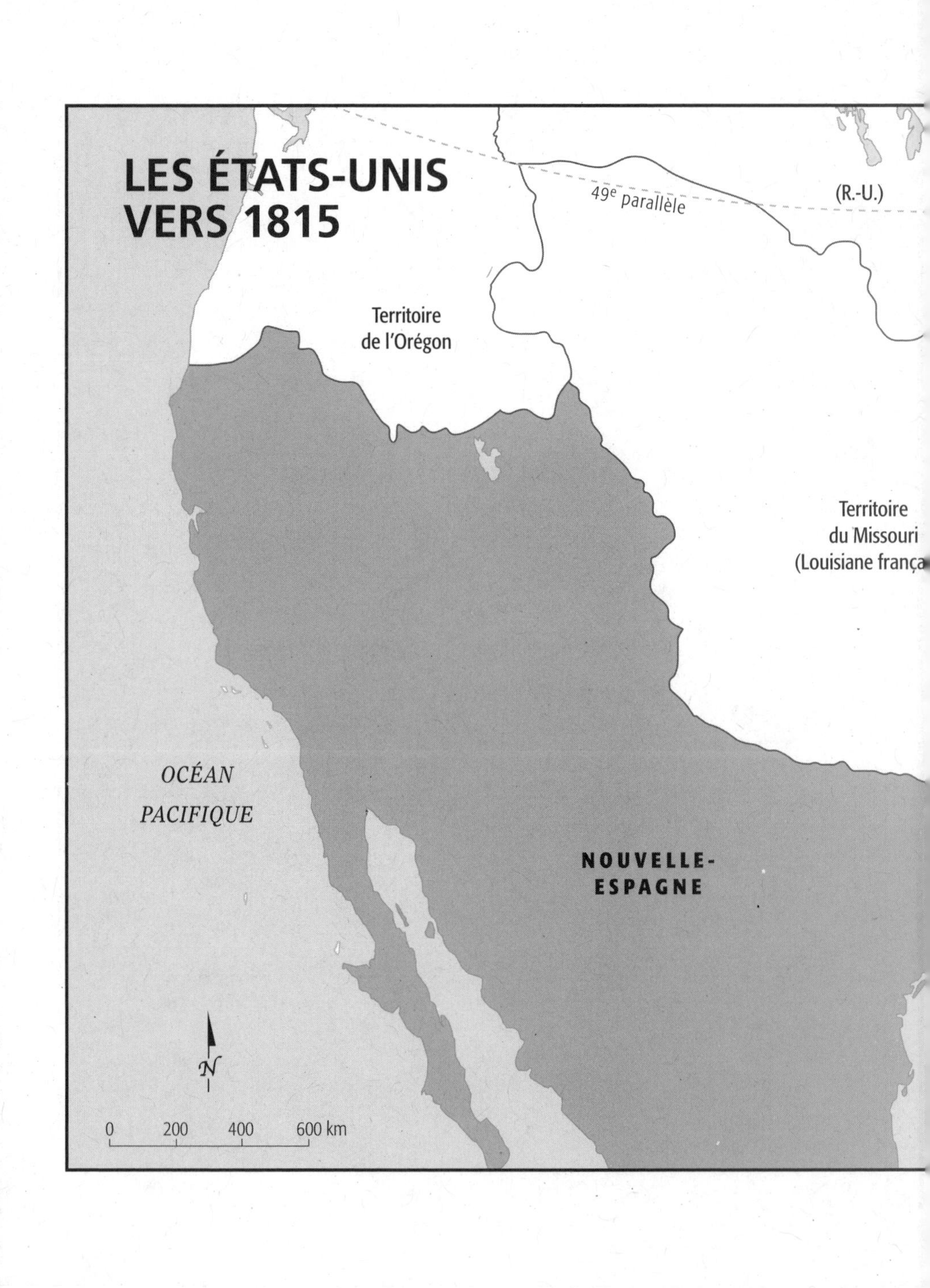
LES ÉTATS-UNIS
VERS 1815
49e parallèle
(R.-U.)
Territoire
de l'Orégon
Territoire
du Missouri
(Louisiane frança
OCÉAN
PACIFIQUE
NOUVELLE-
ESPAGNE
N
0
200
400
600 km

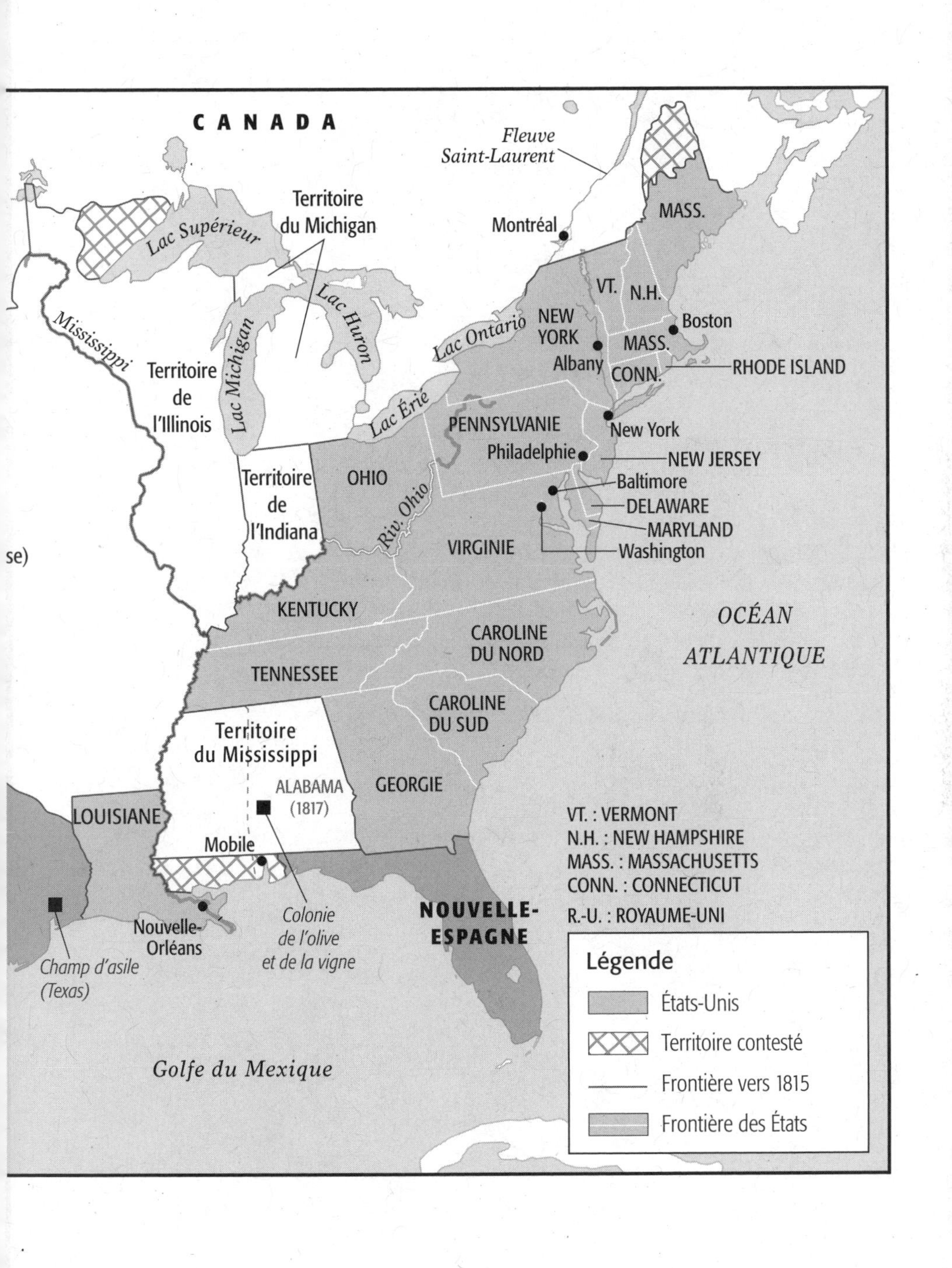
CANADA
Fleuve Saint-Laurent
Territoire du Michigan
Lac Supérieur
Montréal
MASS.
Lac Huron
Mississippi
Lac Michigan
VT.
N.H.
Lac Ontario
NEW YORK
Boston
MASS.
Territoire de l'Illinois
Albany
CONN.
RHODE ISLAND
Lac Érié
PENNSYLVANIE
New York
Philadelphie
NEW JERSEY
Territoire de l'Indiana
OHIO
Baltimore
Riv. Ohio
DELAWARE
MARYLAND
VIRGINIE
Washington
se)
KENTUCKY
OCÉAN ATLANTIQUE
CAROLINE DU NORD
TENNESSEE
CAROLINE DU SUD
Territoire du Mississippi
ALABAMA (1817)
GEORGIE
LOUISIANE
VT. : VERMONT
N.H. : NEW HAMPSHIRE
MASS. : MASSACHUSETTS
CONN. : CONNECTICUT
R.-U. : ROYAUME-UNI
Mobile
NOUVELLE-ESPAGNE
Nouvelle-Orléans
Colonie de l'olive et de la vigne
Champ d'asile (Texas)
Légende
États-Unis
Territoire contesté
Frontière vers 1815
Frontière des États
Golfe du Mexique

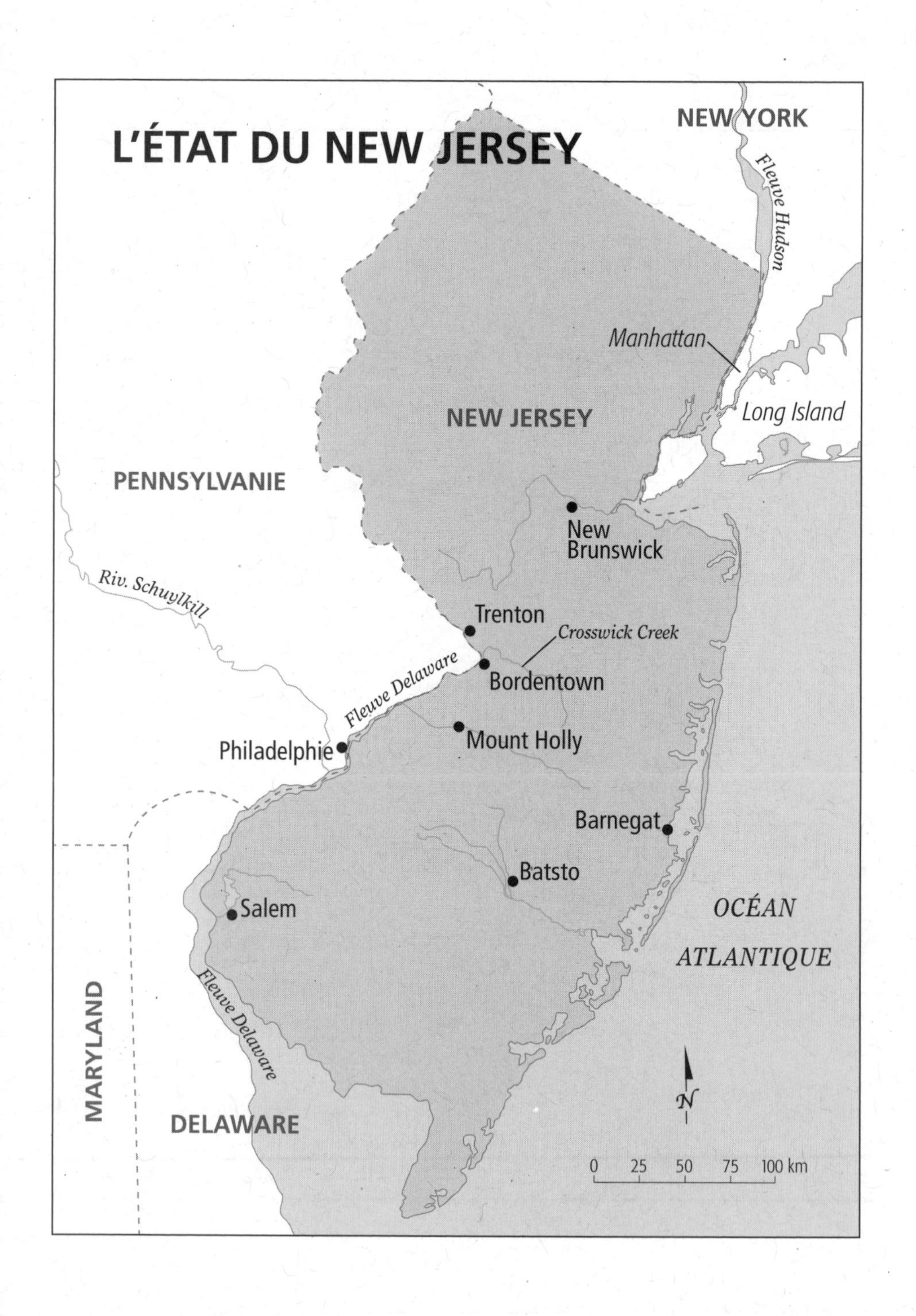
L'ÉTAT DU NEW JERSEY
NEW YORK
Fleuve Hudson
Manhattan
Long Island
NEW JERSEY
PENNSYLVANIE
New Brunswick
Riv. Schuylkill
Trenton
Crosswick Creek
Fleuve Delaware
Bordentown
Mount Holly
Philadelphie
Barnegat
Batsto
Salem
OCÉAN ATLANTIQUE
MARYLAND
Fleuve Delaware
DELAWARE
N
0 25 50 75 100 km

Avant-propos

L'idée d'écrire ce livre m'est venue, il y a quelques années, en lisant le *Mémorial de Sainte-Hélène,* journal que tint le comte de Las Cases, l'un des compagnons d'exil de Napoléon à l'île Sainte-Hélène.

J'y apprenais que Napoléon, en 1815, abdiquant pour la seconde fois, après sa défaite à Waterloo, avait choisi les États-Unis comme terre d'asile, « le seul pays où je puisse être entièrement libre », avait-il dit. Deux frégates avaient été mises à sa disposition par le gouvernement provisoire français pour le conduire à New York. Mais à Rochefort, lieu d'embarquement, l'escadre anglaise, avertie, avait bloqué la sortie en mer. Plusieurs alternatives lui avaient alors été proposées. La plus valable, au dire de ses compagnons d'exil, était celle du consul américain de Bordeaux, William Lee. Indécis, hésitant, Napoléon accueillait toutes les propositions, n'en écartant aucune. Les jours passaient…

Demander l'asile à l'escadre britannique qui croisait au large était aussi une option. Peut-être une première étape sur la route des États-Unis. Mais à force d'hésiter, il n'eut plus d'autre option que celle-là, pour ne pas tomber aux mains de l'ennemi de l'intérieur, les royalistes. Les Anglais lui accordèrent l'asile, mais le conduisirent à l'île Sainte Hélène, dans l'Atlantique Sud, sans qu'il ait jamais mis pied en Angleterre.

J'y apprenais également que son frère aîné, Joseph, ex-roi d'Espagne, parti en même temps que lui de Royan, avec de faux papiers, pour New York, avait atteint l'Amérique sans encombre. Il y vécut dix-sept ans, dans sa magnifique propriété du New Jersey. À Sainte-Hélène, les lettres clandestines de Joseph, admiratif de l'Amérique, alimentaient les rêveries de Napoléon, qui espérait qu'un changement de gouvernement à Londres lui permettrait de partir pour les États-Unis.

Comment imaginait-il sa vie en Amérique ? En simple citoyen. Sous un nom d'emprunt. « Ma carrière est faite », avait-il dit à ses proches en quittant la France. Fatigué et las, il aspirait au repos, à une vie de famille, à la campagne, quelque part entre New York et Philadelphie, entouré de sa « petite cour », formée de vétérans de Waterloo et de réfugiés de l'Empire, l'Amérique étant devenu l'asile des siens.

Retraite temporaire, cependant. Car il n'entendait pas terminer sa vie à cultiver son jardin, comme Washington. À quarante-cinq ans, il imaginait avoir encore une quinzaine d'années devant lui. Seule sa carrière militaire et politique était bien terminée. Quels étaient donc ses projets ? D'abord, écrire ses mémoires, pour rendre justice aux braves et aux hommes d'honneur qui ont combattu avec lui. Puis il voulait voyager, découvrir les Amériques, où il n'était encore jamais allé. Et une nouvelle « carrière » n'était pas exclue : les sciences ont été la passion de sa vie, la carrière militaire, plutôt le fruit de circonstances. Là encore, pensait-il, il étonnerait le monde.

Deux ans et demi de recherches sur la vie de Joseph Bonaparte et de sa famille en Amérique, ainsi que sur les réfugiés de l'Empire et les colonies bonapartistes dont les turbulences inquiétaient les dirigeants américains, allaient me fournir tous les éléments nécessaires pour raconter ce qu'auraient pu être les années d'exil de Napoléon en Amérique.

Tous les personnages mis en scène ont existé, et les mises en situation sont « historiques ».

Napoléon mourut à Sainte-Hélène en 1821, à l'âge de cinquante et un ans. En 1840, sa dépouille fut rapatriée en France, l'Angleterre accédant enfin à la demande du roi Louis-Philippe, qui réserva à Napoléon des funérailles grandioses.

Mais en Amérique, Napoléon mourra en 1840, à l'âge de soixante et onze ans, et c'est de Philadelphie, cette fois, que sa dépouille sera ramenée au pays, en cet hiver de 1840.

Ginette Major

Rappel historique

18 juin 1815. Napoléon est défait à Waterloo. Au lendemain de la bataille, il dit à Caulaincourt, son ministre des Relations extérieures :

– Le coup que j'ai reçu est mortel.

*
* *

Il y avait à peine cent jours – appelés les « Cent Jours » – qu'il était rentré de l'île d'Elbe, où les Alliés (Angleterre, Autriche, Prusse, Russie) l'avaient exilé dix mois plus tôt, en avril 1814, après l'avoir vaincu et contraint à abdiquer. Le traité de Fontainebleau avait prévu des arrangements financiers pour lui et sa famille, lui avait accordé la souveraineté de l'île d'Elbe et le droit de garder avec lui quatre cents hommes de sa garde.

Mais la France de Louis XVIII refusait d'exécuter les clauses financières du traité. À Vienne, où, depuis septembre 1814, étaient réunis les Alliés pour refaire la carte de l'Europe post-napoléonienne, on avait parlé de déporter l'empereur quelque part dans l'Atlantique, aux Açores ou à Sainte-Hélène, parce que l'île d'Elbe était trop près de l'Europe. Par ailleurs, Napoléon avait acquis la certitude que sa femme, l'impératrice Marie-Louise, et son fils ne le rejoindraient pas. Son beau-père, l'empereur François d'Autriche, arrivé à Paris avec les Alliés vainqueurs en

1814, et souhaitant détacher sa fille de son gendre déchu, l'avait convaincue de rentrer à Vienne avec son fils après le départ de Napoléon. En France, c'était la grogne. Louis XVIII, ramené sur le trône par les Alliés vainqueurs après vingt-cinq ans d'exil en Angleterre, avait soulevé la colère des Français en rétablissant les anciens usages et privilèges de la noblesse que la Révolution avait supprimés. Le peuple et une grande partie de l'armée souhaitaient évincer Louis XVIII et ramener l'Empereur d'exil. Depuis son île, Napoléon suivait le cours des événements et attendait son heure.

Celui qui avait été le maître de l'Europe ne pouvait envisager, à quarante-cinq ans, de terminer sa vie dans cette île de deux cent vingt-quatre kilomètres carrés. Informé du projet de déportation, n'ayant plus les ressources pour payer sa garde, espérant revoir sa femme et son fils s'il revenait en France, inquiété par des rumeurs de tentatives d'assassinat venant de l'île voisine, la Corse, sachant de plus que l'Armée et le peuple français, dans sa grande majorité, n'attendaient plus que son retour, il débarquait le 1er mars 1815, après seulement dix mois d'exil, dans le golfe Juan accompagné de mille deux cents hommes. Après un accueil d'abord incertain, le triomphe se confirmait à mesure qu'il progressait vers Paris. Pas un seul coup de feu n'avait été tiré. La foule en délire l'avait porté jusqu'aux Tuileries aux cris de « Vive l'Empereur ». C'était le 20 mars.

Tandis que Louis XVIII fuyait à Gand, les Alliés, qui siégeaient toujours à Vienne, apprenaient la nouvelle du débarquement avec stupeur. Les Bourbons déclaraient par ordonnance royale que « Napoléon Buonaparte est traître et rebelle » et qu'il devait être arrêté pour « être traduit devant un conseil de guerre pour être fusillé sur simple constatation de son identité ». À Vienne, les Alliés déclaraient qu'il était « l'ennemi et le perturbateur du monde, qui s'est placé hors des relations civiles et sociales et qu'il faut livrer à la vindicte publique ».

Napoléon, se présentant plus que jamais comme le porte-drapeau de la Révolution, abolissait la censure, libéralisait la vie politique, renonçait au grand Empire, et acceptait les frontières qui avaient été établies avant 1789. « Je ne suis pas revenu de l'île d'Elbe pour faire couler le sang français », disait-il.

Mais à peine était-il de retour que l'Europe se mobilisait à nouveau. Non contre la France, avait-elle tenu à préciser, mais contre Napoléon, le seul obstacle à la paix. Le 12 juin, il partait à la rencontre de l'ennemi dans la plaine de Belgique. Le 18 juin, à Waterloo, tout était perdu. Il était vaincu et encore vivant. Le pire s'était donc produit.

*

* *

20 juin. Il arrive à Paris pour solliciter l'appui des Chambres, face au danger imminent d'une invasion du territoire français. Les esprits sont agités et la Chambre des représentants lui est hostile. « La France ne peut être sauvée que si elle est unie », riposte-t-il.

Certains lui suggèrent d'abdiquer, avant que les Chambres ne le destituent. D'autres, au contraire, croient qu'il doit dissoudre les Chambres et prendre les pleins pouvoirs, comme la Constitution le lui permet. Une foule énorme se presse contre les grilles de l'Élysée, scandant : « Vive l'Empereur », « À bas les Bourbons », « À bas les prêtres. »

Mais il a fait son temps, pense-t-il, son destin politique s'est accompli. Il est las.

Partir, oui, mais pour aller où ? Certains lui conseillent l'Angleterre, à cause de la protection qu'offrent les lois anglaises contre l'arbitraire. D'autres pensent qu'il est toujours risqué de se mettre sous la protection de son ennemi. L'Empereur lui a inspiré trop de haine. Seule l'Amérique peut lui offrir toutes les garanties souhaitées, lui assure-t-on. « De là vous ferez à nouveau trembler vos ennemis », ajoute le fidèle Carnot.

21 juin. Sa décision est prise. Il abdique. Avant de quitter l'Élysée, il dicte : « Français, en commençant la guerre pour soutenir l'indépendance nationale, je comptais sur la réunion de tous les efforts, de toutes les volontés, et sur le concours de toutes les autorités nationales. J'étais fondé à espérer le succès. Les circonstances me paraissent changées. Je m'offre en sacrifice à la haine des ennemis de la France. Puissent-ils être sincères dans leurs déclarations et n'en avoir voulu réellement qu'à ma personne. Ma vie politique est terminée et je proclame mon fils, sous le nom de Napoléon II, Empereur des Français. L'intérêt que je porte à mon fils m'engage à inviter les Chambres à organiser sans délai la régence par une loi. Unissez-vous pour le salut public et pour rester indépendants. »

– Napoléon II… Combien de temps durera cette plaisanterie ? demande un proche de Louis XVIII.

– Probablement le temps nécessaire pour nous débarrasser de Napoléon Ier, lui répond le président du gouvernement provisoire.

Napoléon demande au gouvernement provisoire que l'on mette à sa disposition, à Rochefort, deux frégates afin de gagner les États-Unis. Là, pense-t-il, il pourra vivre dignement et librement. Mais il veut obtenir l'assurance que les frégates partiront dès son embarquement. Il exige aussi des sauf-conduits. En cas d'arraisonnement par la marine anglaise, maîtresse des mers, celle-ci ne pourra le traiter en corsaire. Il demande également Ver Huell[1] *comme commandant, un homme de confiance.*

Il ira attendre la réponse à la Malmaison, car les Chambres lui demandent de s'éloigner de Paris. De toute façon, l'endroit n'est plus sûr. Certains pourraient vouloir le livrer aux Alliés.

1. Carel Hendrik Ver Huell (1764-1845). Commandant général des forces navales de l'Empire sur les côtes de la mer du Nord et de la Baltique. Hollandais, naturalisé Français en 1814. N'a jamais su que Napoléon avait requis ses services.

Avant de partir, il s'adresse une dernière fois à ses compagnons d'armes : « Soldats, je suivrai vos pas quoique absent. Vous et moi avons été calomniés... Que vos succès futurs leur apprennent que c'était la patrie par-dessus tout que vous serviez en m'obéissant, et que si j'ai quelque part à votre affection je le dois à mon ardent amour pour la France, notre patrie commune. Soldats, sauvez l'honneur et l'indépendance des Français : soyez jusqu'à la fin tels que je vous ai connus depuis vingt ans, et vous serez invincibles. »

25 juin. Napoléon quitte l'Élysée pour la Malmaison, la maison des jours heureux et de la gloire naissante. Il l'avait donnée à Joséphine après leur divorce en 1809. C'est là qu'elle est morte le 29 mai 1814, six semaines après la première abdication de Napoléon. Hortense, la fille de Joséphine, l'y attend maintenant.

Il prépare son départ. Il demande à son bibliothécaire, Barbier, des livres sur l'Amérique, et un état de tout ce qui a été imprimé sur ses diverses campagnes depuis vingt ans, car il compte rédiger ses mémoires. Avec son banquier, il prend des arrangements pour lui, sa famille, ses proches, et les valets. Au général Bertrand, qui déjà l'avait accompagné à l'île d'Elbe et qui a sollicité l'honneur de l'accompagner cette fois aux États-Unis, Napoléon demande de l'abonner à divers journaux, et de les faire livrer à la poste restante de New York, sous son nom, à lui, Bertrand. Il lui demande également d'organiser le transport aux États-Unis de la plus grande partie de la bibliothèque impériale, de la porcelaine, des meubles, et ce, pour une maison de ville et une autre de campagne, ainsi que du linge de maison, et des fusils de chasse. Il demande enfin au piqueur Chauvin de s'embarquer avec quinze palefreniers, des chevaux, des selles, des harnais, et quelques voitures.

Effectuant un tri des livres qu'il souhaite emporter de la Malmaison, il met la main sur l'ouvrage du naturaliste Humboldt, « le Marco Polo du XIXe siècle » : Voyage aux Contrées équinoxiales du Nouveau Continent. *Ce récit le passionne. À son ami Gaspard Monge, l'inventeur de la géométrie descriptive et membre illustre de l'Académie des Sciences, qui lui rend visite, il déclare : « Le désœuvrement serait pour moi la plus cruelle des tortures. Désormais, sans armées et sans Empire, je ne vois que les sciences qui puissent s'imposer fortement à mon âme. Mais apprendre ce que les autres ont fait ne saurait me suffire. Je veux faire une nouvelle carrière, laisser des travaux, des découvertes dignes de moi. Il me faut un compagnon qui me mette d'abord et rapidement au courant de l'état actuel des sciences. Ensuite nous parcourrons le Nouveau Continent, depuis le Canada jusqu'au cap Horn, et dans cet immense voyage nous étudierons tous les phénomènes de la physique et du globe. »*

Malheureusement, l'âge – Monge a soixante-neuf ans – et la santé chancelante du savant ne lui permettent pas d'entreprendre un si long voyage.

Napoléon fait néanmoins acheter des instruments de physique, de météorologie et d'astronomie, qui voyageront avec lui.

Puis il reçoit son frère aîné Joseph, qui part aussi pour les États-Unis. Napoléon s'imagine déjà en Amérique, entouré de sa famille. Sa mère veut le rejoindre. Son frère Lucien écrit à leur sœur Pauline, qui est à Rome : « … Il va partir pour les États-Unis d'Amérique où nous le rejoindrons tous. Il est plein de courage et de calme. » Jérôme, son frère cadet, envisage aussi de s'y rendre.

26 juin. Les femmes, celles de sa famille, celles qu'il a aimées, viennent lui faire leurs adieux. On lui amène ses enfants : le comte Léon qui a déjà neuf ans, accompagné de son tuteur, et que Napoléon n'avait pas revu depuis des années, mais aux besoins duquel il a pourvu, et Alexandre Walewski, âgé de cinq ans, accompagné de sa mère, Marie Walewska. Napoléon est étreint par l'émotion. Il veut faire venir Léon une fois établi en Amérique. Marie le regarde, en larmes. Elle veut le suivre. Mais Napoléon refuse. Plus tard, peut-être.

Il n'y a pas que la famille qui souhaite le rejoindre. Depuis son abdication, chaque jour des fidèles sollicitent l'honneur de suivre leur Empereur en exil.

28 juin. L'armée prussienne qui pourchasse les débris de l'armée française depuis Waterloo resserre maintenant son étreinte autour de Paris. Napoléon demande alors au gouvernement provisoire le commandement de l'armée, à titre de général seulement. Il repoussera l'ennemi qui menace Paris, le temps de permettre au gouvernement de négocier. Après quoi il partira pour l'Amérique y accomplir sa destinée. Le gouvernement refuse.

Et s'il prenait ce commandement de force ? Ce serait risquer une guerre civile. Il ne veut pas être un hors-la-loi.

Pour s'assurer qu'il quitte le sol français sur les frégates mises à sa disposition, le gouvernement envoie le général Becker à la Malmaison prendre le commandement des soldats de la garde affectée à Napoléon. Becker est embarrassé. Napoléon le rassure : « Général, je suis bien aise de vous voir près de moi. Si l'on m'avait laissé le choix, je vous aurais désigné de préférence. »

29 juin. Habillé en bourgeois, culotte, frac et chapeau mou, il garde sur lui un petit flacon contenant un « liquide rouge » que son médecin, Corvisart, lui a remis pour le voyage, comme il l'avait fait lors de la campagne de Russie. Plutôt mourir que de tomber aux mains de l'ennemi.

Le moment du grand départ est venu. Hortense l'oblige à porter une ceinture, où elle a caché un collier de diamants. En cas de besoin. Une soixantaine de personnes l'accompagnent en Amérique, incluant enfants et domestiques. Rendez-vous à Rochefort.

Napoléon monte en voiture avec le général Becker, le général Bertrand, grand maréchal, et le général Savary, son ancien ministre de la Police. Il est temps, car l'armée prussienne fonce sur la Malmaison. Tous sont habillés en civil. Le valet Ali emporte amples provisions et autant de paires de pistolets que de personnes. Marchand, son premier valet de chambre, a mis vingt mille francs dans un petit coffre pour les besoins du voyage. Suivent les bagages : surtout de l'argenterie, des livres et des vêtements. Le reste sera acheminé directement en Amérique.

La voiture s'arrête au château de Rambouillet. Napoléon, pris d'un malaise, souhaite y passer la nuit.

Le 30 juin. Le lendemain matin, massée devant le château, une foule crie « Vive l'Empereur ». Après avoir fait le plein de livres à la bibliothèque du château, Napoléon poursuit sa route vers Rochefort. On évite les villes pour ne pas y provoquer de mouvements, et parce qu'on ne sait pas très bien si l'Empereur y sera hué ou acclamé. On roule à vive allure sous une chaleur écrasante. À chaque relais, des badauds s'approchent de la voiture. Napoléon a la tête partiellement dissimulée et fait semblant de dormir. Parfois les gens du peuple interrogent ces voyageurs venus de Paris : « C'est-y vrai qu'il est arrivé malheur à notre Empereur ? »

Certains le reconnaissent et s'éloignent en pleurant. Ils commencent à comprendre ce que signifie Waterloo. Lui, il est muet. Il tombe périodiquement dans une sorte de somnolence. C'est le silence de l'homme foudroyé par un revers de fortune sans précédent. Trois mois seulement se sont écoulés depuis son triomphal retour de l'île d'Elbe.

On roule toute la nuit sans s'arrêter.

Des patrouilles ont informé les voyageurs que des brigands rôdent dans les parages et qu'ils détroussent leurs proies. À Saint-Maixent, on contrôle les passeports, et on refuse de donner le laissez-passer. Napoléon est pâle. Est-il arrivé au bout de son destin ? Becker se fait reconnaître d'un officier de la gendarmerie et trouve le mot magique : « Mission d'État ! » La voiture peut repartir.

1er juillet. C'est à Niort, à l'auberge de la Boule d'Or, qu'il éprouve sa plus vive émotion. Le patron connaît l'Empereur pour l'avoir rencontré à Milan. Mais il ne l'a pas reconnu. Napoléon monte à sa chambre. Il a peur, il se sent exposé. L'auberge est bondée. Comme d'habitude, son valet Ali s'est couché sur un matelas en travers de la porte. Au milieu de la nuit, on entend sur le palier un bruit de pas d'hommes, chaussés de bottes. On frappe à la porte en cherchant à l'ouvrir. Ali s'empare de son pistolet et entrouvre. Que leur veut-on ? Ce sont deux officiers de la gendarmerie qui cherchent le général Becker pour lui rendre les passeports.

2 juillet. Napoléon, qui n'a pas fermé l'œil de la nuit, se penche à la fenêtre de sa chambre, au risque d'être reconnu. Un groupe de militaires s'affaire aux soins de leurs chevaux. Ils lèvent la tête et regardent l'homme à la fenêtre. Ils l'ont reconnu. Les cris jaillissent : « Il est là, c'est lui. Vive l'Empereur. » Lui aussi les a reconnus. Il les connaît tous. Il a encore en mémoire toutes les unités de l'armée, et leurs lieux de cantonnement. Ce sont les hommes du 2e hussard, qui appartiennent aux 4e et 5e escadrons de dépôt. Les deux escadrons, à cheval, répandent la nouvelle dans toute la ville. Napoléon doit se rendre à l'hospitalité du préfet qui l'amène à l'Hôtel de la Préfecture. L'Empereur paraît au balcon pour saluer la foule exaltée. Les hussards sont prêts à se jeter à ses pieds pour le supplier de se mettre à leur tête, et de rejoindre les troupes du général Lamarque qui manœuvre dans la région.

– Vous ne pouvez pas nous abandonner une seconde fois, clament-ils.

– Je ne suis plus rien, leur répond Napoléon.

Le soir, il préside un dîner au milieu des autorités civiles et militaires. Il y croise le général Lallemand, un ancien des campagnes d'Italie et d'Égypte, qui lui dit que les généraux Lamarque, Brayer et Clausel peuvent rassembler des troupes et ouvrir un front en Bretagne et en Vendée. Napoléon redevient indécis. Doit-il partir maintenant ? Il demande à Becker de renouveler son offre au gouvernement provisoire. Puis il se ravise. Sa vie politique et militaire est bien terminée. Le 14 juillet, le préfet sera révoqué pour l'accueil réservé à Napoléon.

3 juillet. Un émissaire du préfet maritime de Rochefort vient à sa rencontre et l'informe que le pertuis d'Antioche « est étroitement surveillé par une importante escadre anglaise ».

Arrivé à Rochefort, Napoléon loge à la Préfecture. Mais le lieu n'est pas sûr. Le préfet a tenté de dresser les populations de l'Ouest contre lui à son retour de l'île d'Elbe. C'est pourtant lui, l'Empereur, qui l'avait nommé à ce poste ! Puis il veut constater par lui-même que l'issue en mer est effectivement bloquée. Devant l'évidence, il accepte de considérer les alternatives que plusieurs lui proposent. La ville est bonapartiste. Là encore, la foule l'entoure et scande : « Ne nous quittez pas. » Des soldats l'adjurent d'animer la résistance.

Les jours passent. Napoléon est indécis. Du jamais vu ! Ici et là, sur la côte, apparaissent les drapeaux blancs royalistes. Il doit partir. Becker remarque que Napoléon est souffrant. Le groupe commence à se disperser. Des domestiques décident de retourner à Paris.

7 juillet. Un lieutenant de vaisseau nommé Besson, lui aussi bonapartiste, fait une offre intéressante. Il met à la disposition de l'Empereur sa goélette danoise, la Magdelaine, *assez bonne pour traverser les océans. Le navire en question est au port. Il propose de le transporter avec quatre personnes de son choix. La goélette est libre de fret, mais il propose de la charger d'eau-de-vie pour New York, afin de tromper les Anglais en cas d'inspection. Il offre également d'aménager pour l'Empereur une cache à toute épreuve : une barrique bien matelassée, pour qu'elle ne sonne pas creux, garnie de tubes à air, et bien fixée dans la cale avec le lest.*

Napoléon n'écarte aucune alternative.

8 juillet. On tend à Napoléon un journal qui annonce la capitulation de Paris. Louis XVIII est ramené aux Tuileries par les Alliés. Pris d'une vive émotion, Napoléon jette violemment l'imprimé à la volée. Le général Becker presse Napoléon de quitter le continent pour l'île d'Aix.

10 juillet. De l'île d'Aix, Napoléon envoie deux émissaires au bâtiment anglais qui bloque le passage, le Bellérophon, *afin de sonder le terrain.*

– Dans l'éventualité où les frégates, battant pavillon parlementaire, tenteraient une sortie, les laisserait-on passer ? demande l'un des émissaires au commandant du vaisseau.

– Elles seraient attaquées, répond le commandant en français.

– Et s'il s'agissait d'un navire neutre ?

– Il serait visité, soutient encore le commandant. Et peut-être même conduit dans un port anglais. Pourquoi Napoléon ne se rend-il pas en Angleterre ? Il y serait bien traité.

11 juillet. Des péniches envoyées en reconnaissance rapportent que la patrouille anglaise n'a pas plus de trois bâtiments, dont deux assez peu redoutables.

13 juillet. Joseph Bonaparte débarque à l'île d'Aix. Il informe son frère Napoléon qu'il a nolisé le brick américain Commerce *qui l'attend en face de Royan. Il part en compagnie de son secrétaire et d'un interprète. Il propose à Napoléon de partir avec lui. Le capitaine du brick, qui a déjà empoché la somme payée par Joseph, n'a pas mis en doute son identité. Il sait seulement qu'il emmène « des citoyens français de marque ». Il est même enchanté à l'idée de déjouer les Anglais. Joseph Bonaparte s'est inscrit au rôle sous le nom de « M. Bouchard ».*

– Appelez-vous Dupont ou Durand, et prenez la cabine voisine de la mienne, dit Joseph à son frère.

Il le somme de prendre une décision.

– Si vous repoussez ce que je suis venu vous offrir, poursuit-il, il ne vous reste pas d'autres issues que le combat ou la captivité. Comment se fait-il que je vous trouve ici et non sur les frégates ? Si vous ne vous décidez pas à partir, je partirai seul.

Puis survient le général Lallemand. Depuis huit jours, habillé en bourgeois, il parcourt la Gironde. Il y a, dit-il, des issues par Bordeaux ou Royan. À Royan, un des meilleurs navigateurs de France, le capitaine Beaudin, se dit prêt à accueillir Napoléon à bord du Pike, *un bateau américain tout neuf, « véritable pur-sang des mers » que le consul américain à Bordeaux, William Lee, met à sa disposition. Il est si rapide qu'il n'aura aucun mal à déjouer l'escadre anglaise, aucun navire de guerre n'étant en mesure de le rattraper. Il serait escorté au départ de deux bâtiments tout aussi rapides et bien armés, la* Bayadère *et l'*Infatigable, *et qui engageraient le combat, si nécessaire, en cas d'interception auprès des côtes.*

De plus, Beaudin est un homme de confiance, précise Lallemand. Pressenti pour emmener Napoléon en Amérique, il vient d'écrire au préfet de Rochefort : « L'Empereur peut se fier à moi. J'ai été opposé de principes et d'actions à sa tentative de remonter sur le trône, parce que je la considérais comme devant être funeste à la France, et certes les événements n'ont que trop justifié mes prévisions. Aujourd'hui, il n'est rien que je ne sois disposé à entreprendre pour épargner à notre patrie l'humiliation de voir son souverain tomber entre les mains de notre plus implacable ennemi. Mon père est mort de joie en apprenant le retour d'Égypte du général Bonaparte. Je mourrais de douleur de voir l'Empereur quitter la France, si je pensais qu'en y restant encore il pût quelque chose pour elle. Mais il faut qu'il ne la quitte que pour aller vivre honoré dans un pays libre, et non pour mourir prisonnier de ses ennemis. »

Joseph, témoin du récit du général Lallemand, approuve.

– Profitez de ma voiture. Vous pouvez être à Royan avant l'aube et mettre à la voile aussitôt.

Napoléon décline l'offre. Il ne lui est plus possible, pense-t-il, de remettre les pieds sur le continent, les drapeaux blancs flottent partout sur la côte. Et il se sent de plus en plus prisonnier de Becker. En effet, faute de voir partir l'Empereur sur les frégates, Becker a rapproché sa garde, de peur qu'il ne s'échappe.

Joseph bonifie sa proposition :

– Profitez de notre ressemblance. Partez en prenant mon identité. Je reste. Je me mets dans votre lit, et Marchand, demain, défendra la porte en prétextant une indisposition. Il sera possible d'abuser Becker au moins vingt-quatre heures. Quand il ouvrira les yeux, vous serez loin.

– Je ne puis accepter votre offre, ni celle de Beaudin. Ce serait une fuite. Je ne pourrais partir qu'avec mes officiers qui me sont tout dévoués. Vous pouvez le faire, vous. Vous n'êtes pas dans ma position. Adieu, Joseph.

14 juillet. Les Anglais ont été informés que « Boney » est à l'île d'Aix. Napoléon envoie à nouveau deux émissaires au commandant du Bellérophon pour le sonder. Accepterait-il de le transporter aux États-Unis, lui et sa suite ? Sinon, accepterait-il, à tout le moins, de le recevoir comme un citoyen libre, et de le conduire en Angleterre ?

Le commandant consent à le recevoir à bord comme un citoyen libre, mais il ne peut présumer de la réponse de son gouvernement pour ce qui est de la suite. Sa seule certitude est que l'Angleterre ne le laissera pas partir pour l'Amérique.

15 juillet. Napoléon aura épuisé toutes les options, en n'en choisissant aucune. Il ne lui reste plus qu'à se rendre sur le Bellérophon, pour ne pas tomber aux mains des royalistes qui sont à ses trousses. Les Anglais lui accorderont l'asile, mais à l'île Sainte-Hélène, une île perdue de l'Atlantique Sud, où il mourra cinq ans et demi plus tard.

Chapitre premier

Le départ

Île d'Aix. Napoléon arpente seul les allées fleuries qui entourent la maison du commandant de l'île, où il loge avec sa suite depuis son arrivée. Les mains derrière le dos, légèrement voûté, c'est bien lui. Les habitants de l'île qui l'ont aperçu à distance ont reconnu sa célèbre silhouette. Il était venu en tournée d'inspection en 1808, alors qu'il était au faîte de sa gloire, vérifier l'état d'avancement des fortifications de l'île, travaux destinés à contrer d'éventuelles attaques de la marine anglaise.

Le *Bellérophon* s'est encore rapproché. Plus besoin de lunette.

Il n'en finit plus de soupeser toutes les options. Se rendre aux Anglais ? C'est bien ce que lui a suggéré la comtesse Bertrand, qui a du sang anglais : « Je connais les Anglais, sire. Ils vous respecteront, vous entoureront, vous honoreront. Fiez-vous à eux. Constituez-vous prisonnier. Vous serez aussi libre dans le Sussex ou le Devonshire qu'à votre palais de Saint-Cloud. » Mais lui, Napoléon, il se méfie des Anglais. Il se voit déjà en résidence surveillée, contraint de vivre en petit-bourgeois. L'inaction lui serait mortelle, pense-t-il. Et puis, son séjour en Angleterre serait à la fois ridicule et inquiétant: « J'y serais tranquille qu'on ne le croirait pas. Chaque brouillard serait soupçonné de m'amener sur la côte. Au premier aspect d'un habit vert débarquant d'une chaloupe, les uns s'enfuiraient de France, les autres mettraient la France hors la loi. Je compromettrais tout le monde et, à force de dire: "Voilà qu'il arrive!", on me donnerait la tentation d'arriver... »

D'autres, parmi ses compagnons d'exil, lui conseillent l'Amérique. Le droit d'asile y est garanti par la Constitution. Il y sera libre, et bien reçu, l'a-t-on assuré. Il y compte sûrement moins d'ennemis qu'en Angleterre, pense-t-il. Il a le profil des hommes que l'Amérique admire. Sorti de la foule, il s'est hissé au sommet par le talent et le travail. Pour une majorité d'Américains, hostiles à l'Angleterre et au féodalisme du Vieux Monde, il incarne les idées de la Révolution, celles de liberté, mais surtout d'égalité. Qui plus est, il a de fervents admirateurs. Il est vrai que les Américains ont eu à se plaindre de ses politiques des dernières années, mais c'était à cause de l'Angleterre, qui lui imposait les siennes. Par ailleurs, il a toujours souhaité faire alliance avec l'Amérique. Dès son arrivée au pouvoir, il avait mis fin à leurs relations houleuses, nées de malentendus et d'incompréhension. Et surtout, il a permis aux États-Unis de doubler leur territoire en leur vendant la Louisiane en 1803[1]. Il connaît peu de chose des États-Unis, mais il sait que tout est à faire, que les Américains sont entreprenants, qu'il y sera lui-même libre d'entreprendre. Et aussi de voyager. Il se sent déjà en phase avec ce pays. Une nouvelle vie s'offre à lui. Il pourrait même y laisser sa mar-

1. La Louisiane française s'étendait depuis les Grands Lacs jusqu'au golfe du Mexique, et depuis le Mississippi jusqu'aux Rocheuses. Le territoire sera subséquemment morcelé en treize États américains: le Montana, le Dakota Nord et Sud, le Nebraska, l'Iowa, le Kansas, l'Oklahoma, le Missouri, l'Arkansas, le Colorado, le Minnesota, le Wyoming et la Louisiane actuelle.

que. L'idée l'enflamme. La fatigue et l'anxiété des dernières semaines s'estompent. Une énergie nouvelle monte en lui.

Des pêcheurs, des femmes et des enfants se sont approchés de lui, le regard ému. Une fillette s'avance et lui tend un bouquet de fleurs des champs. Touché, Napoléon caresse la tête de l'enfant, lui sourit, et lui remet un napoléon en or. Les habitants ignorent le drame en cours, mais ils comprennent que leur Empereur va les quitter. L'un d'entre eux d'ailleurs s'écrie: « Vous serez toujours notre Empereur. » Le groupe s'éloigne ensuite.

Il lève la tête. Le *Bellérophon* est toujours là, immobile, tel un renard guettant la sortie d'un terrier.

Il replonge dans ses rêveries: voyages, découvertes de nouveaux mondes. Il a lu Chateaubriand, comme beaucoup d'hommes de sa génération. Le récit de ses expéditions en Amérique du Nord, au cœur des territoires indiens, l'avait passionné, tout comme il avait passionné la France de l'époque. Il aimerait explorer ces forêts immenses et vierges, découvrir les vestiges de l'ancien Empire colonial français, descendre le Mississippi jusqu'à la Nouvelle-Orléans, parcourir la Louisiane jusqu'aux Rocheuses, comme l'ont fait les explorateurs français du XVIIe siècle. Premier consul, il avait songé, un temps, à jeter les bases d'un immense empire français dans les Antilles. Mais la fièvre jaune, la révolte des esclaves de Saint-Domingue[2] et la reprise des hostilités avec l'Angleterre l'en avaient dissuadé.

Après, ce sera l'hémisphère sud. Il veut visiter les républiques hispaniques autoproclamées qui ont refusé, à l'époque, de reconnaître l'autorité de son frère Joseph, qu'il avait fait roi d'Espagne en 1808. Et puis, il veut découvrir les territoires incas. Comme en Égypte[3], il se voit déjà entouré de

2. Nommé Haïti après l'indépendance de l'île.
3. L'expédition militaire d'Égypte, en 1798, avait été doublée, à sa demande, d'une mission scientifique et artistique, dont les travaux aboutirent, plus tard, au décryptage des hiéroglyphes.

savants, cherchant à percer le mystère des cités ensevelies et perdues.

Des membres du 14e régiment de marine défilent sur l'artère principale. Ce sont des fidèles. Eux aussi y sont allés de leur proposition. Mais trop bancale pour être retenue. Il les a fait manœuvrer, il y a quelques jours. Ce furent les dernières manœuvres de sa vie, sans doute.

L'arrivée soudaine du général Bertrand vient mettre un terme à ses voyages.

– Sire, lui signale Bertrand, un informateur, arrivé du continent cet après-midi, a mentionné que toutes les administrations locales sont maintenant aux mains des royalistes. Un émissaire muni d'un mandat d'arrêt est donc susceptible d'arriver à l'île à tout moment.

Le général est tendu. Il sait qu'il encourt la peine de mort, advenant sa capture par les royalistes, comme c'est le cas de l'Empereur.

Revenu à la maison du commandant, Napoléon réunit les siens. De la soixantaine de fidèles au départ de la Malmaison, ils ne sont plus qu'une douzaine. Les domestiques sont retournés à Paris.

Son choix est fait. Il ira en Amérique.

– Comment vous y rendrez-vous, sire ? demande la comtesse de Montholon.

Car là réside l'inquiétude. Tant de propositions se sont avérées peu sûres, pour ne pas dire loufoques !

– Celle du consul américain est la plus valable, estime Napoléon. Nous partons pour Royan cette nuit.

Partisans de l'Angleterre et de l'Amérique se sont ralliés. Car maintenant, ce qui importe, c'est de quitter l'île. Il n'y a pas que le général Bertrand qui craint pour sa vie. Déjà condamnés à mort, les généraux Lallemand et Savary redoutent aussi l'arrivée des royalistes.

On planifie le départ une ultime fois. Afin de ne pas éveiller les soupçons du général Becker et de protéger les arrières de l'Empereur, il est convenu que les voyageurs se scinderont en deux groupes, le second prolongeant son séjour de vingt-quatre heures. Si Becker veut voir l'Empereur, Marchand, son premier valet de chambre, prétendra que celui-ci est au lit, indisposé. Ceux dont la vie est à risque partiront avec l'Empereur, la nuit tombée, sur les chasse-marée du 14e régiment de marine pour Fouras, sur le continent. Quant aux bagages, ils seront chargés à bord de la *Magdelaine* du commandant Besson, qui mouille dans la rade depuis une semaine, dans l'attente d'une réponse à son offre. Enfin, le général Gourgaud devancera le groupe à Fouras pour organiser le voyage jusqu'à Royan.

Reste ce qui échappe à la volonté des hommes : la marée et les vents. L'attente pourrait s'avérer fatale. Mais la marée basse, qui empêche de sortir de l'île, empêche également d'y accoster. L'arrivée de l'émissaire redouté, porteur de mandats d'arrêt, est donc retardée d'autant.

L'escadre anglaise s'est encore rapprochée. A-t-elle été informée du départ imminent de Napoléon ? Lui qui s'était lancé, il y a quelques mois à peine, depuis l'île d'Elbe jusqu'au golfe Juan, dans une longue et périlleuse traversée de la Méditerranée, sillonnée en permanence par la flotte britannique, pouvait-il se laisser intimider par la patrouille de la côte atlantique ?

Le soleil s'incline, la chaleur se fait moins accablante, et une légère brise souffle de l'ouest. Tous attendent fébrilement le retour du général Gourgaud. Pour chasser la nervosité, le groupe arpente les sentiers de l'île. Napoléon se rend sur le site des fortifications. Elles sont toujours en état, mais s'avèrent aujourd'hui d'aucune utilité pour lui.

Les heures passent. L'inquiétude monte. À tour de rôle, on scrute la mer. Chaque bateau en provenance de la côte provoque l'angoisse. Amène-t-il l'émissaire aux mandats d'arrêt ou le général Gourgaud ?

Enfin, le chasse-marée est en vue. Le général revient avec des uniformes et des papiers d'identité falsifiés, en cas d'abordage durant la traversée jusqu'à Fouras.

Le départ est prévu à vingt-trois heures. La marée sera alors haute et les vents, qui soufflent de l'ouest, sont constants.

Marchand vient confirmer à Napoléon le départ de la *Magdelaine* pour New York, avec tous les bagages.

L'heure est venue de partir. L'Empereur dit à Las Cases, son ancien chambellan : « Après tout, on doit remplir ses destinées ; c'est aussi ma grande doctrine. Eh bien ! Que les miennes s'accomplissent ! »

Une excitation fébrile s'est emparée aussi bien de ceux qui restent que de ceux qui partent. Le soleil vient de s'éclipser derrière l'horizon. Dans une demi-heure il fera nuit. Napoléon jette un dernier coup d'œil sur le *Bellérophon* qui disparaît dans l'obscurité. Un officier du 14e régiment vient informer le général Bertrand, grand maréchal, que le chasse-marée *Les Deux Amis* est prêt à partir. Napoléon fait ses adieux à ceux qui restent. À Marchand, il donne ses dernières instructions : « Rassurez le général Becker. Demain, dites-lui que je suis déjà loin des côtes françaises. »

Une même pensée occupe tous les esprits : seront-ils tous au rendez-vous de New York ? Puis le groupe se scinde et emprunte trois chemins différents pour se rendre à l'embarcadère, sans lanternes.

La nuit est noire. Les passagers prennent place dans le chasse-marée. On revêt les uniformes apportés par le général Gourgaud. Napoléon refuse le sien. Le vent d'ouest pousse *Les Deux Amis* droit sur Fouras. Seul le bruissement de l'eau trouble un lourd silence. Quelques alertes s'avèrent finalement sans conséquence. Que des bateaux de pêche !

À Fouras, quatre voitures attendent les voyageurs. Le général Gourgaud prend les devants. Dans l'obscurité, les cochers n'ont pas reconnu l'Empereur habillé en bourgeois. Chacun est armé d'un pistolet. Afin de ne pas éveiller de soupçons et d'écourter le temps passé aux relais pour le changement de chevaux, il est convenu que les voitures partiront à deux, à une demi-heure d'intervalle. Napoléon prend place dans la première, accompagné des généraux Lallemand et Gourgaud.

La route est déserte. Napoléon s'enfonce dans son siège et somnole. Son sommeil est agité. À quoi rêve-t-il ? À Louis XVI en fuite ? Reconnu et arrêté à Varennes en 1791, le roi avait été ramené à Paris, pour être jugé et exécuté.

Il se réveille et jette un coup d'œil par la fenêtre.

Ce départ n'est pas si différent de ceux d'autrefois, lorsqu'il rejoignait son armée pour en prendre le commandement, ou qu'il allait à la rencontre des rois de son Empire ? Ne partait-il pas toujours la nuit, à une heure d'avis, par mesure de sécurité et pour éviter la poussière ? Il pense à sa famille, à ceux qui ont dit qu'ils le retrouveraient en Amérique. Le pourront-ils ?

L'arrêt au relais pour le changement de chevaux le tire de sa rêverie. Personne au-dehors ne cherche à savoir qui est dans la voiture.

Il est déjà trois heures. En juillet, les nuits sont courtes. Voici Royan. Le cocher, guidé par le général Lallemand, arrête la voiture à l'embarcadère. Celui-ci en descend et demande à un pêcheur de le conduire sur le *Pike,* qui mouille en face.

Arrivé sur le pont du brick, le général demande à voir le commandant Beaudin.

– Le commandant dort ! lui répond-on.

– Réveillez-le ! De la part du général Lallemand.

Beaudin émerge de l'obscurité et aperçoit le général.

– L'Empereur est à l'embarcadère, avec sept adultes et quatre enfants.

C'est le branle-bas. Le commandant Beaudin tire ses hommes de leurs hamacs et leur donne l'ordre d'aller chercher l'Empereur et sa suite. Au chef, il passe commande pour douze couverts. Il fait vérifier une dernière fois l'état des cabines, la sienne étant réservée à Napoléon. Pour le reste, comme on était dans l'attente d'une réponse depuis vingt-quatre heures, l'équipage a eu tout le temps de voir à l'approvisionnement du navire, de l'astiquer et d'y faire régner un ordre impeccable. L'alerte est ensuite donnée à la *Bayadère* et à l'*Infatigable* qui escorteront le *Pike* jusqu'à ce qu'il soit suffisamment loin en mer pour échapper à une tentative d'arraisonnement par l'escadre britannique. Il ne reste plus qu'à fabriquer un rôle d'équipage falsifié, intégrant parmi les matelots les compagnons de Napoléon, desquels du reste les Anglais ne possèdent aucune description. Seul l'Empereur est en péril advenant la visite en haute mer d'une patrouille anglaise. Le haut commandement de la marine britannique a distribué la fiche signalétique de « Boney ». Mais le commandant Beaudin a prévu une cachette sûre.

Le général Lallemand, retourné à terre, confirme l'embarquement immédiat. Entre-temps, les deux autres voitures transportant des membres de sa suite sont arrivées. La ville dort. La nuit est toujours aussi noire. Dans le silence, chacun s'approprie ses bagages. Ali, le valet de chambre, transporte ceux de son maître. Moins de cent mètres les séparent de la chaloupe. Soudain on entend un bruit de voix à proximité. Le groupe s'immobilise. Le général Gourgaud s'avance et empoigne son pistolet. Puis plus rien… Chacun retient son souffle et n'ose bouger. Cette fois, ce sont des bruits de pas qui approchent. Les généraux Bertrand, Savary, Lallemand et le colonel Planat de la Faye, qui fut officier d'ordonnance de l'Empereur, devancent Napoléon et forment un bouclier, les pistolets braqués. Encore une fois, le silence. Chacun retient de nouveau son souffle. Après un moment, les voix se font entendre à nouveau. Personne ne bouge… Elles deviennent de plus en plus audibles. Ce sont en fait les matelots du commandant Beaudin qui viennent proposer leur aide pour le transport des bagages.

Les voyageurs, en silence, ont pris place à bord de la chaloupe qui maintenant s'éloigne de la rive en direction du *Pike.* Depuis le départ de l'Île d'Aix, à peine Napoléon a-t-il prononcé quelques phrases.

Posté au sommet de l'échelle, le commandant du *Pike* attend son hôte sur le pont. Le bruit des rames se rapproche. Tout l'équipage est au garde-à-vous. La chaloupe vient de s'immobiliser contre la coque du vaisseau. Le général Lallemand quitte l'embarcation et devance le groupe sur le pont. Napoléon, à son tour, s'agrippe à l'échelle et parvient à se hisser jusqu'au sommet. Tous les regards convergent vers l'hôte illustre. Le général Lallemand lui présente le commandant Beaudin.

– Le meilleur commandant français de la marine marchande américaine ! dit-il avec le sourire.

– Dans ces conditions, je suis assuré que nous ferons un excellent voyage, dit Napoléon. Je sais aussi que vous êtes un homme d'honneur.

– Sire, mon équipage et moi-même sommes honorés de vous conduire en Amérique. Nous ferons tout ce qu'il faut pour que ce voyage vous soit agréable.

Le commandant, à son tour, présente un à un les membres d'équipage, en précisant les fonctions de chacun. Les honneurs lui sont ensuite rendus, à la suite de quoi le commandant dirige son hôte de marque vers sa cabine pour qu'il en prenne possession, tandis que les autres passagers se voient respectivement assigner la leur. Une visite du brick a ensuite été prévue.

L'homme que le commandant Beaudin conduit en Amérique n'est plus le général vainqueur de vingt-six ans, qu'avait peint Gros au pont d'Arcole, aux allures romantiques, presque maigre, et plein d'élan. L'embonpoint actuel de l'Empereur le fait ressembler plutôt à un « moine espagnol ». Il fait un mètre soixante-huit, a le teint olivâtre, une stature épaisse et vigoureuse, avec le cou assez court, un double menton, la mâchoire forte, une tête massive mais digne.

Les tempes de l'homme sont dégarnies et ses cheveux bruns, clairsemés, longs et raides, retombent abondamment sur sa nuque. Mais pas un cheveu blanc. Il a les yeux gris avec de larges pupilles, perçants et scrutateurs. C'est un regard d'aigle. Il subjugue. Les sourcils sont fins et allongés, les lèvres, minces, le nez est long et droit, bien dessiné. La bouche est belle et les dents sont saines. « Son sourire est si prévenant, si enchanteur... » disait l'électrice du Württemberg en 1805. « Le charme de cette bouche, je ne l'ai jamais rencontré sur aucun autre visage humain », disait un interlocuteur britannique en 1815.

Le geste est naturellement rapide et impérieux, geste que l'habitude du commandement avait amplifié. La voix est forte. Ses très belles mains se sont épaissies, mais les doigts sont demeurés effilés et les ongles sont soignés. La jambe est bien moulée et le pied, bien fait.

Il a le profil des effigies sur les médaillons antiques. À bientôt quarante-six ans, il en paraît davantage. Mais il affiche une robustesse exceptionnelle et semble être fait pour supporter la fatigue.

Le général Gourgaud a accompagné Napoléon sur le *Pike* pour y recevoir ses dernières instructions. Il lui remet une lettre à l'intention du consul américain à Bordeaux, M. William Lee, le remerciant d'avoir mis le *Pike* à sa disposition pour le conduire en Amérique. Il veut aussi, au retour, qu'il s'arrête à la Tremblade, à la propriété de campagne de M. Edmond Pelletreau, nommée Les Mathes. Son frère Joseph y est peut-être encore, s'il n'a pas déjà quitté le sol français. Il faut l'informer de sa décision de partir avec le commandant Beaudin pour New York, et lui fixer rendez-vous à l'hôtel City, sur l'avenue Broadway, hôtel qu'a recommandé le commandant. Puis il lui remet la somme d'argent nécessaire pour affréter le bateau qui transportera le reste du groupe à New York. Enfin, dès que la date de départ sera connue, il devra en informer le général Bertrand en écrivant à la poste restante de New York.

Le général Gourgaud prend alors congé du groupe. L'émotion, mais aussi l'inquiétude, se lisent sur les visages. Ce que les frégates à Rochefort n'ont pas risqué, le *Pike* va maintenant le tenter : déjouer l'escadre anglaise. Seul Napoléon demeure impassible. Il subit sa destinée sans émotion.

Dans une demi-heure, les premières lueurs de l'aube poindront à l'horizon. Tous sont sur le pont et observent les manœuvres de départ. Le commandant donne l'ordre de lever l'ancre. Le vent s'engouffre dans les voiles du *Pike* qui ouvre la marche, suivi d'une encablure par son escorte, la *Bayadère* et l'*Infatigable*. La flottille s'avance dans l'estuaire de la Gironde et affronte de forts courants. La lorgnette à l'œil, chacun scrute l'horizon, encore trop sombre pour y apercevoir l'ennemi éventuel.

Napoléon se tient avec le commandant au poste de pilotage. Ils échangent sur les manœuvres en cours. Cela lui rappelle Toulon, en 1798. Le général Bonaparte appareillait alors pour la campagne d'Égypte. Les voiles anglaises se profilaient à l'horizon et donnaient la chasse à tout ce qui ne battait pas pavillon britannique. Cette fois encore il confie sa vie au vent et à la mer.

On aperçoit les premières lumières de l'aube. La vigie vient de signaler que des navires sont en vue, en provenance du nord-ouest, voguant en direction sud-est. S'agit-il de l'escadre de Rochefort ? Le général Lallemand scrute l'estuaire. Il ne fait pas suffisamment clair pour savoir s'il s'agit du *Bellérophon*. Le général s'interroge. L'émissaire, porteur des mandats d'arrêt, a-t-il déjà débarqué à l'île d'Aix ? A-t-il donné l'alerte ? Ou s'agit-il tout simplement d'une patrouille de routine, qui arraisonne en mer les navires américains ? « C'est une escadre de patrouille, pas de blocus, déclare le commandant qui scrute le large avec sa lunette. Il faut plus que trois vaisseaux pour bloquer la sortie en mer. Mais elle peut tenter une poursuite. »

Le *Pike*, qui bat pavillon américain, vient de quitter l'estuaire. La tension est vive. Tous les passagers observent la situation la lorgnette à l'œil. Un navire plus rapide vient de se détacher de l'escadre et se dirige sur la flottille. Beaudin fait bifurquer le *Pike* en direction sud-ouest. Un vent fort et soutenu le pousse vers le large. Une poursuite s'engage effectivement. Mais le *Pike* et son escorte sont si rapides qu'ils distancent facilement l'éventuel l'assaillant. Celui-ci abandonne bientôt la course et fait demi-tour. Soupir de soulagement. « Il peut y en avoir d'autres », dit le commandant, soucieux de donner l'heure juste.

Le brick gagne le large. Rien à l'horizon. Napoléon retourne sur le pont. Avec sa lunette, il jette un dernier regard sur la côte française qui progressivement s'éloigne. C'est précisément cette lunette qu'il avait à Austerlitz[4]. « Adieu, terre des braves ! Adieu, France ! Adieu ! », dit-il, la voix éteinte.

4. Brillante victoire de Napoléon sur les forces austro-russes commandées par l'empereur François II et le tsar Alexandre, le 1er et le 2 décembre 1805.

La reverra-t-il jamais ? D'ordinaire si impassible, cette fois il ne peut retenir son émotion. Il est physiquement et moralement épuisé, après des semaines d'anxiété contenue. Il reste là, immobile et silencieux. Ses compagnons d'exil n'osent pas lui adresser la parole.

L'arrivée du commandant le sort de sa torpeur. Il informe les passagers qu'un repas a été préparé et invite ceux-ci à se rendre à la salle à manger du navire.

L'animation de la conversation tranche avec le silence qui a prévalu depuis le départ de l'île d'Aix. Chacun y va de ses commentaires sur les étapes du voyage. Napoléon mange peu, échange quelques propos avec le commandant, puis se retire dans sa cabine, terrassé par la fatigue.

Entre-temps, Ali a aménagé la cabine de son maître dont il connaît les habitudes. Il a posé des livres sur une étagère : une biographie de Washington, divers ouvrages sur l'Amérique, des récits de voyage dans le Nouveau Monde, dont celui de Humboldt, qu'il feuilletait à la Malmaison avant son départ. Il a aussi mis sur sa table de chevet un buste de son fils, le roi de Rome, rapporté de l'Élysée après son abdication. Quelques pièces d'argenterie, dont un service à café, ont été déposées sur une table de service. Napoléon demande à Ali de se retirer car il souhaite maintenant dormir.

Chapitre II

Entre ciel et mer

En fin d'après-midi, Napoléon paraît sur le pont où tous l'attendent. L'escorte n'y est plus. La *Bayadère* et l'*Infatigable* sont rentrés à Royan. Un sentiment de légèreté, d'euphorie s'est emparé des passagers et de l'équipage. La barque de César peut donc voguer vers un nouveau destin. Il est détendu, et paraît reposé. Il jette un coup d'œil en direction de la côte. Elle se confond maintenant avec le ciel et la mer. Le commandant Beaudin fait servir du vin de Champagne. L'ambiance est joyeuse, on trinque à l'Amérique, Napoléon est causant. Les enfants Bertrand s'en donnent à cœur joie, excités par la nouveauté des lieux. Le personnel de bord, en majorité français, compte néanmoins des Anglais et des Américains. Discrètement, ils observent à distance ce personnage de légende.

À l'invitation du commandant, Napoléon et quelques membres de sa suite effectuent une visite du poste de pilotage où des informations leur sont données sur les divers instruments de navigation. Il montre le journal de bord où sont consignés les différents paramètres de la traversée : température, direction, vitesse des vents et position du bateau. Sur un tableau sont indiquées les coordonnées de Royan, 45° 37' latitude N / 3° 2' longitude W, et de New York, 40° 47' latitude

N / 73° 58' longitude W. On prévoit arriver à New York dans trente jours environ. Napoléon jette un coup d'œil sur le sextant. Le commandant lui précise qu'il est à la fine pointe de la technologie de navigation. La conversation s'engage sur les progrès réalisés depuis vingt ans dans le domaine maritime. Beaudin est étonné par la précision et l'ampleur des connaissances de son interlocuteur. Napoléon est un insulaire. La mer, il la connaît. Surtout entre la Corse et le continent.

Sur l'Atlantique Nord, les soirées sont fraîches même en juillet. On dîne à l'intérieur. Le protocole est réduit à un minimum. On n'est plus aux Tuileries, mais en famille. Le commandant prend place à la droite de Napoléon, la comtesse de Montholon à sa gauche et les autres convives où bon leur semble. Au menu, poissons et fruits de mer, accompagnés de Bordeaux de grands crus. La conversation porte tout naturellement sur l'arraisonnement des navires américains par la marine anglaise.

– Le bâtiment anglais qui nous a pris en chasse, au sortir de la Gironde, était sans doute « en mission » ! dit le commandant.

– Les désertions continuent ! constate Napoléon.

– Le tiers du personnel de la marine marchande américaine est britannique.

– Ils n'ont qu'à mieux traiter leurs marins. Ils ont des salaires de famine !

– La marine américaine accueille ces déserteurs à bras ouverts, avoue Beaudin, quitte à subir des fouilles sporadiques. Elle manque tellement de personnel qualifié pour le long cours !

– Pourtant, l'Amérique a déclaré la guerre à l'Angleterre[1] pour que cessent ces pratiques jugées déshonorantes !

1. Guerre de 1812-1814, nommée par les Américains « seconde guerre d'Indépendance », et qui prit fin avec le traité de Gand, signé le 24 décembre 1814.

– À Gand, leur droit de fouilles était non négociable, assure Beaudin. Les Américains ont dû se résigner. Je vais vous dire le fond de ma pensée. Si à Gand les Anglais n'ont pas renoncé à leur droit de fouilles, c'est qu'il n'y a pas un gouvernement anglais qui durerait plus d'un jour s'il y renonçait. L'Angleterre sans marine n'est plus rien. Vous le savez mieux que moi. Et pas de marine sans marins !

Le commandant fait une pause, puis ajoute :

– Depuis votre première abdication, en 1814, l'Angleterre s'est montrée intraitable avec les Américains, parce qu'elle ne redoute plus de rapprochement entre leur gouvernement et le vôtre !

– Avez-vous déjà été fouillé ? demande le général Bertrand.

– Oui, c'est déjà arrivé. En haute mer, ils arraisonnent et perquisitionnent fréquemment.

La comtesse Bertrand, dont les nerfs ont été mis à dure épreuve durant la Révolution, laisse échapper un cri, effrayée.

– Vous n'avez rien à craindre, madame, dit le commandant sur un ton rassurant. À ma connaissance, ils n'ont jamais arrêté d'étrangers.

– Et alors ? Que se passe-t-il lorsqu'ils arraisonnent ? demande-t-elle.

– Ils se contentent généralement de vérifier le rôle d'équipage. Mais parfois ils poussent plus loin et interrogent les marins. Dès qu'ils détectent l'accent britannique, ils les mettent en état d'arrestation, même lorsqu'ils sont devenus citoyens américains.

– La mer est britannique, et l'Angleterre exerce sa suprématie. C'est ce contre quoi nous nous sommes battus ! déclare Napoléon d'une voix forte.

La perspective d'être arraisonné en haute mer a quelque peu refroidi l'ambiance. Mais Napoléon ne paraît pas inquiété outre mesure, lui qui a traversé la Méditerranée avec l'amiral Nelson à ses trousses. Il porte un toast au capitaine Beaudin et salue sa bravoure. Le malaise se dissipe. Napoléon demande au commandant :

– Vous qui avez beaucoup voyagé dans la mer des Antilles, connaissez-vous la Nouvelle-Orléans ?

– J'y suis allé à quelques reprises, répond Beaudin. Durant les quarante ans de souveraineté espagnole[2], on avait continué à vivre en français comme avant. Mais depuis que vous l'avez vendue aux Américains, les choses commencent à changer. Les Créoles[3] sont inquiets. Ils sont demeurés très attachés à la France.

Napoléon interroge longuement le capitaine sur la Nouvelle-Orléans. La nuit venue, le groupe sort de table et se rend sur le pont pour contempler la voûte céleste. Après un moment, Napoléon, fatigué, se retire pour la nuit.

Il n'arrive pas à fermer l'œil. Comme chaque nuit, Waterloo le hante. Car c'est à cause de Waterloo s'il vogue aujourd'hui vers l'Amérique. Penché sur les cartes étalées, rescapées de la débâcle, il refait cent fois les plans de la bataille, ressassant chaque épisode. A-t-il été victime d'une fatalité ? Y a-t-il eu erreur de stratégie ? Il avait réussi, dès le deuxième jour, à empêcher la jonction de l'armée anglaise, commandée par Wellington, avec son alliée, l'armée prussienne commandée par Blücher. Alors isolé, Blücher avait été battu. Ainsi, l'essentiel du plan avait-il été réalisé après deux jours seulement. Que s'était-il donc passé pour qu'une victoire appréhendée se transforme en un désastre irréversible ? Même avec vingt mille hommes de moins, il n'aurait pas dû perdre à Waterloo. Ce sont les hommes, pense-t-il, qui ont

2. Après la perte du Canada en 1760, Louis XV s'était empressé de céder la Louisiane à l'Espagne, avant la signature du traité de Paris de 1763, de crainte qu'elle n'échoit à l'Angleterre. En 1800, Napoléon obtint la rétrocession de la Louisiane à la France, qu'il revendit ensuite aux Américains en 1803.

3. Le terme désigne les Européens nés en Louisiane.

fait la différence. Il n'y avait plus l'élan, l'audace, qui avaient été à l'origine de tant de victoires.

Il aurait dû mourir à Waterloo ! Il s'était jeté au milieu de ses braves, espérant y trouver la mort ! Mais ceux-ci l'avaient protégé de leur corps, se sacrifiant pour que vive leur Empereur. À cause de Waterloo, pense-t-il, on oubliera qu'il a gagné soixante batailles, pour ne se souvenir que de celle qu'il a perdue !

Incapable de dormir, il saisit l'un des livres posés sur sa table de chevet : une biographie de Washington. Il admire le grand homme. C'était un rassembleur, comme lui. Mais, contrairement à lui, il ne peut imaginer terminer sa vie à cultiver son jardin ! À la mort de Washington, le 14 décembre 1799, il avait décrété un deuil national de dix jours, marqué de cérémonies grandioses, avec crêpe noir aux drapeaux et oraison funèbre au Champ-de-Mars. Il n'avait rien ménagé pour faire oublier aux Américains la crise qui avait empoisonné leurs relations, avant son arrivée au pouvoir.

À peine a-t-il lu quelques pages que le livre lui échappe des mains. Son esprit est ailleurs. Il s'inquiète du sort qui sera réservé à sa famille. Il espère qu'elle trouvera refuge à Rome, et que les Alliés laisseront partir ceux qui veulent le rejoindre en Amérique. Lui, qui avait tant eu à se plaindre d'elle durant ses années de gloire, ne veut plus se souvenir aujourd'hui que des jours heureux, ceux de son enfance à Ajaccio, avec ses sept frères et sœurs. C'était avant que tout n'arrive.

Il pense surtout à sa mère, Letizia. Elle a affronté cinq révolutions, vu sa maison brûlée trois fois par des factions corses, et vu aussi mourir cinq de ses treize enfants. Devenue veuve à trente-six ans, elle a dû élever seule et sans ressources ses huit enfants survivants. Il sait qu'aujourd'hui, encore, elle saura faire face à l'adversité en « vraie Romaine », mais cette fois avec des ressources. Elle a passé sa vie à économiser, en prévision de mauvais jours.

Il songe aussi à son frère aîné, Joseph, avec qui il retrouvera peut-être, en Amérique, un peu de cette vie de famille de jadis. Il l'a jugé sévèrement plus d'une fois. Injustement, il le reconnaît aujourd'hui. Il l'a fait roi d'Espagne, malgré lui. Leurs caractères et leurs vues sur la gestion des affaires du pays les ont opposés. Aujourd'hui, il fait la différence entre l'homme public et l'homme privé… un homme bon, aimable, instruit, philosophe et libéral. Joseph est une « femme » parmi ses frères, pense-t-il, et sa sœur Caroline, un « homme » parmi ses sœurs.

Caroline, sa sœur cadette, qu'il avait faite reine de Naples ! Il y avait chez elle de l'étoffe, du caractère, mais une ambition désordonnée. Contrairement à Joseph, elle tenait à son trône. Lorsque la fortune la quitta, elle chercha à conserver sa couronne en s'alliant à l'ennemi. Il ne l'a pas revue depuis. Élisa, aussi, l'aînée de ses sœurs, est une tête d'homme. Grande-duchesse de Toscane, de Lucques et de Piombino, elle a le goût du commandement. Elle s'est montrée un chef d'État énergique et compétent. Mais ils n'ont jamais été près l'un de l'autre. Les bonnes relations de Caroline avec les Alliés devraient assurer leur quiétude à toutes deux !

Il décide de réveiller Ali, son valet de chambre, couché dans le couloir sur un matelas contre sa porte. Il a soif. Il veut de l'eau fraîche. Il manque d'air. Il décide d'aller marcher sur le pont.

Entouré d'une dizaine de marins qui dorment dans des hamacs, il contemple la voûte céleste et respire l'air du large, celui qui le pousse vers un nouveau destin. Il pense cette fois à sa sœur Pauline, la fidèle Pauline, sa sœur préférée. Elle viendra sans doute le rejoindre en Amérique, comme elle l'avait fait à l'île d'Elbe, à moins que les Alliés ne l'en empêchent. Prodigue et capricieuse, la princesse Borghèse, « la plus belle femme de Paris », lui a toujours été très attachée. Ce lien étroit qui les unit, Pauline l'impute au fait qu'ils ont été les enfants préférés de Letizia.

Il y a aussi Lucien, de cinq ans son cadet; qu'il a toujours considéré comme le plus capable de ses frères. Mais c'est une tête brûlée! Ils ont été en brouille plusieurs années, puis se sont réconciliés aux Cent Jours. Lui aussi veut venir s'établir aux États-Unis. Ça fait longtemps qu'il en rêve.

Il arpente le pont, les bras derrière le dos, jetant de temps à autre un regard sur les hamacs, puis il replonge dans ses pensées.

Il s'attend à ce que Jérôme, le benjamin de la famille, le rejoigne aussi, avec femme et enfant. Il connaît déjà l'Amérique. Il y a épousé en 1803 «la belle de Baltimore», Élisabeth Patterson, dont il a eu un fils. Mais il avait fait annuler le mariage de son jeune frère pour vice de forme, le marié, mineur, ayant convolé sans le consentement de sa famille. En fait, il avait d'autres projets pour ce frère cadet. Jérôme s'étant soumis au dictat, il l'avait récompensé en le faisant roi de Westphalie. Jérôme, qu'il a toujours trouvé immature, l'a étonné à Waterloo par son audace et son courage, étant davantage familier avec les débordements et la prodigalité du roi de Westphalie.

De son jeune frère Louis, l'ex-roi de Hollande, il n'attend rien, pas même une lettre. Les ponts sont rompus depuis son abdication en 1810. Louis refusait d'appliquer les politiques de l'Empire, qu'il jugeait néfastes à la Hollande. Mais il a toujours eu de l'indulgence pour ce jeune frère, qu'il a élevé et aimé comme son fils. Il impute à sa maladie et à ses infirmités son caractère difficile et ombrageux. L'esprit de vindicte de Louis à son égard lui vaudra assurément la confiance des Alliés!

Il frissonne. L'air est humide. Il décide de retourner se coucher. Toujours incapable de fermer l'œil, il rêvasse. Il se voit déjà quelque part entre New York et Philadelphie, entouré de membres de sa famille… et peut-être d'une petite cour française! D'autres fidèles, pense-t-il, viendront le rejoindre sous peu, pour échapper à la fureur royaliste.

Il se calme. Par le sabord il entrevoit déjà les premières lueurs de l'aube. Il éteint sa lampe et s'endort.

En mer depuis une semaine, Napoléon a maintenant adopté un certain rythme de vie. Levé tard, parce que dormant peu la nuit, il se fait servir le petit-déjeuner dans sa cabine, fait sa toilette, s'habille, puis émerge en fin de matinée sur le pont. Après y avoir consulté le tableau de bord, qui donne périodiquement les conditions atmosphériques et la position du bateau, il rejoint ses compagnons pour une partie d'échecs, ou de cartes, suivie d'une leçon d'anglais. Vient le déjeuner, pris généralement à l'extérieur, où les conversations animées se prolongent bien au-delà du repas. Lecture, sieste et observation occupent l'après-midi des passagers. Le dîner est habituellement servi vers dix-huit heures et se compose de quatre services. L'étiquette est réduite à un minimum.

Aujourd'hui, le ciel est sans nuages. Napoléon jette un coup d'œil sur le tableau. À 11 heures : température 20 degrés / vent du nord-ouest, 10 nœuds / latitude 44' 20" N, longitude 15'50" W. Le commandant, accoudé sur le bastingage, cause métier avec Las Cases, ancien officier de marine, tandis que son fils observe le gabier qui répare le cordage. À l'autre extrémité du pont, les enfants Bertrand prennent des bains d'eau de mer dans des tonneaux. Las Cases et le commandant viennent le saluer.

– Avez-vous reculé votre montre d'une heure ? lui demande ce dernier.

– En effet, je ne suis pas à l'heure, répond Napoléon en consultant sa montre de poche.

Puis, levant le regard, il contemple l'immensité.

– Les Arabes appellent la mer un « désert d'eau », dit le commandant.

Le vent vient de changer de direction. Les marins effectuent diverses manœuvres que commente le commandant. Celles-ci terminées, Napoléon propose une partie d'échecs à Las Cases.

Une heure plus tard, c'est l'heure de la leçon d'anglais. Il se retire dans sa cabine avec Las Cases. Aristocrate, le comte avait émigré en Angleterre durant la Révolution. Lorsque le premier consul, en 1802, amnistia la majorité des émigrés, il rentra en France et se rallia à Napoléon.

– Si nous faisons une heure d'anglais par jour, pendant trente jours, croyez-vous que je saurai lire les journaux en arrivant à New York ? demande l'élève.

– Vous devriez être en mesure de les déchiffrer en grande partie, répond le professeur.

En guise de manuel d'anglais, le comte utilise un vieux journal américain, daté de janvier 1815, trouvé dans la bibliothèque dégarnie du bateau. Plusieurs articles commentent l'éclatante victoire que le général Andrew Jackson vient de remporter sur les forces britanniques, à la Nouvelle-Orléans. Avant de commencer la leçon, le comte jette un coup d'œil sur l'article en première page, puis il s'arrête.

– Sire, vous avez un illustre partisan en Amérique !

– De qui s'agit-il ?

– Du général Andrew Jackson[4]. Il dit que c'est en utilisant vos stratégies qu'il a mis les Anglais en déroute !

Napoléon le regarde, l'air étonné, puis se met à rire :

– Il a réussi là où j'ai échoué ! Le général Jackson, dites-vous ?

4. Andrew Jackson (1767- 1845). Le général Andrew Jackson sera président des États-Unis de 1829 à 1837.

Une table a été dressée à l'abri du vent pour le déjeuner. Comme à chaque repas, le chef vient annoncer le menu du jour. Puis la conversation s'engage.

Le commandant évoque les conditions prévalant lors des traversées de l'Atlantique aux XVIIe et XVIIIe siècles.

– Les stabilisateurs de certains de ces bateaux étaient si déficients contre la force des vagues, dit-il, qu'il était impossible de jouer aux cartes lors des tempêtes.

Chacun a ses histoires d'horreur à raconter. Plusieurs émanent des émigrés à la Révolution. De tous les périls, les plus à craindre étaient les tempêtes. Peu de bateaux en sortaient indemnes. Mâts brisés, voiles déchirées, coques lourdement endommagées par les écueils. Certains bâtiments, ayant subi la tempête, prenaient tellement l'eau que le pompage devait s'effectuer jour et nuit. Plusieurs passagers avaient dû leur survie à la proximité des côtes. Heureusement, les temps ont changé.

– Les bateaux sont aujourd'hui mieux construits, dit le comte de Las Cases, et les instruments de navigation, ultraperfectionnés. Sans compter le temps de traversée qui a été réduit de moitié, grâce aux coques et aux gréements beaucoup plus performants.

Le repas terminé, Napoléon se retire dans sa cabine pour y faire une sieste, tandis que le groupe fait sa promenade habituelle sur le pont. À tribord, un bateau, battant pavillon espagnol, croise en direction nord-est. On dirait qu'il se rapproche. Le commandant observe la scène. C'est une corvette. Arrivée à faible distance du *Pike*, un membre d'équipage s'empare d'un porte-voix, et, dans un anglais approximatif, demande au commandant Beaudin s'il a du vin à vendre. Aurait-il aussi des poules ? Est-il intéressé à acheter du madère ? Beaudin, qui se méfie, dit n'être ni vendeur, ni acheteur. S'il est poursuivi, il ouvrira le feu. La corvette s'éloigne bientôt.

– Qu'est-ce que cette affaire ? demande le général Bertrand, curieux.

– Je ne saurais vous le dire avec certitude, répond le commandant. Parfois, des équipages, depuis longtemps en mer et à court de provisions, cherchent à s'en procurer en accostant d'autres bateaux. D'autres fois, c'est uniquement pour cueillir des nouvelles, bavarder, échanger. La solitude est grande sur le long cours. Mais ça peut être aussi des corsaires, bien qu'ils opèrent surtout dans les Antilles.

Trois heures. Encore cette nuit, Napoléon n'arrive pas à fermer l'œil. Il enfile sa redingote grise et va marcher sur le pont. La luminosité du ciel étoilé est telle, au milieu de l'océan, que la nuit n'est jamais opaque, même sans lune.

Quinze ans de travail pour rien ! Il rumine ses erreurs. Trop de grands projets pour assurer à la France l'empire du monde ! Il s'interroge sur la justice de l'Histoire à son égard. Il y a eu tant de calomnies. Mais le temps joue pour lui, croit-il. On finira par lui rendre justice. Il voudrait qu'on se souvienne de lui, non comme de celui qui a trop aimé la guerre, mais comme d'un phare, diffusant les idées nouvelles, pour régénérer l'Europe. Et les Français devront convenir que, sous son règne, ils ont été le premier peuple de l'univers, et Paris, la capitale des nations. Il a été de ceux qui ont disposé du sort des hommes. Et jamais une cour ne fut plus brillante que la sienne.

Ce destin, il l'a voulu. Il lui a tout sacrifié. Il a été ce qu'il a désiré être. Sorti de la foule, aujourd'hui il aspire à y retourner. Peut-être aura-t-il alors de vrais amis !

Le vent se lève. Il décide de retourner à sa cabine.

Le regard fixé sur sa table de chevet, il fond en larmes. C'est tout ce qui lui reste de son fils de quatre ans, ce buste de marbre. Il est demeuré à Vienne avec sa mère, l'impératrice Marie-Louise. Il y a plus de dix-huit mois qu'il ne l'a pas vu. Son fils lui semble perdu. Ne le reverra-t-il jamais? On le lui a enlevé comme jadis les enfants des vaincus, pour orner le triomphe des vainqueurs. Il fait déjà jour quand le sommeil enfin l'envahit.

Levé tard, il convoque le comte en fin de matinée pour sa leçon d'anglais. Mais le cœur n'y est pas. Il l'accueille en robe de chambre, un madras sur la tête, calé dans un fauteuil.

– Asseyez-vous, lui dit-il d'une voix éteinte.

Le comte prend place et regarde Napoléon. La nuit a été mauvaise!

– En Amérique, dit Napoléon, je songe à prendre le nom de colonel Muiron[5]. Je veux n'être qu'un simple citoyen.

Sans attendre la réaction de son interlocuteur, Napoléon poursuit sur le ton de la confidence.

– Je n'étais pas né pour devenir ce que je suis. L'argent, les honneurs ne font pas le bonheur. J'aurais été aussi heureux en tant que monsieur Bonaparte, qu'en tant qu'empereur Napoléon.

Il s'arrête, le regard vague, perdu dans ses pensées.

– Les ouvriers sont tout aussi heureux que les autres. Tout est relatif. Je n'ai jamais eu le plaisir de la bonne chère parce que j'ai toujours été bien servi. Mais le petit particulier qui ne dîne pas aussi bien que moi est plus heureux quand on lui sert un bon pot-au-feu…

– Sire, la nature vous a fait tel que vous n'auriez pas pu n'être que monsieur Bonaparte.

– Avec un louis par jour et un cheval, je serais heureux! Il ne s'agit que de savoir borner ses désirs. Je me ferais des habitudes en conséquence.

5. Aide de camp du général Bonaparte, mort à Arcole en Italie, en 1796. Devant le feu ennemi, il s'était délibérément placé devant son général pour lui faire bouclier et recevoir les balles à sa place.

Il s'interrompt de nouveau, puis poursuit son propos.

– J'aimerais m'installer quelque part entre New York et Philadelphie… avoir une maison de campagne, au milieu d'un grand parc. J'y ferais de longues promenades à cheval, je cultiverais mon potager, je regarderais naître et vivre des animaux.

– Vous y serez heureux, sire. C'est une vie que vous n'avez jamais connue.

Napoléon reste muet. Il feuillette distraitement le récit de voyage qu'il lisait au moment de l'arrivée du comte.

– Je voudrais aussi voyager, ajoute-t-il, avec trois ou quatre voitures seulement, et quelques amis, rouler à petites journées, m'arrêter souvent, visiter, converser avec des fermiers… avec votre aide comme interprète !

Le comte sourit.

– Il faudra aussi, sire, que vous écriviez vos mémoires.

– Je n'aime pas écrire. Je vous dicterai et vous écrirez.

– Il y a tant de choses à raconter que nous en aurons pour quelques années, assure le comte.

– Je ne veux pas passer le reste de ma vie à me souvenir.

– On dit que les Américains ne s'intéressent pas au passé, qu'ils sont tournés vers l'avenir. Vous aurez le loisir d'en faire autant.

– À l'île d'Elbe, avec de l'argent, j'aurais accueilli les savants et les artistes de l'Europe, j'aurais vécu au milieu d'eux, j'en aurais été le centre. J'aurais été heureux.

Le comte a compris qu'aujourd'hui il n'y aurait pas de leçon d'anglais.

Le tableau de navigation indique que le *Pike* a franchi cette nuit le trente-sixième degré de longitude. Il serait donc à mi-chemin de sa destination.

Ce matin, le commandant propose une partie de pêche et distribue des cannes. Après avoir reçu quelques conseils techniques, tous jettent leur ligne à l'eau, puis attendent…

Mais le poisson ne semble pas au rendez-vous. Les enfants s'impatientent. Distrait, le général Savary, en conversation avec le général Lallemand, laisse échapper sa canne à la mer. Apparemment, un coup de mâchoire trop brusque lui a fait glisser la canne des mains! Mme Bertrand, qui tient solidement la sienne, prévient que ça mord... Le poisson fait dix centimètres! Le commandant lui suggère de le laisser à l'hameçon, il servira d'appât pour une prise plus imposante. C'est de nouveau le calme et l'attente... lorsque soudain, de sa voix forte, Napoléon s'écrie: «Ça mord!» La canne est courbée sous le poids de la capture. Il se saisit du fil tendu afin d'amener la prise en surface. Enfin le poisson apparaît. C'est une grosse morue qu'il hisse à bord. Les pêcheurs retirent leurs amorces de l'eau et viennent admirer la prise. Un marin la transporte à la cuisine. Aujourd'hui, il y aura de la morue fraîche au dîner.

Une tempête s'annonce. La mer est devenue forte et grise. Le vent soulève les vagues en montagnes qui font légèrement s'élever le navire. Une pluie froide tombe dru. Le bateau tangue. Le commandant Beaudin suggère à ses hôtes de regagner leur cabine en attendant que le temps s'apaise. Presque tous souffrent du mal de mer. Napoléon ne fait pas exception. Enfin, à l'aube, le temps se calme.

La vigie signale une voile, bientôt reconnue pour appartenir à un vaisseau de guerre anglais, qui fonce droit vers le *Pike.* Ce qu'on avait tant redouté se produit. Tout le monde est encore couché, tant cette nuit mouvementée a été épuisante. Le pilote éveille le commandant Beaudin. Celui-ci donne l'ordre d'arrêter et d'attendre la visite. Inutile d'essayer de s'échapper. En toute hâte, Beaudin va vérifier l'état de la cache qu'il avait fait aménager avant le départ de Royan: un réduit avec sabord, dont la porte se confond avec le mur, contenant un canapé, une table à café et une pile de journaux français et américains. En temps ordinaire, ce réduit sert à cacher des marins anglais. Cette fois, ceux-ci seront plutôt parqués à fond de cale. Le commandant réveille Ali, couché comme toujours sur un matelas en travers de la porte de la cabine de son maître. Ali, à son tour, réveille Napoléon. À Royan, Napoléon avait dit au commandant que jamais il ne se dissimulerait dans le réduit aménagé à son intention. Cela était indigne de lui. Il avait néanmoins remercié le commandant et l'avait assuré qu'il saurait faire face à la situation. Il ne change pas d'avis. Il restera couché, d'autant plus qu'il n'est pas entièrement remis du mal de mer. Ali informe le commandant de la décision de son maître.

Le commandant, qui depuis le début affiche beaucoup de sang-froid, devient nerveux. Le vaisseau anglais approche. Se pourrait-il que, contrairement aux contrôles passés, la fouille cette fois s'étende aux cabines et à l'ensemble des passagers? Beaudin vérifie les documents relatifs à l'équipage. Tout est en ordre. La cabine où repose Napoléon est identifiée comme celle du commandant. Il l'a verrouillée. Auraient-ils l'outrecuidance de vouloir y entrer? Enfin, il ne peut pas contraindre son hôte.

La frégate anglaise est là et accoste le brick. Des marins jettent une passerelle et deux officiers britanniques montent à bord du *Pike*. Napoléon aperçoit de son sabord les deux officiers. Le « liquide rouge » que son médecin, Corvisart, lui a remis avant son départ de la Malmaison, il le porte toujours sur lui, au cas où.

Sans même attendre que les officiers lui révèlent la raison de leur visite, le commandant Beaudin leur tend les documents. Des rafraîchissements ont été prévus à leur intention, question de détendre l'atmosphère. Mais les deux officiers regardent distraitement les documents et ne posent aucune question sur les passagers. Que veulent-ils donc? Ils viennent aux nouvelles. L'un d'eux, qui parle un excellent français, demande :

– Savez-vous si Napoléon est parti pour l'Amérique ? La rumeur courait qu'il s'en allait en Amérique.

Le commandant Beaudin, qui semble vraiment interloqué, lui répond :

– Nous avons quitté Royan le 15 juillet. On disait qu'il était alors à l'île d'Aix. Depuis, je n'ai pas de nouvelles.

Curieusement, les officiers n'insistent pas, et s'abstiennent de fouiller le vaisseau plus avant. Tout simplement déçus, ils saluent le commandant, retournent à leur bord, et reprennent la route.

Le commandant vient informer Napoléon du départ des officiers britanniques, et fait libérer les marins anglais de la cale. Le branle-bas a éveillé tout le monde. Les émotions sont vives. Chacun félicite le commandant pour son sang-froid et son aplomb.

Pour détendre l'atmosphère, celui-ci annonce qu'il y aura de la musique au dîner. L'équipage compte en effet trois flûtistes, honorés de jouer devant l'Empereur.

Le vent est tombé, mais le temps reste gris et pluvieux. On dîne à l'intérieur. On trinque à l'Amérique, comme c'est souvent le cas depuis le départ. L'ambiance est joyeuse. On se détend enfin. Napoléon, à qui un verre fait facilement de l'effet, hasarde quelques mots en anglais auprès de celui qui fait le service.

– *How do you do, Sir?*

Tous retiennent un fou rire tant l'accent est fort ! Le serveur, amusé, mais surtout intimidé, répond :

– *Very well, Majesty.*

Depuis quelques jours, peut-être depuis que le bateau a franchi la ligne médiane entre les deux continents, les conversations portent moins sur l'Europe et davantage sur l'Amérique.

– Il faut reconnaître que nous, Européens, savons bien peu de chose sur l'Amérique, admet la comtesse Bertrand.

Tous en conviennent.

– À l'école, raconte Napoléon, nous apprenions que le Nouveau Monde se divisait en deux Amériques, septentrionale et méridionale, et que leurs habitants étaient olivâtres. C'était sommaire, c'était le monde de Robinson Crusoe.

Le comte de Las Cases renchérit :

– Sans croire que tous les Américains étaient des sauvages, beaucoup d'Européens, à la fin du XVIIIe siècle, pensaient que ce continent finissait par « ensauvager » ceux qui y immigraient. C'est peut-être ce qui nous attend !

Grand éclat de rire, où perce néanmoins quelque inquiétude.

– Ce sont les émigrés de la Révolution qui, à leur retour en France, en ont rapporté une image plus à jour, déclare le commandant.

– Mais quelle image ! s'exclame la comtesse Bertrand. Lourdauds, rustres et sans finesse, voilà ce qu'ils en disaient. Comment vouliez-vous qu'ils s'intègrent ?

L'Amérique n'était pas le choix de la comtesse !

– Les Européens ont longtemps considéré les États-Unis comme un lieu géographique, plutôt que comme un foyer national, dit le général Savary. On croyait qu'il n'y avait pas de nation américaine, que des Hollandais, des Anglais, des Allemands, des Suédois, vivant côte à côte sur un même territoire.

– On a donc des chances de demeurer Français, s'exclame Napoléon en riant.

Puis il ajoute :

– Talleyrand[6], lorsqu'il évoquait son exil américain, le faisait toujours avec le plus grand mépris. Il reconnaissait

6. Charles Maurice de Talleyrand (1754-1838). Ancien ministre des Affaires étrangères de Napoléon. Il s'exila deux ans aux États-Unis à la Révolution.

que le luxe dont s'entouraient des aristocrates français témoignait souvent de leur frivolité, de leur imprévoyance. Mais en Amérique, disait-il, le luxe ne faisait voir que des défauts, prouvant que le raffinement n'avait pas encore pénétré les mœurs américaines. Il y déplorait « l'absence de charme de société ».

Le général Lallemand, qui a été l'un des plus chauds partisans du choix de l'Amérique, s'interroge maintenant sur l'accueil qu'on leur réservera. La mauvaise image laissée par les aristocrates en inquiète plus d'un. La comtesse Bertrand regarde le général Lallemand avec ses beaux yeux noirs.

– Mon général, si nous y sommes mal reçus, on vous en tiendra rigueur !

Le commandant y va de quelques conseils.

– Pour y être bien reçu, il faut savoir que les Américains sont devenus nationalistes. Ils sont susceptibles et supportent mal la critique. Ils sont fiers d'être la première République des temps modernes. Ils voient déjà Boston comme la nouvelle Athènes. Être pour la République, c'est être pour la vertu, être vertueux, c'est être républicain. Ils se définissent ainsi par rapport à l'Europe monarchiste et corrompue.

– Qu'est-ce qui a le plus changé en quinze ans ? demande alors le général Savary.

– Les forêts ont reculé, des villages, des villes ont surgi, les bateaux à vapeur ont remplacé les voiliers pour la navigation fluviale. Mais ce qui me frappe le plus, à chacun de mes voyages, c'est la grande énergie qui mobilise toutes les couches de la société. New York, en particulier. La ville compte maintenant quatre-vingt-quinze mille habitants[7]. C'est la plus peuplée du pays qui, lui, en compte maintenant huit millions.

7. À la même époque, Paris comptait six cent cinquante mille habitants, et la France, trente-deux millions.

Chacun se positionne par rapport à ce tableau de la société américaine et jauge ses chances de s'y adapter.

– C'est par la filière scientifique que les chances sont les meilleures, ajoute le commandant, tellement tout est à faire dans ce pays.

Beaudin est interrompu par l'arrivée soudaine des enfants Bertrand, au comble de l'excitation. Ils ont vu des lumières dans le ciel! disent-ils. Tous sortent sur le pont. Ce sont des étoiles filantes, ou perséides, fréquentes en cette période du mois d'août. Le spectacle est grandiose. Des traînées lumineuses traversent la voûte céleste presque sans relâche. « On dirait un feu d'artifice! » disent les enfants. Puis, après un moment, les adultes rentrent prendre le café dans le salon. Les musiciens y sont déjà. Le commandant les présente aux passagers. Ils sont français de Bordeaux.

Ils entament un air que Napoléon a souvent entendu chez les marins de la base navale de Cherbourg. Il écoute avec émotion. Un morceau de la France l'accompagne sur le chemin de l'exil.

Alors que tous regagnent leurs cabines pour la nuit. Napoléon reste seul à bavarder avec le commandant au salon. Il se préoccupe de l'accueil que lui réserveront les autorités américaines. Le commandant fait resservir du café.

– Vous arriverez aux États-Unis au bon moment, dit Beaudin. Jamais le sentiment anti-Anglais n'a été aussi fort. Le parti anglophile est sorti très affaibli de la guerre. L'opinion publique devrait vous être favorable. Quant au gouvernement, il se dit neutre, mais il est plutôt francophile.

– À mon arrivée au pouvoir, dit Napoléon, j'avais mandaté mon frère Joseph pour négocier le règlement de nos différends. L'année suivante, nous signions la paix à Mortefontaine, dans la propriété de Joseph, en grande pompe. Joseph avait su séduire les Américains.

– J'ai la conviction que vous serez bien accueilli. Mais il reste que la Révolution française a inspiré de l'horreur au parti anglophile, et il vous considère comme son héritier. Ceux-là sont vos ennemis. Ils vous appellent le « Jacobin impérial ».

Le commandant hésite à aller au bout de sa pensée. Mais sachant que l'homme a toujours aimé le parler franc, il ajoute :

– Lorsque vous avez été proclamé Empereur, sire, beaucoup d'Américains y ont vu une trahison des principes républicains.

– À tort ! rétorque Napoléon. La France était toujours une république, une république impériale.

– Je dois aussi ajouter que beaucoup, même au sein du parti francophile, ont déploré le régime autoritaire de la France, renchérit Beaudin.

– Vous qui connaissez bien les deux pays, vous admettrez que les institutions politiques américaines ne conviennent pas au caractère français. Celui qui voudrait les transposer en France passerait pour niais !

Le commandant pense être allé trop loin.

– Pour l'opinion publique américaine, sire, vous demeurez un homme de légende, le champion de la liberté des mers contre la tyrannique Albion.

L'évocation de la « tyrannique Albion » fait bifurquer la conversation sur l'ennemi commun, l'Angleterre, et le triangle infernal.

– Pour les Américains, vaincre l'Angleterre sur mer a été un exploit extraordinaire, dit le commandant, sachant que vous-même y aviez renoncé. La guerre les a transformés. Ils ont maintenant le sentiment d'être une vraie nation.

– La fin du conflit en Amérique a été néfaste pour la France. Ce sont les troupes anglaises, rapatriées d'Amérique, que j'ai eues en face de moi à Waterloo !

– La fin des hostilités en Europe faillit l'être aussi pour les Américains. Ils ont cru à un redéploiement massif des forces anglaises d'Europe en Amérique, après votre première abdication.

Les deux interlocuteurs échangent pendant encore un moment, puis se quittent pour la nuit.

Le bateau vient de franchir le cinquante-cinquième méridien. Le commandant prévoit arriver à New York dans une semaine.

Ce matin, le temps chaud étant revenu, le petit-déjeuner est servi sur le pont. Fait rare, Napoléon s'est joint au groupe. On cause de choses et d'autres, lorsque soudain surviennent des cris, suivis de bousculades.

– Un homme est tombé à la mer ! s'écrie quelqu'un.

Des filins sont aussitôt jetés par-dessus bord, tandis que le *Pike* se met tout de suite en panne.

– Il était monté dans les vergues, affirme un témoin sous le choc.

– Je l'ai vu glisser et tomber dans le vide !

Une chaloupe est mise à la mer en hâte, avec six marins qui souquent ferme en direction de l'homme infortuné. Celui-ci ne réussit pas à mettre la main sur la perche qu'on lui tend. Sa tête apparaît sur la crête des vagues pour ensuite disparaître dans le creux. Combien de temps l'homme pourra-t-il tenir ainsi ? La chaloupe navigue à contre-courant et avance lentement. Les sauveteurs ont soudainement perdu de vue le marin ! Où est-il donc ? Certains pensent qu'il a dérivé sur la gauche, d'autres sur la droite, tandis que sur le *Pike*, qui continue à décrire des cercles, tous sont rivés à leur lorgnette, scrutant chaque vague dans l'espoir d'y apercevoir l'homme en détresse. Et puis, il faut se rendre à l'évidence : l'homme a disparu, la mer l'a englouti. Les sauveteurs abandonnent leurs recherches et retournent vers le *Pike*. Le retour est difficile tant les courants sont forts. Les hommes dérivent. Pour s'immobiliser, ils vont à contre-courant. Le *Pike* réussit à s'approcher à quelques dizaines de mètres de la chaloupe. Un marin lance en direction de celle-ci un long filin muni d'une pesée. L'opération est répétée plusieurs fois. Enfin, les sauveteurs attrapent le filin et sont tirés vers le navire, puis hissés à bord.

Sur le pont, c'est la consternation. On apprend que le jeune homme s'appelait James Russell, un jeune Anglais de dix-huit ans, originaire de Liverpool. C'était sa première traversée de l'Atlantique. Le commandant Beaudin interroge les témoins de la chute. Il veut tout connaître des circonstances de l'accident. Il semble que ce fut une maladresse due au manque d'expérience. Malheureusement, les chutes en mer ne sont pas rares. L'alcool en est souvent la cause. Cette journée restera gravée dans les mémoires, et sera inscrite dans le journal de bord pour la postérité.

Ce matin, Napoléon s'est regardé dans la glace. Il a décidé de perdre du poids. On dit qu'en Amérique les hommes sont grands et minces. Il doit se rapprocher du profil des citoyens de son pays d'accueil. Le commandant a dit que les Français doivent s'intégrer s'ils veulent être bien vus.

Il a aussi décidé de se faire soigner. Il n'a jamais eu confiance en la médecine, mais si les médecins américains en savaient un peu plus que les médecins français? Il souffre d'une cystite qui, périodiquement, l'indispose cruellement. À Moscou, le mal était insoutenable. À Waterloo, et durant sa descente sur Rochefort, il a ressenti les mêmes douleurs.

Enfin, il veut augmenter la fréquence de ses leçons d'anglais. Il y en aura maintenant deux par jour. Ce qui l'embête surtout, c'est la prononciation. Il a demandé à Las Cases s'il ne pourrait pas tout simplement prononcer les mots à la française. Ce serait beaucoup plus simple, et une économie de temps. Mais Las Cases lui a dit qu'il lui fallait absolument apprendre la phonétique anglaise, sans quoi il risque de n'être pas compris. L'élève se résigne.

En attendant l'arrivée du comte, il passe en revue le contenu de ses six petites caisses en acajou, qui sont sa bibliothèque de campagne, la même qui l'a accompagné dans tous ses déplacements depuis quinze ans. Il met la main sur trois ouvrages scientifiques : le livre de Volney, *Tableau du climat et du sol des États-Unis*, *L'Histoire naturelle* de Buffon et l'*Astronomie* de Delambre. Le commandant a dit que c'est par la filière scientifique que les Français ont le plus de chances de s'intégrer ! Il plonge dans l'ouvrage de Volney.

À deux jours des côtes, c'est la panne de vent et le calme plat ! La mer est un miroir. Dure épreuve. Soudain, un cri retentit : « Des baleines ! »

Tous se précipitent. Les énormes mammifères marins passent près du brick presque immobile. Ils émergent expulsant des colonnes d'eau, pour ensuite s'enfoncer et refaire surface plus loin. Tantôt seule la queue émerge, tantôt c'est tout le corps qui semble vouloir s'élancer hors de l'eau, pour ensuite retomber et disparaître à nouveau. Par moments, les cétacés se rapprochent du voilier, comme s'ils étaient conscients de s'offrir en spectacle, puis s'éloignent. Ils finissent bientôt par être hors de vue.

En ce matin du 15 août, enfants et adultes attendent Napoléon à la sortie de sa cabine. Ali, son domestique, l'en informe. Napoléon ouvre la porte.

– Bon anniversaire ! s'écrient-ils tous en chœur.

Il a quarante-six ans. Ce geste l'émeut. Cet anniversaire ne ressemblera pas à ceux du temps de sa gloire.

Le 15 août était alors un jour férié. C'était la grande fête publique annuelle. Le programme était chargé : salves et pétards le matin, joutes sur la Seine l'après-midi, avec parfois l'illustre Forioso annonçant qu'il allait traverser le fleuve sur une corde raide, et qui se dérobait au dernier moment, théâtres en plein vent au carré Marigny, pantomimes, acrobates, sauteurs, ou bien tournois de chevaliers cueillant des bagues du bout de leurs lances. Le soir, enfin, il y avait l'obligatoire feu d'artifice, le lancement d'un ballon lumineux, et un grand bal à Tivoli. Et chaque année, le lendemain, les journaux écrivaient que jamais la fête du 15 août n'avait été plus brillante.

Napoléon cause un moment avec chacun et offre des pièces d'or aux enfants.

Le commandant vient aussi offrir ses vœux et annoncer la grande nouvelle : les côtes américaines sont en vue ! Tous se ruent sur le pont, lorgnette en main, pour scruter l'horizon. Des oiseaux de mer survolent le *Pike.* Le tableau affiche : longitude 72'50"W / New York 73'58"W.

Dîner d'anniversaire, mais aussi ultime dîner. Après avoir vécu pour ainsi dire un mois « hors du temps », la perspective de renouer avec le réel en déstabilise plusieurs. Chacun avait pris ses habitudes, s'était adapté à cet environnement insulaire, comme si la vie n'était qu'un long voyage. À cette rupture, s'ajoute la réalité de l'exil, l'incertitude quant à l'accueil et à la capacité de s'intégrer à un mode de vie, à une culture si éloignés des leurs.

Napoléon est néanmoins causant. L'après-midi s'est écoulé autour de petites tables de jeu, installées sur le pont. Aux dés, il a gagné à tous les coups, ce qui n'arrive jamais !

– Comment expliquer un tel état de choses ? s'exclame-t-il. Et pourtant, je n'ai pas triché, ajoute-t-il d'un ton moqueur.

Tout le monde s'esclaffe.

Le chef s'est surpassé. Les trois flûtistes français interprètent des hymnes patriotiques américains, que fredonne en sourdine le personnel de service.

16 août. Napoléon est déjà sur le pont depuis un moment lorsqu'il voit le jour se lever. Ce qu'il aperçoit au loin doit être les côtes de Long Island, s'il se fie à la carte qu'il a en main. C'est plat, très plat. Des voiliers, filant dans toutes les directions, se font plus nombreux à mesure que les côtes se rapprochent. Le commandant prévoit entrer dans la baie de New York à dix-huit heures. Cette exactitude nautique, qui séduit tant Las Cases, est maintenant possible grâce aux nouveaux instruments de navigation. Le comte n'imagine pas que la science puisse aller au-delà.

À mesure que le *Pike* se rapproche de la terre ferme, le paysage se précise. Ce qui n'était qu'une ligne blanche longeant la côte se révèle être, en fait, de petites maisons blanches. Des maisons de pêcheurs, peut-être. Ce que Napoléon ressent, des centaines de milliers d'hommes et de femmes l'ont ressenti avant lui, à la recherche d'une nouvelle vie, fuyant les misères, les persécutions, et les convulsions de l'Ancien Monde. Il se sent soudain en phase avec ces pionniers, dont l'Histoire n'a pas retenu les noms. Il pense à sa famille. A-t-elle pu trouver refuge dans les États du pape, comme il le souhaitait ? Et Joseph, où est-il ? À cette heure, les royalistes ont dû commencer à exercer leur vindicte.

À gauche, le phare de Sandy Hook, à droite, le phare de New York balisent l'entrée du port. Des voiliers de toutes tailles entrent et sortent de la baie. Le commandant Beaudin aperçoit, dans sa lunette, trois frégates battant pavillon anglais, patrouillant l'entrée du port. L'une vient d'accoster un trois-mâts battant pavillon américain. Les deux autres partent visiblement en chasse, tels des prédateurs à la poursuite d'un troupeau. Il ordonne au pilote de ralentir la course du brick. Il veut évaluer la situation. Les passagers viennent de comprendre. L'inquiétude est grande à bord. Le commandant envisage de se diriger vers Long Island. Puis il y renonce.

Il n'y a là que des plages désertes et des pêcheurs. Comment pourrait-il ramener ses hôtes à New York ? Il invite Napoléon à quitter le pont et à prendre place à l'intérieur. Mme Bertrand craint pour la vie de son mari.

– Qu'y a-t-il ? demande-t-elle, au bord de l'hystérie.

– Ils arrêtent des bateaux au hasard, et ils les fouillent, répond le commandant.

– Si on a pu sortir de Royan, on devrait pouvoir entrer à New York ! dit le général Lallemand. Il faut foncer au travers, déclare-t-il en gesticulant nerveusement.

Le *Pike* vient de recevoir un signal d'une goélette, à bâbord, battant pavillon américain. Il s'approche. La goélette transporte des pilotes expérimentés. Les Américains les proposent aux bateaux intimidés par la flotte anglaise. Le commandant décline l'offre. Le port de New York, les fouilles, il connaît. Pour le moment il observe, il mesure le temps d'accostage et règle sa stratégie. Le *Pike* s'élance. Poussé par un fort vent et toutes voiles déployées, il franchit enfin l'entrée du port.

Napoléon est revenu sur le pont. Le paysage qui s'étale devant ses yeux est à couper le souffle.

– C'est la plus belle baie du monde ! dit-il.

Le soleil couchant irise le paysage. Le brick semble glisser sur de l'or liquide. À bâbord, une suite d'îles verdoyantes accueillent les voyageurs. Au fond de la baie apparaît la ville de New York, construite sur la pointe de l'île de Manhattan. Une forêt de voiliers la masque en partie. Une activité intense y règne. Des voiliers, sous de multiples pavillons nationaux, sillonnent la baie en tous sens, auxquels s'entremêlent des bateaux crachant de la fumée[8].

8. En 1803, Robert Fulton, qui étudiait la propulsion à vapeur, avait présenté à Napoléon, sur la Seine, sa nouvelle invention, le bateau à vapeur. Le Premier Consul n'avait pas été convaincu. Fulton s'était alors tourné vers les Américains, et en 1807, le *Clermont* ouvrait la première ligne régulière à vapeur entre New York et Albany.

Le *Pike* progresse vers les installations portuaires. Napoléon regarde attentivement les estacades, constituées de simples coffrages de bois emplis de pierres, coulés et recouverts de planches et de terre.

– C'est assez rudimentaire ! dit-il au général Bertrand, qui est ingénieur militaire.

Au-delà, une succession de quais forme une enfilade de bassins, souvent assez larges pour contenir jusqu'à trente ou quarante voiliers. Le *Pike* s'immobilisera finalement dans l'un d'eux. La tension des dernières heures a fait place à l'euphorie, à un sentiment d'irréel. Les bagages sont déjà sur le pont. Napoléon s'entretient avec le commandant Beaudin pendant que l'équipage jette les amarres sur le quai. Il le remercie et loue son sang-froid. N'étant plus qu'un simple citoyen, il demande qu'aucun honneur ne lui soit rendu. Il est calme. Seule sa voix, plus douce que d'habitude, traduit de l'émotion. Il passe en revue les membres d'équipage, serre la main de chacun, les remerciant de l'avoir conduit à bon port. Le commandant précède ses hôtes sur la passerelle. Napoléon cède le pas à la comtesse Bertrand et à ses trois enfants, ainsi qu'au général. Il s'avance à son tour. Il n'a plus le pied aussi sûr qu'autrefois, faiblesse imputable davantage à un excès de poids qu'à l'âge. Le commandant Beaudin lui offre le bras pour mettre pied sur le quai.

Il est maintenant en sûreté, protégé par la Constitution américaine.

Chapitre III

New York

Une chaleur humide et accablante pèse sur New York. Les quais sont encombrés de dockers, de caisses, d'immigrants, de valises, de marchands, d'armateurs, de matelots. Des hommes, s'interpellant dans plusieurs langues, s'affairent à décharger des cargaisons de thé venues d'Orient. Des peaux de loutres empilées et des cargaisons de boules de coton attendent d'être chargées sur des navires anglais en partance pour Liverpool. Mais pas de contrôleurs de papiers, ni de douaniers.

– On entre dans ce pays comme un courant d'air ! s'esclaffe la comtesse Bertrand.

Des vendeurs de journaux agitent la dernière édition du *New York Evening Post,* ainsi que des journaux anglais vieux de deux mois. Des commerçants ambulants offrent leurs services : voitures, chevaux, auberges, pensions. L'un d'eux s'adresse à Las Cases.

– Je n'ai rien compris ! dit-il en se tournant vers Napoléon.

– C'est de l'américain, dit Mme Bertrand. Il faudra s'y habituer !

La *Magdelaine* n'est pas encore arrivée avec les bagages. Peut-être demain. Pendant que le général Bertrand s'affaire à louer des voitures, Napoléon offre au commandant Beaudin un boîtier en or portant son effigie.

– Si vous restez encore quelque temps à New York, je vous invite à dîner le 22 à l'hôtel City.

Le commandant accepte l'invitation avec plaisir.

Le colonel Planat aperçoit un journal par terre et le ramasse. C'est le *New York Evening Post* de la veille. Il le tend à Mme Bertrand pour qu'elle traduise. Un article fait état de l'arrivée probable aux États-Unis de personnalités françaises de premier plan, suite à l'abdication de l'Empereur Napoléon et du retour des Bourbons sur le trône. Le journaliste couvre les activités du port ; il informera ses lecteurs de l'identité de ces personnalités. Est-il sur place en ce moment ?

Napoléon se hâte de monter en voiture. Il fait déjà nuit. La découverte de la ville, ce sera pour demain. Les voitures remontent Broadway. À une dizaine de carrefours plus au nord, entre Thames et Liberty Street, elles s'immobilisent devant un chic hôtel de cinq étages, tout neuf, de style fédéral[1], le plus grand et le plus luxueux hôtel des États-Unis, avait dit le commandant Beaudin. De beaux équipages sont alignés devant l'entrée. Planat descend de voiture pour y louer des chambres. L'hôtel compte quelque quatre-vingts chambres et suites, ainsi qu'une luxueuse salle à manger et une grande salle de bal au rez-de-chaussée.

La suite de Napoléon a été louée au nom du colonel Muiron. Personne ne soupçonne encore l'identité du nouveau client. La suite, meublée dans le style géorgien, est spacieuse, confortable. Elle comporte une chambre à coucher, un salon, une salle à manger et une salle de bain. Les fenêtres donnent sur un jardin anglais.

Comme d'habitude, Ali aménage la chambre de son maître. Il dépose une pile de livres sur sa table de chevet, à

1. Version américaine du classicisme européen (1790-1830).

côté du buste du roi de Rome, son fils, et du réveille-matin du Grand Frédéric, que Napoléon avait rapporté avec lui de Potsdam en 1806.

Napoléon demande à Ali de lui fournir du papier avec l'entête de l'hôtel. Il désire informer immédiatement le président Madison[2] de son arrivée en sol américain.

New York, 16 août 1815

Monsieur le Président,
En butte aux factions qui divisent mon pays et à l'inimitié des plus grandes puissances de l'Europe, j'ai consommé ma carrière politique. Je viens trouver refuge au sein du peuple américain, et me mettre sous la protection de la Constitution des États-Unis d'Amérique. L'amitié qui lie nos deux peuples s'est forgée dans une lutte commune pour l'égalité et la liberté.

Je n'aspire plus dorénavant qu'à vivre en simple citoyen, sous le nom de colonel Muiron.

NAPOLÉON

Il demande au général Bertrand d'expédier immédiatement la lettre à Washington.

Demeuré seul, il fait quelques pas en direction de la fenêtre grande ouverte. Une légère brise gonfle le rideau. Des clients de l'hôtel, invisibles dans l'obscurité, bavardent dans le jardin. Il contemple le ciel. Jamais la Voie lactée ne lui a semblé aussi lumineuse. Il jette un regard autour de la pièce. Après trente nuitées en cabine de navire, et autant de jours d'un confort rudimentaire, sa suite lui apparaît d'un grand

2. James Madison (1751-1836). Père de la Constitution américaine. Quatrième président américain (1809–1817).

luxe. Il jette son gilet par terre, puis lance ses chaussures, comme il a l'habitude de le faire lorsqu'il entre dans son intérieur. Il se sert un verre d'eau minérale d'une bouteille posée sur le guéridon, puis s'allonge sur le canapé cramoisi, face à la fenêtre.

Il n'est pas inquiet de la réponse du président. Mais il devine que le gouvernement américain voudra garder ses distances à son égard pour ne pas envenimer des relations déjà tendues avec l'Angleterre. Car il imagine bien quelle sera la réaction du Cabinet anglais lorsque la nouvelle de son arrivée en sol américain lui sera confirmée. Une réponse neutre du président lui suffit. Il sait que Madison est un francophile, nommé citoyen français honoraire par le gouvernement de la France révolutionnaire. Il a baptisé la plantation de son père Montpellier. Contrairement à plusieurs hommes politiques américains de sa génération, il ne connaît pas la France, mais il parle le français. C'est un provincial qui n'a jamais voyagé, lui a-t-on dit, mais comme Thomas Jefferson[3], son prédécesseur, c'est un républicain[4] acquis aux idées de la Révolution française. Le président avait cru, à un moment, pouvoir jouer un rôle pacificateur entre la France et l'Angleterre. Mais les Anglais le soupçonnaient d'être sous la coupe de son « *Corsican master* ». Il avait longtemps espéré que les États-Unis sortent de leur neutralité et se rangent aux côtés de la France. En 1812, Madison avait déclaré la guerre à l'Angleterre, au nom de la liberté des mers, mais sans pour autant se rapprocher de la France, qui menait pourtant le même combat.

Ces deux hommes, si opposés au plan du caractère, avaient néanmoins connu des déboires similaires ces derniè-

3. Thomas Jefferson (1743-1826). Troisième président des États-Unis (1801 à 1809).

4. Le parti républicain d'alors est l'ancêtre du parti démocrate d'aujourd'hui.

res années. En 1812, Madison avait échoué dans sa tentative de conquérir le Canada[5], tout comme Napoléon, la Russie. En 1814, les deux dirigeants avaient été chassés de leur capitale par l'ennemi, Napoléon de Paris, par les Alliés, Madison de Washington, par les Anglais. Enfin, la presse britannique avait injurié de manière égale l'un et l'autre. L'hostilité des Anglais envers l'Amérique en 1814 était telle que l'Angleterre avait envisagé une partition du territoire de son ancienne colonie pour la rattacher au Canada, privant ainsi les États-Unis de l'accès au fleuve Saint-Laurent et aux Grands Lacs.

Napoléon pense que l'Amérique n'a rien oublié de tout cela.

Il restera à New York le temps d'attendre les bagages, la réponse du président, mais aussi son frère Joseph et le reste du groupe. Ce soir, pour la première fois depuis plus d'un mois, il prendra un bain chaud, comme il les aime. Puis il essayera de dormir. Demain, il ira à la découverte de New York.

Levé tôt, il demande les journaux locaux. Ils n'ont pas encore été livrés. Des journaux d'Europe? Ils arrivent par lots, de façon irrégulière, environ quarante jours après leur publication. Il décide donc d'aller visiter la ville maintenant.

Accompagné du général Savary, de Las Cases et de son fils Emmanuel, âgé de quinze ans, Napoléon déambule dans les rues de New York. Un sentiment de liberté l'envahit. Il est presque heureux. Cela lui rappelle ses promenades incognito le soir dans Paris, avec son ami le général Duroc. C'était durant les belles années du Consulat et du début de l'Empire, quand les affaires allaient bien. C'était pour lui l'occasion d'interroger le peuple, de connaître ses sentiments. Mais avec le temps, ces promenades étaient devenues plutôt rares. En

5. Territoire britannique depuis le traité de Paris en 1763.

fait, il y avait longtemps qu'il n'avait pas déambulé aussi librement parmi la foule. Il commence à envisager ce que sera sa nouvelle vie. Vivre incognito, avoir le choix de son emploi du temps, être libéré de toutes les responsabilités du pouvoir, ne plus commencer ses journées par la lecture des rapports de police ou d'espions ! Vivre peut-être une vie de famille, si les siens le rejoignent. Il songe toujours à faire venir son fils, le comte Léon. Et peut-être aussi son fils Alexandre. Il revoit le visage en larmes de Marie, sa mère, le suppliant de la laisser venir avec lui.

Le groupe marche sur Wall Street. Une plaque commémorative en cuivre indique que les Hollandais avaient fait construire le long de cette rue, au milieu du XVIIe siècle, un mur[6] de protection contre les incursions ennemies, barrant la route de l'île, de East River à Hudson River. Les Anglais l'ont démoli après la conquête de la Nouvelle-Amsterdam, un siècle et demi plus tard.

La rue est animée, élégante, aérée. De magnifiques immeubles logent des établissements commerciaux et des institutions financières. Banques, maisons de douane, bureaux d'assurances, maisons de courtage, bureaux de change, maisons d'encan, tout confirme la vocation commerciale de la ville. Des hommes pressés rentrent et sortent de ces grands immeubles. Las Cases, qui est plus petit de taille que Napoléon, s'exclame :

– Qu'est-ce qu'ils sont grands, les Américains !

– Et minces ! rétorque Napoléon.

Les deux éclatent de rire.

– Beaucoup portent encore la culotte plutôt que le pantalon, remarque Las Cases.

– Il y en a qui se poudrent encore les cheveux ! dit le général Savary.

6. D'où l'origine du nom Wall Street, pour « rue du mur ».

– Ce doit être des immigrants européens! réplique Napoléon.

Ici et là, des *coffee houses* bondés exhalent des vapeurs d'alcool et des volutes de fumée. Les promeneurs jettent un coup d'œil à l'intérieur de l'un d'eux. Les discussions sont animées.

– De quoi s'agit-il? demande Napoléon.

– De politique, répond Las Cases. On dirait qu'ils veulent se débarrasser d'un élu. Ils discutent sans doute de la procédure pour le démettre.

– Ah oui! C'est ce qu'ils appellent la démocratie directe, dit Napoléon. Vous imaginez la démocratie directe en France! Avec le caractère français, ce serait plutôt l'anarchie directe!

Tous se mettent à rire.

D'autres établissements similaires ressemblent à ceux de Paris. Des flâneurs viennent y lire les journaux, y retrouver quelques connaissances. Le Tontine est bondé de *businessmen.*

Sur Broadway, Napoléon remarque une ancienne chapelle de pierre, St. Paul's Chapel.

– Entrons, dit-il, poussé par la curiosité.

Il a l'impression d'être en vacances. Il y a des années qu'il n'a éprouvé un tel sentiment de légèreté.

La fraîcheur des lieux est agréable. Las Cases s'approche d'une autre plaque commémorative: la chapelle date de 1766 et l'autel est de Pierre-Charles L'Enfant, l'architecte français auquel le président Washington avait confié, en 1791, les plans de la nouvelle capitale fédérale.

À deux pas de là, se trouve City Hall, la mairie de New York, inspirée du style néo-classique français, conçue par un autre compatriote, Joseph-François Mangin.

– On prend la mesure du rayonnement de la France en Amérique, dit Napoléon. Nos artistes, nos ingénieurs ont pris la relève de nos combattants après l'Indépendance. On dit qu'il y a quelque vingt-cinq mille Français qui vivent aux États-Unis, réfugiés de la Révolution, de Saint-Domingue, et maintenant de l'Empire. Ils appartenaient à l'élite de notre société. Quel apport exceptionnel pour un pays d'accueil! Quelle perte pour la France!

À quelque distance de là s'étend un quartier populaire aux rues étroites et encombrées. Des ramoneurs de cheminées, leur longue brosse à l'épaule, arpentent les rues, tandis que des femmes et des hommes, massés devant des pompes de bois, s'approvisionnent en eau. Des charrettes chargées de bidons de lait, tirées par de vieux chevaux, la plupart semblant plutôt mal en point, tentent de se frayer un chemin au milieu de la foule et des vendeurs ambulants. D'autres déversent des cargaisons de bois devant le porche des maisons et des commerces. Des trottoirs étroits, sur lesquels empiètent perrons de maisons et portes de caves, sont bordés de magasins de bois de chauffage et de charbon. Les promeneurs jettent un coup d'œil sur les vitrines. Que des objets utilitaires!

Plus loin, des vendeurs ambulants annoncent leurs marchandises.

– Huîtres, palourdes, poissons! claironnent les uns.

– Brioches, pain chaud au gingembre! semblent leur répondre les autres.

Une femme noire, bandana sur la tête, propose à son tour des épis de maïs chauds, bouillis dans un grand chaudron.

Un peu au-delà, sur Broad Street, se dressent de très vieilles maisons, dans le plus pur style hollandais, hautes et étroites, bâties en bois avec façade de briques, à pignons en escaliers, et toits inclinés de tuiles rouges et noires. Plusieurs sont en piteux état. C'est visiblement là où logent les plus pauvres.

Le général Savary, qui connaît la mémoire légendaire de Napoléon pour les chiffres, lui demande:

– En quelle année les Hollandais ont-ils été chassés de New York par les Anglais ?

– En 1664, répond Napoléon. Les marchands anglais voulaient que Londres remplace Amsterdam comme entrepôt et plaque tournante du commerce international. Une loi fut votée à cette fin. Les Hollandais déclarèrent alors la guerre à l'Angleterre, laquelle s'étendit forcément aux colonies d'Amérique. La Nouvelle-Angleterre s'est ainsi emparée de la Nouvelle-Hollande.

À proximité s'étend un quartier à majorité noire, avec son école, sa maison de bienfaisance et une église africaine méthodiste épiscopale de Sion.

– Il ne semble pas y avoir beaucoup de nègres à New York, dit le général Savary. Ce sont sans doute des citoyens libres.

À l'ouest de la pointe de l'île de Manhattan se situent les quartiers riches et modernes. De belles grandes maisons en briques bordent des rues étroites. The Battery, une ancienne place fortifiée transformée en parc, est devenu le lieu de promenade des bourgeois.

– Vous avez remarqué ? dit Las Cases. Ici on parle anglais, pas américain.

– J'ai aussi entendu des gens parler français, dit le général. Du vieux français !

– Probablement des descendants de huguenots, estime Napoléon.

Le secteur le plus huppé longe la Hudson River. Ici, les rues sont larges et se croisent à angle droit ; elles sont bordées de maisons cossues. Broadway, la plus large de toutes, fait trente mètres et s'étend sur près d'un kilomètre et demi. De belles boutiques exhibent des tissus importés d'Europe : soieries de Lyon, cotonnades et lainages d'Angleterre, étoffes de lin d'Irlande et d'Allemagne. D'autres offrent à une clientèle fortunée de la coutellerie fine anglaise de Birmingham et de

Sheffield, ou encore des boissons importées : gin d'Amsterdam, porto ou jerez du Portugal, et surtout des vins de Bordeaux, ainsi que des cognacs et des vins de Champagne. Un *coffee shop* sert des pâtisseries, des liqueurs, du chocolat et annonce ses *Ladies Luncheon.* À côté loge un chic salon de coiffure : « François Adonis, Hairdresser from Paris ». En face se dressent deux théâtres, dont l'un a récemment fermé ses portes.

La zone urbaine de Manhattan, que les Hollandais appelaient Nouvelle-Amsterdam et que les Anglais ont rebaptisée Nouvelle-York[7], fait aujourd'hui environ deux kilomètres depuis la pointe de l'île jusqu'à Canal Street. Là, une plaque de cuivre, sertie dans un monolithe de pierre, rappelle que les Hollandais y avaient creusé un canal en 1654, enjambé par plusieurs ponts, que les Anglais ont comblé en 1676. Au-delà s'étend la partie champêtre de Manhattan, nommée Manhattes par les Hollandais.

Le groupe revient vers Wall Street et entre au Tontine afin de s'y restaurer. Cet établissement semble, d'ailleurs, être le seul endroit dans les environs où l'on serve des repas. Napoléon et ceux qui l'accompagnent prennent place au fond de la salle et observent. Un tenancier s'approche d'eux et dit quelque chose que Las Cases encore une fois n'a pas compris. Il lui fait répéter. Le comte se tourne vers ses compagnons de table.

– Il n'y a que du *corned-beef*! Ce doit être la spécialité de la maison.

– Quelle sorte de bœuf est-ce ? demande le général Lallemand.

– C'est ce que nous verrons ! réplique Napoléon, que l'expérience toute nouvelle semble amuser.

Le comte s'enquiert des boissons.

– Il y a du cidre, de la bière ou de l'eau minérale, dit-il.

7. Nommée en l'honneur du duc d'York, frère du roi Jacques II, qui enleva aux Hollandais la Nouvelle-Amsterdam.

Napoléon, qui ne boit jamais de bière, se hasarde à en commander un pichet.

Le lieu est bondé et bruyant, mais le service rapide, ce qui convient tout à fait à Napoléon, lui qui reste rarement plus de vingt minutes à table.

Tout autour les conversations sont animées. Le mot *money* est sur toutes les lèvres. Le serveur arrive déjà avec les plats. Napoléon prend une bouchée.

– Alors ! qu'en dites-vous ? demande le comte.

– La viande est trop salée, mais la bière est désaltérante, et pour l'occasion je dirais même indispensable !

Le repas terminé, le groupe souhaite rentrer à l'hôtel, tant la chaleur est accablante. Napoléon, qui n'a jamais été un grand marcheur à aucun moment de sa vie, a surtout envie de lire certains journaux qui, à cette heure-ci, ont dû paraître. Arrivé face à l'hôtel, il aperçoit une foule massée devant l'entrée. Les journaux sont donc sortis ! L'indiscrétion n'a pu venir que de l'équipage du *Pike*. Journalistes et curieux apostrophent les clients qui entrent et sortent de l'hôtel.

– Avez-vous vu l'Empereur Napoléon ?

– Est-il à cet hôtel ?

Napoléon et ses compagnons réussissent à s'esquiver, aidés du personnel, en empruntant la porte arrière de l'hôtel, qui donne sur le jardin anglais. Comment pourrait-on le reconnaître ? Vêtu en simple bourgeois, il ne ressemble en rien à l'homme qu'a peint David en tenue de Sacre, ni à celui en uniforme de chasseur de la Garde impériale des portraits officiels, ni à la tête d'empereur romain des médaillons frappés à son effigie. L'apparition de cette foule l'a néanmoins contrarié.

À l'intérieur, il retrouve le général Bertrand qui lui a apporté les journaux demandés. Mais pas de courrier, ni de journaux d'Europe.

Bertrand a tout feuilleté. Il n'y a que le *New York Evening Post* qui fait état de son arrivée. L'article est court, mais il fait la manchette en première page. Las Cases traduit: « Napoléon est parvenu à tromper la vigilance des Anglais. »« Selon des sources bien informées, poursuit le journaliste, l'Empereur Napoléon serait débarqué à New York hier. Il aurait voyagé sur un brick américain depuis Royan, en France. Accompagné de quelques personnes, il logerait actuellement à l'hôtel City. »

– L'article évoque aussi les circonstances entourant votre abdication, dit Las Cases. Et il s'interroge au sujet de vos intentions, en venant en Amérique.

Napoléon ne veut faire aucune déclaration publique avant d'avoir reçu la réponse du président Madison. Mais il demande à son officier d'ordonnance, Planat, de confirmer à la direction du City que le colonel Muiron est bien l'Empereur Napoléon, tout en souhaitant que l'information demeure confidentielle. Mais il doit quitter cet hôtel. Il demande à ses compagnons de lui trouver une grande propriété sur Manhattan où il pourra attendre son monde en toute quiétude.

Ce soir, on fête le premier dîner en Amérique dans la salle à manger de la suite de Napoléon. La conversation est joyeuse. Chacun fait état de ses expériences de la journée, pendant que le personnel de service dépose une dizaine de plats sur la table: jambon bouilli, poulet rôti, filets de morue, *beefsteak,* pommes de terre, panais, céleri, gelée, tarte aux pommes, pudding de moelle. Le sommelier, italien, vient prendre commande. Une fois le vin servi, le personnel de service se retire en souhaitant bon appétit aux convives.

Tous sont médusés! Est-ce la coutume? Ali offre de faire le service. Napoléon s'objecte. L'époque n'est plus où les assiettes lui étaient amenées par un page, qui les recevait d'un valet de chambre qui, lui, les tenait du maître d'hôtel. Chacun servira son voisin, comme le veut ici l'usage, semble-t-il.

Périodiquement, un serveur vient remplacer assiettes et couverts. Napoléon regarde le général Lallemand :

– Vous êtes allé chez le coiffeur ?

– En effet, chez Francis Adonis, répond-il en riant. C'est un réfugié de la Révolution. Il dit qu'il était le coiffeur de Louis XVI ! Et qu'il ne retournera pas en France aussi longtemps que les Bourbons ne seront pas revenus sur le trône. Quand je lui ai dit qu'ils y étaient revenus il y a six semaines, il m'a regardé, incrédule, et m'a demandé où était rendu l'« Usurpateur[8] ». Je lui ai répondu qu'il était à New York depuis la veille. Il s'est presque affaissé sur le sol. Ses employés ont dû le soutenir. Heureusement qu'il avait eu le temps d'achever ma coupe !

– Nous, dit Bertrand, avons rencontré un réfugié de Saint-Domingue, Charles Berrault. Il est propriétaire d'une école de danse. Il donne des cours aux jeunes gens de la haute société de New York. Il paraît que la vie sociale est très animée, qu'elle se compare à celle de Londres et de Paris.

– Nous avons eu du mal à trouver où déjeuner, dit la comtesse Bertrand. Les seuls restaurants que nous avons vus étaient situés près du port.

– Qu'avez-vous mangé ? demande Napoléon.

– Une sorte de bœuf salé qu'ils appellent *corned-beef.*

– Vous aussi ?

– Il semble y avoir peu de restaurants dans cette ville, constate le général Bertrand. Probablement qu'ici, ce n'est pas autant la coutume que chez nous de sortir pour aller manger. Mais il y a abondance dans les marchés.

Ceci dit, tous conviennent que le repas de ce soir est excellent.

– Après le déjeuner, comme les enfants ne voulaient plus marcher, ajoute la comtesse, nous avons fait une excursion

8. Surnom donné à Napoléon par les royalistes.

en diligence jusqu'à Greenwich Village, qui est un charmant petit hameau à l'extérieur de la ville.

– Ce qui m'étonne plus que tout, pour une ville qui compte près de cent mille habitants, constate Napoléon, c'est l'absence de vie culturelle. New York est pourtant la première ville du pays !

– Moi, j'ai vu deux ou trois librairies, dit Planat. Mais il n'y avait que des livres d'Angleterre et des ouvrages religieux. Par contre, je n'ai vu aucune galerie de tableaux.

– Il y a le théâtre Park, sur Broadway, rappelle Las Cases. Mais il annonçait la tournée prochaine d'une troupe londonienne.

Ali vient interrompre la conversation. Le directeur de l'hôtel vient de l'informer qu'une personnalité politique de premier plan, M. Dewitt Clinton, qui fut longtemps maire de New York, candidat défait aux dernières élections présidentielles, est sur place et désire le saluer.

– Faites-le monter, dit Napoléon, étonné par cette visite impromptue.

Accompagné de son interprète, Las Cases, Napoléon accueille Dewitt Clinton dans le salon. L'homme est imposant. Une sorte d'énergie irradie de sa personne.

– Mes respects, *Sir*. J'ai appris par les journaux de ce matin la nouvelle de votre arrivée à New York. Je viens vous souhaiter la bienvenue aux États-Unis, et je vous prie d'accepter mon invitation à dîner chez moi demain, avec votre suite.

Napoléon, surpris par cette invitation inattendue, répond en émettant quelques commentaires sur ce qui a motivé son choix des États-Unis comme terre d'asile, puis il esquisse un sourire.

– J'accepte, dit-il avec courtoisie.

Comme il acceptera presque toutes les autres invitations qui lui seront faites par la suite. Cela fera partie de sa stratégie de riposte aux calomnies et injures véhiculées par la presse britannique et les milieux royalistes. Il veut que ses interlocuteurs le jugent d'eux-mêmes.

Mais pourquoi Dewitt Clinton l'invite-t-il à dîner? Par curiosité? Par opportunisme?

Ce matin, Planat et le général Bertrand sont allés visiter une propriété à louer, sise à quelques kilomètres de la ville. C'est la maison d'un riche négociant et armateur de New York, actuellement en Europe.

Pendant ce temps, Napoléon a décidé de retourner se promener dans New York, accompagné des généraux Lallemand et Savary. Ils marchent sur Broadway, observent les gens lorsque soudain un jeune homme, venant en sens inverse, regarde Napoléon et, après un moment d'hésitation, se rue vers lui et se laisse tomber à ses pieds.

– Majesté! J'étais à Waterloo!

Puis il fond en larmes. Il veut baiser les mains de l'Empereur, lui-même fort ému par cette rencontre des plus imprévue. Napoléon tente en vain de consoler le jeune homme, le visage déformé par l'émotion. Il se penche sur lui et essaie de le relever.

– Dans quelle unité étiez-vous?

– J'étais avec le maréchal Grouchy. Après la défaite, lorsque j'ai appris que vous aviez abdiqué et décidé de quitter la France, j'ai décidé de la quitter aussi. Je suis venu en Amérique.

Le jeune homme s'arrête, puis éclate à nouveau en sanglots.

– Votre retour de l'île d'Elbe avait été une si grande joie!

– Que comptez-vous faire en Amérique? lui demande Napoléon, troublé.

– Je compte rejoindre les insurgés espagnols et le général Bolivar en Nouvelle-Grenade[9].

9. Comprenait la Colombie, le Panama, l'Équateur, et le Venezuela d'aujourd'hui.

Des curieux se sont rassemblés autour de l'homme en pleurs. Napoléon amène celui-ci à l'écart. Il l'interroge à nouveau. De quelle région de la France vient-il? Quel âge a-t-il? A-t-il de quoi subvenir à ses besoins dans l'immédiat?

Pendant ce temps, les généraux Savary et Lallemand tentent de contenir les badauds. Leur souci n'est pas tant de protéger Napoléon contre d'éventuelles bousculades, mais d'empêcher qu'il soit reconnu. Comment dans ce cas assurer sa sécurité? Napoléon remet au jeune soldat quelques pièces en or à son effigie. Le jeune homme les porte à ses lèvres avec ferveur, remercie celui qu'il considère toujours comme son Empereur, puis repart aussi rapidement qu'il était venu, au grand soulagement de Lallemand et de Savary.

Napoléon doit néanmoins trouver refuge dans un magasin pour échapper aux curieux. Cette rencontre l'a visiblement bouleversé.

Le sort de tant d'hommes avait dépendu du sien!

De retour à l'hôtel, il retrouve le colonel Planat et le général Bertrand qui lui rendent compte de leur mission. La propriété visitée, The Woodcock, offre tout le calme et la solitude qu'il recherche. Elle s'étend sur une dizaine d'hectares, avec un grand boisé, de beaux jardins anglais, un grand étang, une écurie avec une douzaine de chevaux, et divers types de voitures, dont des calèches pour la promenade.

La maison de trois étages comporte une dizaine de chambres. Et le prix, qui inclut le personnel de service, est très inférieur à ceux pratiqués autour de Paris. Napoléon donne son accord. Il souhaite y emménager dès que possible. Il aimerait y passer quelques semaines, le temps de se reposer, avant de continuer sur Philadelphie. Car c'est là qu'il songe s'établir.

La lettre si attendue du général Gourgaud est enfin arrivée ce matin.

Île d'Aix, 17 juillet 1815

Majesté,

J'espère que cette lettre vous trouvera arrivé à bon port.

Je vous informe que notre départ est prévu pour demain, le 18 juillet. Je confie cependant cette lettre aux soins du Blue Sky *qui part aujourd'hui pour New York, dans l'éventualité qu'il me précède. Nous devrions donc arriver à New York au cours de la troisième semaine d'août.*

J'ai vu le roi Joseph qui était encore à la Tremblade. Il attendait de connaître votre sort avant de quitter la France. Lorsque je lui ai annoncé votre décision, il a manifesté une grande joie, où se mêlait néanmoins de l'inquiétude, à cause des patrouilles anglaises. Il partira donc sur le Commerce *comme prévu, demain ou après-demain, et devrait arriver en même temps que nous. Je lui ai donné rendez-vous à l'hôtel City.*

Quant au général Becker, je tiens à vous rassurer. Il a été fort soulagé d'apprendre que vous aviez quitté l'île dans la soirée du 14, car dans les heures qui ont suivi votre départ, un émissaire des autorités royalistes est arrivé dans l'île, porteur d'un mandat d'arrêt contre vous. J'ai demandé au général Becker d'informer Hortense[10] *et Madame Mère, qui doivent être encore à Paris, que vous faisiez route vers New York.*

Les journaux d'aujourd'hui ne parlent que de votre « fuite », et vous supposent déjà en route vers l'Amérique. L'esprit de

10. Hortense de Beauharnais (1783-1837). Fille de l'impératrice Joséphine (Marie-Josèphe Tascher de La Pagerie, 1763-1814) et du vicomte Alexandre de Beauharnais, mort à la Révolution. Elle et son frère Eugène ont été adoptés par Napoléon en 1806.

vengeance, la haine, les injures s'abattent sur ceux qui vous ont soutenu. J'appréhende des temps difficiles. J'apporterai avec moi tous les journaux que je trouverai jusqu'à mon départ. Nous avons tous hâte de vous rejoindre, sire, et d'entamer une nouvelle vie à vos côtés.

GÉNÉRAL GOURGAUD

Le général Bertrand, à l'affût de toutes les nouvelles depuis son arrivée, vient d'en trouver de fort intéressantes. Des journaux américains commentent la bataille de Waterloo. Il les apporte à Napoléon. Car ce sont les journaux anglais qui ont annoncé à l'Amérique sa défaite. La nouvelle est parvenue ici il y a une dizaine de jours. La plupart des rédacteurs américains ont d'abord refusé de croire au compte rendu britannique. Certains annoncent même la victoire de Napoléon à Waterloo. Bertrand, qui lit l'anglais à peu près, passe le journal à sa femme qui traduit. Un journal de Norfolk, en Virginie, écrit entre autres choses: «... on s'inquiète de savoir quel sera le sort d'un homme qui, pendant plus de vingt ans, a, plus que tout autre mortel l'ayant précédé, attiré l'attention publique.» Un journal de Baltimore, répondant à des rumeurs extraordinaires à l'effet que Napoléon aurait été décapité à Paris, écrit: «Si les sauvages parisiens ont massacré cet homme, l'éternelle infamie doit être leur sort.» Cette nouvelle étant démentie, un journal de New York annonce à son tour que Napoléon s'est embarqué en France pour les États-Unis avec quelques fidèles partisans: «S'il n'est pas tombé entre les mains des croiseurs britanniques, cet homme célèbre est en ce moment près de nos rivages, à la recherche d'un asile contre les persécutions du Vieux Monde.» Dans son édition du lendemain, le même journal fait état d'une nouvelle rumeur. Napoléon aurait abordé les côtes de Virginie, et le colonel King, commandant de la milice du comté de Somerset, dans le Maryland, aurait mobilisé ses hommes et serait accouru saluer le héros du jour…

Napoléon écoute la revue de presse, l'air à la fois intéressé et amusé.

– Il ne semble pas que j'y aie trop d'ennemis ! dit-il avec humour.

– Vous en avez quelques-uns ! dit la comtesse, qui a sous les yeux un journal du Connecticut dans lequel elle peut lire notamment : « … les blessures de l'Europe, l'âme des millions d'hommes qu'il a assassinés, et la paix future du monde demandent que sa vie lui soit ôtée. »

– C'est un partisan anglophile ! réplique le général. Dans l'ensemble, les commentaires me paraissent plutôt favorables.

Napoléon fronce les sourcils.

– La lettre du général Gourgaud m'inquiète davantage. Elle présage des jours sombres pour la France.

À l'heure convenue, les équipages de Dewitt Clinton sont arrivés devant l'entrée de l'hôtel. Le général Bertrand, grand maréchal, et les généraux sont en grand uniforme, à la demande de Napoléon. Lui, le colonel Muiron, porte un pantalon vert foncé, des souliers sans boucles, un gilet blanc et un frac bourgeois également vert et assorti au pantalon. Changer de vie, c'est changer d'habit. Il porte aussi la plaque de la Légion d'honneur[11], pour rappeler aux Américains qu'il est celui qui a récompensé le talent et le mérite, et non la naissance. La comtesse Bertrand, très élégante, a revêtu une tunique de mousseline ivoire et porte une parure de diamants dans les cheveux. Napoléon la regarde et lui dit :

11. Ordre national créé par Bonaparte, premier consul, en 1802, pour récompenser les services civils et militaires.

– Il était temps que vous vous habilliez ! Vous étiez plus élégante aux Tuileries !

Consul ou Empereur, il a toujours attaché une grande importance aux toilettes des femmes, des siennes en particulier. Joséphine était un modèle d'élégance et de bon goût. Les plus grands couturiers de Paris habillaient l'impératrice. Elle initiait les modes. Napoléon, lorsqu'il évoquait son souvenir, disait qu'« elle était femme des pieds à la pointe des cheveux ».

La comtesse le regarde, offusquée, et lui répond :

– Mais enfin, sire, ça fait deux mois qu'on vit en famille et ça fait un mois que je n'ai plus de domestiques !

Les heurts entre Napoléon et la comtesse n'étaient pas rares. Dans ces cas, le grand maréchal, d'un naturel réservé, se taisait, feignant de ne rien entendre.

Napoléon n'a jamais su parler aux femmes de la cour, et le caractère de la comtesse exigeait davantage d'aménité. Mais il y a plus. L'Empereur aurait déjà fait des avances à la comtesse. Éconduit, il en aurait gardé de la rancœur !

Les équipages empruntent les beaux quartiers, longent la Hudson River, puis s'immobilisent devant une maison cossue en brique, au milieu d'un grand jardin sans grilles, ni muret. Seuls des bosquets en fleurs en marquent le périmètre. Dewitt Clinton et son épouse viennent accueillir leurs hôtes. Après les présentations d'usage, les invités sont dirigés vers le jardin au centre duquel se trouve un grand étang où pataugent des colverts. Cette maison bourgeoise est une oasis de fraîcheur, mais n'a rien d'un chic hôtel particulier parisien.

Pour faciliter la conversation, les Clinton ont invité trois interprètes à se joindre à eux. Après avoir fait la tournée des lieux, on sert les apéritifs. Le service est assuré par un personnel entièrement noir. Clinton, visiblement ravi d'accueillir l'homme du siècle chez lui, propose un toast à son hôte :

– Nous, Américains, n'avons pas oublié l'appui décisif de la France dans notre lutte pour l'indépendance, ni les efforts que vous avez déployés, à votre arrivée au pouvoir, pour supprimer les irritants entre nos deux pays. Vous êtes un visionnaire, un fondateur, l'homme des grandes institutions, des grands projets. Bienvenue en Amérique.

Napoléon, flatté de la présentation, répond :

– Je suis touché par votre accueil. Je remercie l'Amérique de son hospitalité. J'ai la conviction, comme beaucoup d'Européens, que les États-Unis d'Amérique sont promis à un grand avenir, et qu'avant longtemps l'Europe devra compter avec eux. J'ai beaucoup lu sur votre pays depuis quelques mois, ce qui m'a donné l'envie de le parcourir et de le découvrir. J'y sens une grande énergie. Dans peu de temps, j'en parlerai la langue, et vos services, messieurs les interprètes, ne seront plus requis. Vive l'Amérique !

Sans doute Clinton a-t-il voulu répondre à l'accusation, souvent formulée en France, à propos de l'ingratitude de l'Amérique pour le soutien indéfectible de la France dans sa lutte pour l'indépendance contre l'Angleterre, alors que la France, en guerre contre celle-ci, se buta à la neutralité américaine. Et Napoléon, à son tour, faire oublier l'irrespect et même les humiliations infligées aux États-Unis par la France au cours du conflit qui vient de s'achever. Les saisies de bateaux et de leurs cargaisons avaient été mal vécues par les Américains[12].

12. L'Angleterre, en guerre contre Napoléon, avait décrété le blocus maritime des ports sous contrôle français, et restreint le droit de commercer des « neutres », tels les États-Unis. Napoléon avait rétorqué par le Blocus continental qui interdisait tout commerce avec les îles britanniques, et avec les « neutres » qui faisaient escale dans un port anglais. Pour s'assurer du respect de leur blocus, les deux pays arraisonnaient en mer les bateaux neutres suspects. En 1809, Napoléon assouplissait sa politique, contrairement à l'Angleterre qui la maintenait. En 1812, les États-Unis, excédés, déclaraient la guerre à l'Angleterre au nom de la liberté des mers.

Tandis que l'hôtesse échange avec Mme Bertrand, Dewitt Clinton s'entretient avec ses invités qui font cercle autour de lui et de Napoléon. Homme de vision et d'action, l'ancien maire parle de sa ville avec chaleur et enthousiasme. Il s'est battu contre l'esclavage et a doté sa ville d'un système public d'éducation. De toute évidence, il nourrit toujours de grandes ambitions, en dépit de son échec aux dernières élections présidentielles.

– Dans un avenir rapproché, vous verrez, ce pays sera une grande et puissante nation, et jouera un rôle déterminant au plan international.

Puis Clinton s'arrête et regarde Napoléon, soucieux de savoir si un Européen de son rang partage son enthousiasme pour sa ville.

Après avoir fait l'éloge de Broadway et de la promenade aménagée à la pointe de l'île qui vaut bien, dit-il, les plus beaux bords de mer en Méditerranée, Napoléon ajoute :

– J'avoue cependant avoir été étonné par les écarts de fortune.

– Vous avez raison. Cette misère est d'ailleurs assez récente. Elle s'est développée dans le sillage des manufactures, comme en Angleterre. Sur quatre-vingt-quinze mille New-Yorkais, seize mille vivent actuellement d'un secours public charitable quelconque.

– Ce qui frappe aussi un Européen, c'est l'absence d'institutions culturelles. Comment expliquez-vous cela ?

– Je vais vous dire. Les New-Yorkais ne s'intéressent qu'à l'argent, contrairement aux gens de Philadelphie ou de Boston. La culture civique est la seule culture que nous ayons développée.

– Vous avez cependant beaucoup de journaux, dit le général Savary.

– C'est à cause de la liberté d'expression. Elle a toujours existé, même au temps de la colonie. L'opinion publique est très développée. Quant aux livres, nous publions presque uniquement des auteurs étrangers. La faiblesse de notre système d'éducation en est en partie responsable.

– Combien d'immigrants accueillez-vous chaque année ? demande le général Lallemand.

– Environ cinq mille. Mais maintenant que la paix est revenue, leur nombre devrait augmenter. Ils proviennent majoritairement des îles britanniques.

Un domestique vient prévenir M. Clinton que le dîner est prêt.

Madame accueille les convives à la salle à manger. Douce et affable, l'hôtesse maîtrise tous les usages de la haute société new-yorkaise dont son mari est issu. Mais elle n'a pas le chic parisien de la comtesse Bertrand. La pièce est meublée dans le goût français, avec son mobilier à la fois de style Louis XVI et Empire. Les tableaux sont tous des répliques d'originaux du Louvre, de même que la sculpture gréco-romaine posée sur la stèle. Les Clinton les ont achetées de la New York Academy of Arts qui a pour vocation première de fournir à ses souscripteurs des copies d'œuvres exposées au Louvre. Les deux seuls tableaux originaux sont deux portraits de M. et Mme Clinton, exécutés par Copley, portraitiste de Boston, d'ailleurs assez réussis. Clinton montre à ses invités son cellier qui doit compter près d'un millier de bouteilles, toutes de France.

– Un Français se sent chez lui, ici ! dit Napoléon.

Tout souriant, Clinton invite ses hôtes à prendre place autour de la table, les unilingues français d'un côté, avec les interprètes derrière eux ; en face, les Clinton, de même que la comtesse et le comte de Las Cases.

– Notre chef parle bien français, indique Clinton. Saviez-vous que les meilleurs chefs américains sont des hommes noirs, originaires de la Nouvelle-Orléans ? Ils ont appris leur métier, ainsi que le français, de leurs maîtres créoles. Ils sont très recherchés.

Napoléon adresse quelques mots au chef pendant que les plats sont apportés par le personnel, puis déposés sur la table. Celui-ci les présente un à un : des huîtres frites, de la dinde rôtie aux petits fruits, un ragoût d'oie, un gigot de mouton, plusieurs plats de légumes et, comme dessert, de la tarte aux cerises et de la glace à l'érable.

Clinton propose à Napoléon une sélection de ses meilleurs crus. Puis il se fait présenter la dinde par un domestique, et la découpe lui-même. Il sert l'Empereur. Puis chacun sert son voisin. Régulièrement, assiettes et couverts sont remplacés, comme à l'hôtel City. Seul le vin est servi par le personnel de service.

Après un moment, le chef vient s'enquérir, en français, de l'appréciation des invités. Tous conviennent que cette cuisine est savoureuse, mais assez différente de celle de Paris. Son goût est relevé, ayant intégré avec le temps et la distance des ingrédients du pays. Le vin est excellent ; Napoléon a choisi un Chambertin, comme d'habitude.

De temps à autre, il jette un coup d'œil sur les tableaux. Certains ont été copiés d'originaux qu'il avait rapportés de la seconde campagne d'Italie au musée du Louvre.

Clinton a choisi de ne pas évoquer les événements en France qui ont conduit l'Empereur à abdiquer pour une seconde fois et à s'exiler aux États-Unis. À moins qu'il n'aborde la question lui-même. Il est frappé par l'intensité de son regard, en même temps que par la sérénité qui se dégage de sa personne. Rien n'atteste de la magnitude de ses malheurs récents.

Clinton choisit plutôt d'évoquer les liens étroits qui, un temps, l'ont uni à la France.

– Il y a une vingtaine d'années, ma fille, Cornelia, qui est aujourd'hui décédée, avait épousé un Français, et pas des moindres. Je veux parler de l'ambassadeur Edmond Genet.

Une réaction de surprise se lit sur tous les visages.

– Genet a été votre gendre ? s'étonne Napoléon.

– Hélas ! dit Clinton. Je me souviens encore du vibrant appel qu'il avait lancé aux citoyens américains, à peine arrivé en Amérique ! Il leur demandait de venir en aide à la République française en guerre contre l'Angleterre, en même temps qu'il armait des corsaires dans les ports américains pour s'attaquer au commerce maritime de l'Angleterre. Washington avait demandé son rappel ! Mais comme il venait d'y avoir un changement de gouvernement en France, et qu'il risquait la guillotine s'il rentrait, je lui ai conseillé de rester aux États-Unis et de demander la citoyenneté américaine. C'est ce qu'il a fait. Ma fille en était follement amoureuse. Elle trouvait qu'il était un homme de panache !

– C'est ce genre d'incidents qui ont semé la discorde entre nos deux républiques qui, d'autre part, avaient tout pour s'entendre, soutient Napoléon.

– Justement, Genet croyait tellement à l'amitié indéfectible des deux seules républiques existantes qu'il ne pouvait imaginer que l'Amérique ne vienne pas au secours de la France.

Silence. Puis, changeant de sujet, Napoléon demande :

– Combien les États-Unis comptent-ils officiellement d'États ?

– Dix-huit États et cinq Territoires. La Virginie est l'État le plus peuplé ; celui de New York compte le plus grand nombre de Blancs. Les Blancs fuient le Sud.

– Combien y a-t-il d'esclaves dans ce pays ? demande Napoléon.

– Environ un million deux cent mille sur une population de huit millions, répond Clinton, mais seulement quatre cent dix-huit en Nouvelle-Angleterre ! Dans presque tous les États du nord, l'esclavage est maintenant illégal. Une loi, votée en 1799 dans l'État de New York, a prévu leur émancipation progressive. Elle a été immédiate pour les enfants, fixée à vingt-cinq ans pour les femmes, et à vingt-huit ans pour les hommes nés avant le 4 juillet 1799. Actuellement, quatre-vingt-dix pour cent des Noirs résidant dans l'État de New York sont libres. L'esclavage est aujourd'hui confiné dans le Sud.

– Maintenant que la guerre est terminée, quels sont les grands défis à venir pour le pays ? demande encore Napoléon.

– Je redoute par-dessus tout l'éclatement de l'Union ! Je crains que la guerre de 1812-14 n'ait que temporairement soudé les Américains. L'antagonisme Nord-Sud m'apparaît irréductible.

Clinton s'arrête, cherche à préciser sa pensée.

– Les gens du Nord sont actifs, entreprenants, frugaux. Ils cultivent leurs terres eux-mêmes. Ici, le travail est une vertu, l'oisiveté un vice ! Ils éprouvent le plus grand mépris pour les grands propriétaires terriens du Sud, qui mènent une vie aristocratique sur le modèle des *gentlemen farmer* anglais, et qui s'en remettent aux esclaves pour le travail.

Clinton s'enflamme. Les interprètes ont du mal à suivre.

– Il y a pire, dit-il. L'esclavage a modelé le caractère des gens du Sud. Ils sont paresseux, hautains et tyranniques. Ils méprisent la frugalité des gens du Nord. Il n'y a pas de *gentlemen* au Nord, disent-ils. Même les sudistes les plus pauvres se méfient des colporteurs du Nord. Ils ne cherchent qu'à s'enrichir en les roulant, disent-ils. En fait, l'esclavage est à la base de tous nos maux.

C'était l'un des thèmes de sa dernière campagne électorale. Il en parle avec passion. Les Français l'écoutent en silence.

– Non seulement l'esclavage est-il immoral et contraire aux idéaux de notre pays, poursuit-il, le visage assombri, mais c'est un fléau économique, et c'est ce qui, éventuellement, fera éclater politiquement le pays. Beaucoup n'ont pas encore compris que cette main-d'œuvre gratuite leur coûte très cher. D'autre part, les nouveaux immigrants s'installent massivement dans le Nord parce que dans le Sud, le travail est synonyme d'esclavage. Le Nord se développe, s'enrichit, tandis que le Sud se dépeuple et s'appauvrit. Et le comble, c'est que tous nos présidents virginiens sont des propriétaires d'esclaves, comme le fut même Washington!

– J'ai lu que beaucoup de gens pensent comme vous. Si vous êtes aussi nombreux à penser ainsi, pourquoi l'esclavage n'est-il pas aboli partout? s'enquiert Napoléon.

– Parce que personne ne sait comment s'y prendre! Les esclaves sont un capital investi. Plusieurs propriétaires seraient prêts à émanciper leurs esclaves, à la condition d'être dédommagés pour une somme égale à leur valeur sur le marché. Mais beaucoup s'opposent à ce que les indemnités soient payées à même les fonds publics. Où trouver l'argent? Certains pensent qu'il faudrait ensuite rapatrier en Afrique les affranchis qui le souhaitent. D'autres croient qu'il faut plutôt travailler à les intégrer à la société américaine. Certains jugent l'intégration impossible. Enfin, il y a ceux qui jamais ne renonceront à l'esclavage. Quelle que soit la solution, elle coûtera très cher, je le crains.

Napoléon avait jusqu'alors une idée assez abstraite de l'esclavage, comme pour d'autres grandes questions d'ailleurs. Il n'avait pas eu à combattre lui-même les esclaves à Saint-Domingue. Il n'avait pas vécu parmi ceux d'Égypte. Ceux de Martinique, avec lesquels Joséphine avait grandi sur la plantation familiale, semblaient faire partie de la famille. N'écrivait-elle pas à sa mère: « Embrasse bien tous les petits nègres pour moi »? La question va maintenant devenir plus concrète. Cette situation l'intéresse au plus haut point parce qu'elle est au cœur des problèmes de l'Amérique. Questions et réponses s'enchaînent ainsi jusqu'à la fin du repas.

Alors que les dames prennent le café dans le jardin, Clinton invite les hommes à passer dans le *drawing room.* Le lieu est intimiste et propice aux confidences. Il ouvre un cabinet et en sort une bouteille de Madère et de Claret, ainsi qu'une boîte de cigares de Cuba. Napoléon, lui, s'en tiendra au café. Clinton, assis en face de l'homme des grands projets, veut lui faire part du sien. Il étale sur la table une carte du nord-est des États-Unis. Il veut faire creuser un canal qui relierait la région des Grands Lacs à l'Atlantique, plus précisément Buffalo, sur le lac Érié, à la Hudson Valley à Troy. Il permettrait ainsi à sa ville d'accéder aux marchés de l'Ouest. Ce projet qu'il caresse depuis cinq ans suscite la dérision dans la population, avoue-t-il. On l'appelle « le fossé de Clinton ». C'est pourtant le plus grand projet du genre au monde, assure-t-il. Le canal aura plus de cinq cent quatre-vingt-quatre kilomètres de long.

Pour y arriver, il faudra construire quatre-vingt-trois écluses, percer une montagne d'un tunnel, et édifier un aqueduc pour franchir une rivière. Clinton ne doute pas que son projet verra le jour dans un avenir rapproché. Sachant que Napoléon a lui-même fait construire un réseau de canaux en France, il pense que son hôte sera particulièrement intéressé à en connaître les paramètres.

– Comment envisagez-vous de financer ce projet ? demande Napoléon.

– En émettant des actions, répond Clinton.

Il prévoit un grand avenir pour sa ville, plus grand que celui de Boston et de Philadelphie, à cause de son positionnement géographique.

– Avant la fin du siècle, vous verrez, Manhattan sera entièrement construit sur ses vingt kilomètres. New York deviendra le grenier du monde, le siège de grandes opérations financières, le lieu de concentration de vastes capitaux.

Une telle profession de foi décontenance quelque peu ses interlocuteurs, sauf Napoléon. Il regarde cet homme et l'admire. Ils sont de la même race, celle des bâtisseurs, des fondateurs.

Il se fait tard. Napoléon remercie son hôte, et invite les Clinton à lui rendre visite dès qu'il sera installé quelque part entre New York et Philadelphie.

Les voitures ramènent le groupe à l'hôtel City. À cette heure, les rues sont désertes, balisées par les lanternes aux intersections.

Ali attendait son maître. Ce soir, il a préparé un bain tiède, à cause de la chaleur. Napoléon s'y plonge. Peut-être Joseph sera-t-il là demain. Il aimerait écrire à sa mère et à Hortense pour leur dire qu'il est bien arrivé en Amérique. Mais où leur écrire ? Où sont-elles en ce moment ? Peut-être Joseph le sait-il. De toute façon, elles apprendront son arrivée par les journaux, avant un mois. Il demande à Ali de lui apporter la cartographie de l'Amérique du Nord qui est dans sa bibliothèque de voyage. Il veut localiser les villes et cours d'eau mentionnés par Dewitt Clinton. Ce qu'il a vu et entendu au dîner le passionne. Tout savoir, tout comprendre, tout voir de l'Amérique, et pourquoi pas des Amériques. Il se sent à des lieues de son ancienne vie. Cette chaleur humide de New York le fatigue. Ce soir, il a sommeil.

Les journaux de la semaine annoncent que l'ambassadeur britannique, rentré précipitamment de vacances à Washington, a fait une déclaration publique. Il a dénoncé avec véhémence l'arrivée « du général Bonaparte » en sol américain. Par pure forme, car il sait que les Américains n'extraderont pas le « général Bonaparte ». À l'ambassade britannique, on vit en plein cauchemar.

Que redoute donc tant l'Angleterre ?

C'est que « Boney » est maintenant libre de ses mouvements. Et cet homme est imprévisible ! Qui peut garantir qu'il a vraiment renoncé à la vie politique et militaire, comme il le soutient ? L'Angleterre appréhende l'accueil que les Français réserveront aux Bourbons, revenus sur le trône. Sauront-ils cette fois se faire accepter par le peuple ? Et si l'Histoire se répétait ? Et si le peuple réclamait Napoléon une seconde fois ?

Il y a aussi les insurgés, qui combattent en Amérique du Sud pour s'émanciper de l'Espagne, qui inquiètent le gouvernement anglais. Et s'ils venaient offrir à Napoléon le commandement de leurs troupes ! Bolivar n'a-t-il pas déjà rêvé, un temps, d'être le Napoléon de l'Amérique du Sud ? Et une fois l'indépendance acquise, le *Libertador*, couvert de gloire, ne risque-t-il pas d'être porté aux commandes d'un continent dont la superficie dépasserait largement l'Empire français qu'il avait constitué en Europe ?

Enfin, depuis l'arrivée de Napoléon aux États-Unis, l'Angleterre appréhende un déferlement de réfugiés bonapartistes en sol américain, surtout parmi les officiers français. Ces réfugiés de Waterloo sont des alliés naturels des combattants américains, qui rêvent d'une revanche sur le match nul de 1812-14, contre l'Angleterre. À deux reprises, en quarante ans, les Américains ont envahi le Canada sans obtenir l'appui de la population, d'origine française à quatre-vingts pour cent. Mais qui peut prédire quel serait l'accueil, cette fois, en entendant parler français ? Plusieurs de ceux qui y vivent aujourd'hui ont connu le Régime royal français, et combattu sous son drapeau fleurdelisé ! Et surtout, quelle serait leur réaction en apprenant que Napoléon est aux commandes des troupes ? Cette armée d'invason ne risquerait-elle pas d'être perçue comme une armée de libération ? Une pétition de Canadiens français, envoyée à l'Empereur en 1805, lui demandait précisément de venir les libérer du joug anglais !

Quant à l'issue militaire, elle ne ferait aucun doute. Avec le « général Bonaparte » aux commandes des troupes américaines, épaulé par les meilleurs généraux d'Europe, le Canada serait perdu. Wellington n'avait-il pas dit que l'arrivée seule de Napoléon sur un champ de bataille équivalait à celle de quarante mille hommes supplémentaires ? Et n'est-ce pas un général français, le général La Fayette[13], qui leur fit perdre les colonies d'Amérique ? L'alliance de l'Amérique et de la France contre l'Angleterre, que Napoléon avait tant souhaitée lorsqu'il était au pouvoir, se réaliserait enfin sur le terrain entre combattants !

Pour l'Angleterre, perdre le Canada aux mains des Américains serait une fatalité de l'Histoire. Mais le perdre aux mains de Napoléon risquerait d'être un coup mortel pour elle.

Un courrier vient de partir pour Londres. On attend maintenant des instructions.

Pour le cabinet britannique, Napoléon est « un criminel de guerre ». Le gouvernement britannique s'estime « responsable devant les siècles à venir du sort d'un homme dont l'existence est le plus grand opprobre de l'histoire moderne ».

Voilà pourquoi les côtes françaises étaient si étroitement surveillées. Mais « Boney » a réussi à passer à travers les mailles du filet.

Napoléon redoute que les déclarations hystériques de l'ambassadeur influencent la réponse du président, qu'il attend avec impatience.

– Le président Madison n'est probablement pas à Washington, dit le général Bertrand. C'est l'habitude des présidents américains de prendre trois mois de vacances l'été. Ils passent la belle saison dans leur plantation en Virginie pour fuir la chaleur de Washington, et pour superviser leurs récoltes.

– J'imagine qu'on fait suivre le courrier, lui répond Napoléon.

13. Marie Joseph Gilbert Mortier, marquis de La Fayette (1757-1834). Général français qui joua un rôle décisif dans la victoire des insurgés lors de la guerre d'Indépendance américaine.

Chapitre IV

The Woodcock

C'est aujourd'hui que Napoléon et sa suite quittent l'hôtel City pour emménager dans la propriété de campagne louée au nord de Manhattan. Chacun informe l'Empereur qu'il assumera lui-même ses frais de séjour, à l'exception du général Lallemand qui est sans le sou. Tous en ont les moyens. Au temps de sa gloire, Napoléon a comblé de largesses ses généraux et maréchaux. S'ils ont bien géré leurs affaires, ils sont aujourd'hui, en principe, à l'abri du besoin. D'autre part, Napoléon n'est pas un homme riche. La seule propriété qu'il eut jamais fut la Malmaison. Il l'avait achetée avec ses économies, quelques années après son mariage, et l'avait mise au nom de Joséphine, qui garda celle-ci après leur divorce. L'appât du gain n'a jamais dicté sa conduite. « J'avais le goût de la fondation et non celui de la propriété… Ma propriété à moi, disait-il, était dans la gloire et la célébrité. » Peu s'en fallut d'ailleurs qu'il ne se retrouvât avec rien en poche au moment de son départ de l'Élysée en juin dernier. L'un de ses fidèles, parmi ceux qui l'aimaient de façon désintéressée, connaissant son imprévoyance, était accouru pour savoir si on avait pris des mesures pour son avenir. On n'y avait pas songé. C'est alors que plusieurs s'activèrent et parvinrent à réunir une somme de quatre ou cinq millions de francs, qui fut déposée chez le notaire Laffitte. Celui-ci était alors accouru à la Malmaison pour donner à l'Empereur un récépissé de la somme. Celui-ci le refusa en disant : « Je vous connais, M. Laffitte, je sais que vous n'aimiez pas mon gouvernement, mais je vous tiens pour un honnête homme. » Cette somme le mettait à l'abri du besoin, mais n'en faisait pas un homme fortuné. Une fois rendu en Amérique, il donnerait des instructions à Laffitte à ce sujet.

Au moment où Napoléon s'apprête à quitter sa suite pour monter en voiture, Planat vient lui annoncer l'arrivée du général Gourgaud. Il est accompagné du général Montholon, de sa femme Albine, de leur fils, Tristan, du premier valet de chambre, Marchand, et d'une douzaine de domestiques.

Napoléon est manifestement heureux de revoir tout son monde. La famille s'agrandit. Il les accueille dans sa suite, passe un moment à parler avec chacun d'eux, tandis que le reste du groupe, prévenu, vient saluer les nouveaux arrivants. Chacun raconte ses anecdotes de voyage et les retrouvailles se prolongent. Napoléon s'est assis à l'écart avec le général Gourgaud. Il l'interroge longuement sur l'état d'esprit qui prévalait en France à son départ. Qu'y disait-on ? A-t-il apporté les journaux ? A-t-il eu des nouvelles de sa famille par Joseph ? Trois jours s'étant écoulés entre leur départ respectif, le général Gourgaud disposait de peu d'information, mais il avait un mauvais pressentiment.

Planat, l'officier d'ordonnance de Napoléon, vient prévenir que les voitures sont prêtes. Lui, il restera à New York pour attendre Joseph et les bagages.

Mais Napoléon est inquiet. Il redoute que ce branle-bas n'attire à nouveau l'attention sur son départ et son lieu de retraite. Il décide donc de partir sur-le-champ, avec Las Cases et son fils.

À mesure que la voiture s'éloigne de Canal Street, apparaissent de belles demeures campagnardes, modestement désignées du nom de « fermes ». Plus on roule vers le nord de Manhattan, plus l'île devient champêtre, avec ses vergers et ses champs cultivés. Arrivée à destination, la voiture emprunte un chemin boisé qui porte l'enseigne « The Woodcock ». La route de terre débouche sur une clairière au centre de laquelle se trouve une maison en stuc blanc à trois niveaux, comportant cinq baies vitrées à chaque étage, et deux autres baies vitrées au rez-de-chaussée, disposées de part et d'autre d'une entrée plutôt modeste. Le toit, en ardoise, est percé de deux mansardes. À quelque cent mètres de chaque côté de la maison se trouvent deux pavillons, dits pour les invités, tandis qu'à l'arrière une annexe loge les domestiques. À l'entrée du boisé, s'élève l'écurie avec plusieurs chevaux. Un grand étang entouré de quelques saules pleureurs, des jardins à l'anglaise, et quelques beaux chênes jettent de l'ombre et apportent de la fraîcheur.

Le gardien, Jimmy, accompagné du général Bertrand qui a précédé le groupe, fait visiter les lieux. Il ne reconnaît pas Napoléon. Il croit accueillir quelques « personnalités françaises », de haut rang sans aucun doute. La porte d'entrée de la maison s'ouvre sur un hall tout blanc, cerné de quatre niches symétriques. Un plancher, fait de larges lattes de bois foncé vernissées, fait ressortir la blancheur des murs de la maison. Au fond du hall, une porte à double battant s'ouvre sur un grand salon avec cheminée, meublé dans le style anglais. À gauche de l'entrée se trouve une salle à dîner assez grande pour accommoder vingt personnes, et qui donne sur un petit salon de thé. La cuisine se situe à l'étage, et les plats sont acheminés par un élévateur, actionné par les domestiques grâce à un système de poulie. À droite de la porte d'entrée se trouve un autre salon garni d'une bibliothèque et d'une table de travail. À côté, un grand escalier mène aux deux étages supérieurs qui comptent chacun cinq chambres avec salle de bain privée. Quelques tableaux ici et là, presque tous des portraits de personnes inconnues, ornent les murs des trois niveaux. La maison est entièrement décorée dans le plus pur style géorgien.

Puis suit la visite des pavillons. Bertrand, qui redoute toujours les heurts entre sa femme et son maître, et qui tient à sa vie privée, habitera avec sa famille l'un des deux pavillons, tandis que la famille Montholon habitera l'autre. Les généraux Lallemand, Savary, Gourgaud, ainsi que Planat et le jeune Las Cases occuperont les chambres du second étage du bâtiment principal. Napoléon s'installera au premier étage avec Marchand, Las Cases, et Joseph lorsqu'il arrivera. Ali, qui retrouve son rang de second valet de chambre maintenant que Marchand est arrivé, habitera l'annexe, avec les domestiques français. Le grand maréchal règle avec le gardien la question de l'heure des repas, du ménage, et de l'utilisation des chevaux et des voitures. Luigi, le gardien des écuries, est à la disposition des locataires pour les promenades à cheval.

Alors que chacun emménage et s'installe, Napoléon déambule seul dans les allées ombragées du jardin. Après de si grands revers et une aussi longue traversée, et la tension des premiers jours en sol américain, il peut enfin pour la première fois goûter le calme de la solitude. Tout est silence, comme si la nature s'était endormie, accablée par la chaleur. Dans ce pays, tout lui est étranger, jusqu'aux fleurs indigènes de ce jardin. Il lui faut tout réapprendre. S'adapter. Ses progrès en anglais sont manifestes, mais il ne s'agit pas que de la langue. Il y a encore les usages, la pensée. Que pourra-t-il faire une fois ses mémoires rédigés ? La réponse est toujours la même : voyager, découvrir les immenses contrées du Nouveau Monde. Et après ?

Il ressent le même déracinement qu'à l'âge de neuf ans, lorsqu'il avait quitté sa Corse natale pour poursuivre ses études en France, au collège d'Autun. Il parlait peu français. On s'était moqué de son accent. En trois mois, il avait néanmoins fait des progrès remarquables. Il en fera davantage pour l'anglais, pense-t-il, sans compter le travail de l'accent ! Il se console en se disant que, dans ce pays, ils sont des milliers comme lui. Il avait trouvé le climat rude, à l'école militaire de Brienne, en Champagne, après la douceur des hivers d'Ajaccio ; il le sera davantage ici ! Le peu qu'il a vu de New York le laisse songeur. Comment vivre dans une ville où seul compte l'argent ?

Il se répète que ce pays est plein d'énergie, il l'a vu, il l'a senti, et alors l'espoir renaît. Après les ponts et les canaux, viendront les théâtres et les musées. Il est confiant. Peut-être même pourrait-il en hâter la venue ! Connaître une autre vie, n'est-il pas ce qu'il avait souhaité ? Lui serait-il plus difficile de se faire Américain en Amérique que musulman en Égypte ? Les Égyptiens l'appelaient le sultan Kébir. Lui, qui a tant de fois rappelé aux Français qu'ils devaient épouser les us et coutumes des peuples parmi lesquels ils étaient appelés à vivre au sein de l'Empire, allait-il se comporter autrement ?

Cette maison, où il vient d'emménager, lui plaît. Il aimerait y séjourner quelques semaines. Après il ira à Philadelphie, l'ancienne capitale. Ce qu'il en a lu lui laisse penser qu'il s'y plaira davantage qu'à New York. Dewitt Clinton la disait très différente, moins mercantile, plus patricienne.

Une table a été dressée à l'ombre d'un chêne pour le dîner : nappe blanche, argenterie, porcelaine d'Angleterre, verres en cristal de Bohême, avec vue sur East River. Mme Bertrand, qui a revêtu pour le dîner une robe de soie rouge et qui porte une parure de fleurs fuchsia dans les cheveux, est ravie :

– On se croirait à l'île d'Elbe ! dit-elle. Sauf que nous avions vue sur mer.

La comtesse, ce soir, est d'excellente humeur. Ses domestiques sont enfin arrivés ! De tous ceux qui accompagnent Napoléon aujourd'hui, seuls le couple Bertrand et Louis Marchand, en plus de quelques domestiques, étaient avec lui à l'île d'Elbe. Napoléon y avait fait restaurer une ancienne maison au sommet d'une falaise donnant sur la mer et en avait fait sa résidence. Ceux qui ont partagé son premier exil en gardent le souvenir d'un havre de tranquillité, d'une grande beauté.

La comtesse de Montholon, qui a revêtu une robe de mousseline verte et qui porte une parure d'émeraudes dans les cheveux, est venue se joindre au groupe en compagnie de son mari, le comte Charles-Tristan de Montholon. Âgé de trente-deux ans, bel homme, très brun, le regard doux, sa physionomie dégage néanmoins, dans l'ensemble, un certain manque d'énergie. Le comte, qui a fait une carrière plutôt décousue, avait épousé en 1811, alors qu'il était ministre plénipotentiaire auprès du grand-duc de Wurtzbourg, Albine-Hélène Le Vassal, son aînée de quelques années, deux fois divorcée. L'Empereur avait jugé cette union incompatible avec la dignité de sa fonction, et l'avait démis. Le comte avait repris du service en 1813 et était fait général en 1815. Après Waterloo, il avait offert à Napoléon de le suivre en Amérique. Peut-être cherchait-il à fuir ses créanciers. Ou, croyant Napoléon fortuné, pensait-il arranger ses affaires.

Napoléon observe la belle Albine. Il lui trouve du charme. Il apprécie son humeur toujours égale.

C'est le premier grand repas de famille. Il ne manque que Joseph. Le calme des lieux a un effet bénéfique sur tous. La cuisine, préparée avec des produits frais des fermes environnantes, est fort appréciée, et le bon vin a délié les esprits. Les histoires fusent, plus drôles les unes que les autres, comme chaque fois qu'on se remémore des incidents de la vie à la cour. Napoléon évoque le souvenir de Mme de Staël[1].

– Lorsqu'elle a entendu parler des victoires que je venais de remporter en Italie, de la gloire qui couvrait mon nom, elle est tombée follement amoureuse de moi, sans m'avoir jamais rencontré. Elle m'a écrit plusieurs longues lettres, pleines de feu, d'esprit et de métaphysique. Elle y disait que mon mariage avec la douce et tranquille Joséphine avait été une erreur, que c'était une âme de feu, comme la sienne, que la nature avait destinée à un héros tel que moi... Son ardeur n'a pas faibli pour n'avoir pas été partagée. Quelque temps après, j'ai fait sa connaissance, et elle a eu accès à ma personne. Elle usait de ce privilège jusqu'à en devenir importune. Un jour, j'ai voulu le lui faire sentir et me suis excusé d'être à peine vêtu. Elle me répondit avec emphase et passion que cela importait peu car le génie n'avait pas de sexe. Je l'ai revue un jour aux Tuileries. Elle s'est mise sur mon chemin et m'a apostrophé : « Sire, quelle femme admirez-vous le plus dans l'Histoire ? – Celle qui a fait le plus d'enfants », lui ai-je répondu. Je ne l'ai plus revue. À mon retour de l'île d'Elbe, elle m'a écrit pour me dire tout l'enthousiasme que lui avait causé ce merveilleux événement, qu'elle était vaincue, que ce dernier acte n'était pas d'un homme, mais d'un surhomme. Entretemps, elle était devenue mon ennemie. Ses intrigues m'avaient conduit à lui intimer l'ordre de sortir de France. Je sais qu'elle est revenue à quelques reprises visiter Joseph à Mortefontaine. J'ai feint de l'ignorer. Je dois cependant dire que c'est

1. Germaine Necker, dite Mme de Staël (1766-1817). Fille de Jacques Necker (1732-1804), ministre des Finances de Louis XVI, femme de lettres formée à l'école des Philosophes, enthousiaste de la Révolution et passionaria du Romantisme.

elle, apprenant le complot royaliste qui se préparait contre ma personne à l'île d'Elbe, qui s'assura que j'en sois informé.

Le repas terminé, Napoléon propose une promenade en calèche. Luigi, le palefrenier, a préparé trois voitures. Il est originaire de la Toscane et a immigré aux États-Unis il y a quinze ans. Napoléon lui parle en italien, ce qui atténue le dépaysement des lieux.

Les calèches empruntent une route bordée de peupliers qui longe de temps à autre la East River. Des fermes prospères jalonnent le parcours. Parfois les calèches doivent s'immobiliser pour laisser passer une famille de ratons laveurs ou un troupeau de chèvres qui change de pâturage pour la nuit.

Le jour tombe. À l'horizon, des nuages verticaux annoncent de l'orage. Les voitures font bientôt demi-tour et rentrent à la propriété.

Marchand a pris la relève d'Ali. Au service de l'Empereur depuis 1811, il avait été promu premier valet de chambre à la veille de son départ pour l'île d'Elbe. Sa mère, berceuse du roi de Rome, a suivi l'enfant à Vienne avec l'impératrice en 1814. De l'entourage français qui a suivi l'impératrice à Vienne, elle seule y est encore. Louis Marchand est un homme de cœur. Intelligent, instruit, ayant reçu une éducation presque bourgeoise, il s'est fait apprécier de tous pour son tact, sa discrétion, son zèle. Il est plus qu'un subalterne, presqu'un compagnon. Depuis son entrée en fonction, il n'a jamais eu l'idée de quitter l'Empereur.

Marchand a tout déballé et rangé impeccablement les effets de son maître. Un bain attend ce dernier. Napoléon se fait apporter quelques livres et y passe deux heures. Puis, en robe de chambre, il s'allonge sur le sofa face à la fenêtre et contemple l'orage dans le ciel de Manhattan.

Cette chambre est celle du maître des lieux. Le mobilier, en acajou, comporte un lit à baldaquin avec dais et rideaux de satin émeraude ; un canapé en velours rose cendré ; un guéridon, entouré de deux chaises droites à sièges rembourrés et recouverts de soie à rayures émeraude et ivoire, comme les draperies ; une large commode surmontée d'un grand miroir, inséré dans un cadre doré ; et quelques autres petits meubles. Le portrait au-dessus de la cheminée est sans doute celui du propriétaire, un homme d'âge mûr, l'air altier, à qui la vie a réussi. Deux paysages romantiques de la campagne anglaise ornent le mur opposé. Dans une bibliothèque, encastrée entre les deux fenêtres, sont rangés des livres sur l'histoire de la marine marchande anglaise et américaine, l'industrie du sucre dans les Antilles, les voyages de Cook, la guerre d'Indépendance, ainsi qu'une biographie de Washington. Marchand a dégagé quelques rayons pour y mettre les livres de l'Empereur.

L'orage a rafraîchi le temps. Napoléon s'endort paisiblement sur le sofa.

Ce matin il s'est levé lentement, et s'est fait servir le petit-déjeuner dans sa chambre. Son récit de la veille sur Mme de Staël lui a donné l'envie de jeter un coup d'œil sur *Delphine*, publié en 1802. Ce livre, comme un peu plus de quatre cents autres, fait partie des bagages qui l'ont accompagné. Son esprit et son imagination, pense-t-il, y présentent toujours le même désordre. C'est ce qui l'avait tenu éloigné d'elle, en dépit de toutes ses cajoleries et de ses avances.

Il est midi, l'heure de s'habiller. Il fait appeler Las Cases pour sa leçon d'anglais. Il est plus déterminé que jamais à apprendre cette langue. Son incapacité actuelle à communiquer avec les citoyens de sa terre d'asile est pour lui un lourd handicap. Il veut aussi pouvoir lire, sans intermédiaire, les analyses que les Américains et les Anglais font de ses années au pouvoir. Parfois le dégoût le prend ! Quelle astreinte que les conjugaisons, les déclinaisons, sans compter les phonèmes identiques correspondant à des orthographes différentes. Il comprend rapidement tout ce qui touche au raisonnement, à la logique de la langue, mais c'est pour lui une corvée que d'apprendre par cœur les exceptions à une règle. Las Cases a peur que son élève ne se décourage. Il se dit que plus l'esprit est grand, rapide, étendu, moins il peut s'arrêter sur des détails. Napoléon n'est pas le seul dans le groupe à étudier l'anglais, mais il est celui qui y met le plus d'effort. Pour se détendre, la leçon terminée, il ira faire une promenade à cheval avec le comte.

Alors que Luigi vient avertir que les chevaux sont prêts, arrivent deux berlines. Six hommes en descendent. Ali, qui les a aperçues, court en direction de l'écurie.

– Majesté, le roi Joseph vient d'arriver. Il est avec les commandants Beaudin et Besson.

Napoléon se dirige vers les deux voitures. C'est bien son frère Joseph ! Il l'étreint longuement dans ses bras. L'exil rapproche. Mais Napoléon ne laisse jamais paraître longtemps une vive émotion.

Après avoir chaleureusement échangé un moment avec lui, il se tourne vers le commandant Beaudin, à qui il doit d'être arrivé sain et sauf en Amérique, et lui donne l'accolade avec chaleur, heureux de l'accueillir avant son retour en France, ainsi qu'au commandant Besson, qui a fait la traversée avec les bagages. Celui-ci est venu chercher des instructions, les bagages étant toujours dans le port sur la *Magdelaine.* Joseph est accompagné de son fidèle secrétaire, Louis Maillard, et d'un jeune Américain, James Carret, qu'il a rencontré à Blois peu de temps avant son départ, et qui a accepté de lui servir d'interprète en Amérique.

Les deux frères se ressemblent étonnamment. Joseph est bel homme, moins vieilli et moins marqué que Napoléon, malgré les terribles secousses d'Espagne[2], ce qu'il attribue à son tempérament philosophe. Plus grand, il a les cheveux foncés et plus épais, les lèvres sensuelles sous un long nez, le nez des Bonaparte, le menton moins fort, les sourcils prononcés, les yeux sculpturalement enchâssés comme ceux de son frère. Mais le regard de Joseph dégage une douceur méditative, qui contraste avec l'intensité de celui de son célèbre cadet. Les deux frères ont de belles mains soignées, le pied petit et cambré, le cou court, la peau fine et transparente, presque féminine. Joseph a épaissi avec les années mais reste bien proportionné.

Encore une fois, Napoléon retrouve son aîné, comme à chaque époque charnière de sa vie. Dix-sept mois d'âge seulement les séparent. Ils avaient quitté ensemble leur Corse natale pour le collège d'Autun. Deux déracinés. « Joseph, mon seul ami », disait-il. Avec qui d'autre pouvait-il évoquer ses jeux d'enfants, ses souvenirs de « là-bas », les parfums de la Corse ? Lorsque, trois mois plus tard, il quittait Autun, et Joseph, pour l'école militaire de Brienne, ce fut le déchirement. Ce second déracinement, l'exil, ils allaient de nouveau le partager.

Les premiers journaux d'Europe sont arrivés aujourd'hui. Planat en a rapporté plusieurs dans sa mallette de cuir fin. Joseph et lui les ont lus chemin faisant. Ils resteront dans sa mallette. Les mauvaises nouvelles, c'est pour demain. Ce soir, on fête l'arrivée du roi Joseph. Celui-ci prend possession de la chambre voisine de celle de son frère, tandis que Maillard et Carret logeront dans le pavillon du gardien. Quant au commandant Beaudin, qui reprend demain le chemin de Royan, il retournera dormir sur le *Pike*. Pour ce qui est du commandant Besson, il attend les instructions de Napoléon.

2. Joseph fut roi d'Espagne de 1808 à 1813.

Une grande effervescence règne autour de l'écurie. Les cavaliers rentrent d'excursion. Le roi Joseph va à leur rencontre. Après un moment de surprise générale, ce sont les accolades, poignées de main, baisemains pour les dames. Les retrouvailles sont chaleureuses. Partout Joseph suscite l'estime. Il est aimable, fin causeur, amateur d'art et de littérature, « un ornement de société », disait Napoléon lorsqu'il accusait son frère de mollesse dans la gestion des affaires d'Espagne.

Ce soir, le cercle s'étant agrandi, il faut ajouter une table dans le jardin. En cuisine, on s'affole. Les domestiques français, qui ont accompagné les exilés, viennent prêter main-forte au personnel de cuisine américain. C'est la tour de Babel.

– Cette propriété est fort agréable, dit le commandant Beaudin.

– Je crois que nous logeons chez un anglophile ! déclare Napoléon.

– J'imagine la tête qu'il fera s'il apprend un jour que l'Empereur Napoléon a couché dans son lit ! s'esclaffe la comtesse Bertrand.

Pendant que le personnel de service sert les apéritifs dans le jardin, chacun échange ses impressions sur New York. Ceux qui viennent de débarquer souhaitent visiter la ville demain ; les autres projettent une partie de chasse à la bécasse et au lièvre.

Le dîner terminé, Napoléon raccompagne les deux commandants à leur berline. Il fait ses adieux au commandant Beaudin, espérant le revoir un jour lors d'un autre voyage. Quant à Besson, il lui donne ordre de se rendre dans le port de Philadelphie avec les bagages, et de l'y attendre. Il devrait y être à la mi-septembre. Avant de ramener les deux commandants à New York, Planat sort les journaux de sa mallette et les tend à Joseph. Celui-ci les remettra à son frère demain.

Les deux frères sont restés seuls à causer au bord de l'étang. Ali leur apporte du café. Ces retrouvailles, Joseph n'y comptait plus, depuis que Napoléon avait refusé toutes les propositions qui lui avaient été faites, à l'île d'Aix, pour le conduire en Amérique. Lorsque le général Gourgaud s'était arrêté à la Tremblade pour l'informer que l'Empereur faisait route vers les États-Unis, il n'osait y croire. Qui avait pu le convaincre de ne pas se rendre aux Anglais ? Sa décision semblait si ferme. La conviction de Joseph de ne plus revoir son frère, après leur ultime rencontre, était si profonde qu'une fois informé de son départ pour l'Amérique, il était convaincu qu'il n'y arriverait jamais. Son bateau serait intercepté par les Anglais, et il serait fait prisonnier.

– Qu'est-ce qui t'a fait changer d'idée ? demande Joseph.

– Une pulsion de vie, répond Napoléon. Celle du suicidaire qui sursoit à son geste. La pensée soudaine qu'à quarante-cinq ans ma vie pouvait avoir une suite. La conviction que seule l'Amérique pouvait m'offrir un nouveau destin. Peut-être me reste-t-il encore vingt ans à vivre !

– Maman, Jérôme, Lucien n'ont jamais su que tu avais renoncé à te rendre en Amérique. Quelle aurait été leur surprise s'ils avaient appris que tu t'étais rendu aux Anglais ! Ils veulent venir nous rejoindre ici.

– Où sont-ils en ce moment ?

– Ils s'apprêtaient tous à quitter la France. Maman allait partir pour Rome, avec son frère, mais ne voulait pas quitter avant d'être assurée que tous ses enfants avaient franchi la frontière. Jérôme a trouvé refuge au château de Douy en Sologne, et planifiait son départ de Rochefort pour l'Amérique. Lucien voulait rejoindre l'Italie par mer en affrétant un bateau à Boulogne, pour y chercher sa famille et l'emmener en Amérique. Quant à Hortense, elle s'apprêtait à partir pour la Suisse. Ma femme et mes deux filles sont demeurées à Paris, les médecins ayant interdit à Julie de faire une aussi longue traversée. Le reste de la famille étant hors de France, il n'y a rien à craindre pour elle.

– Ils apprendront par les journaux que nous sommes bien arrivés.

– Comment était le voyage? demande Joseph.

Napoléon raconte les divers incidents de la traversée et ses conversations avec le commandant Beaudin.

– Nous avons aussi été arraisonnés, avoue Joseph. Comme je te l'avais dit à Rochefort, j'ai voyagé sous le nom de M. Bouchard, avec un passeport américain que m'a procuré M. Jackson, le chargé d'affaires américain à Paris. Le commandant, qui n'a jamais soupçonné mon identité réelle, pensait néanmoins que je devais être un ministre ou une personnalité éminente!

– J'ai décidé de changer de nom, dit à brûle-pourpoint Napoléon. J'aimerais porter celui de colonel Muiron.

Joseph le regarde, à la fois amusé et incrédule.

– Nous ne pouvons pas, effectivement, continuer à porter des titres pour des fonctions que nous n'exerçons plus. Mais pour ces gens qui t'entourent, tu demeures l'Empereur. Ils pourront difficilement s'adresser à toi autrement qu'en disant « sire » ou « Majesté ». J'ai du mal à imaginer Bertrand te dire: « Oui, mon colonel, non, mon colonel. »

Napoléon se met à rire.

– Moi-même, déclare Joseph, j'ai décidé de prendre le nom de comte de Survilliers[3].

Napoléon fait remarquer à Joseph la famille de cerfs venus manger des pommes dans le verger. Ils sont peu farouches.

– Pour combien de temps as-tu loué cette maison?

– Deux semaines, le temps de me reposer. Après, je me rendrai à Philadelphie, comme prévu.

3. Nom du village limitrophe de sa propriété de Mortefontaine.

– Quelles sont tes premières impressions sur New York?

– C'est une ville assez déroutante, de répondre Napoléon. Un désert culturel, mais une fourmilière. Je ne sais pas si tu te souviens, mais en 1803, alors que j'étais Premier Consul, j'avais été fait membre de la Société littéraire de New York. J'ignore ce qu'il est advenu de cette Académie. Je n'ai pas l'impression qu'elle fut très active!

– Quand le pays a-t-il appris ton arrivée? Et comment a-t-il réagi?

– Dès le lendemain, la nouvelle faisait la manchette des journaux. Mon arrivée a été ébruitée par l'équipage du *Pike*. Dans l'ensemble, les réactions étaient positives. Bertrand a gardé les journaux. Tu pourras les lire. Cela m'a valu, le soir même, à l'hôtel City, la visite surprise du candidat défait aux dernières élections présidentielles. Il nous a invités à dîner chez lui. Cet homme, Dewitt Clinton, m'est apparu comme une incarnation de l'Amérique.

Le café terminé, Napoléon fait faire une visite de la propriété à son frère, tout en poursuivant leur conversation sur la famille, les événements qui se préparent en France et la manière d'y faire face, les chances du roi de Rome de lui succéder, leur vie en Amérique, l'avenir en somme. Déjà il fait nuit.

Les deux frères passent la matinée à lire les journaux d'Europe. Joseph y apprend que les Alliés veulent le faire habiter en Russie. En effet, le traité de Vienne a assigné, à chacun des membres de la famille Bonaparte, un lieu de résidence dans l'un des pays alliés, qui aura la responsabilité de contrôler ses déplacements. Et les Alliés ont frappé Paris d'une énorme contribution, pour réparations de guerre. Napoléon fait venir Las Cases pour qu'il traduise les journaux anglais.

– Qu'y dit-on? lui demande-t-il.

Le comte y avait déjà jeté un coup d'œil rapide.

– Selon la tendance politique des journaux, les opinions diffèrent évidemment.

Las Cases a du mal à résumer cette rhétorique décousue. Dans les milieux conservateurs, le fait que « l'Ogre corse » ait filé entre les mailles du filet, et qu'il fasse probablement route vers l'Amérique, a eu l'effet de la foudre. *The Times, The Morning Post, The Courier,* implacablement dressés depuis vingt ans contre les idées de la Révolution française, voient en Napoléon leur incarnation. Il est l'homme qui a ensanglanté le monde, fait fusiller le duc d'Enghien, qui a fui en Amérique pour éviter le pire, c'est-à-dire le conseil de guerre et le peloton d'exécution. On parle de lui comme du « vaurien sanguinaire », « fripon à diadème », « fléau de l'humanité ». *The Courier* soutient qu'il a fait parvenir d'immenses sommes d'argent en Amérique. En vertu du droit de sûreté, le gouvernement anglais est invité à tout mettre en œuvre, incluant son enlèvement et sa déportation, pour s'assurer que le fugitif ne réapparaisse pas sur les côtes de l'Europe. Certains disent qu'il devrait être remis à Louis XVIII.

– Vous ne vous attendiez pas à ce qu'ils fassent votre éloge, quand même ? dit le comte en riant. Voyons les journaux de l'Opposition.

The Morning Chronicle parle de « l'Homme », et prétend s'inspirer de la doctrine de Fox, le conciliateur, qui, en 1802, était allé visiter le Premier Consul à Paris, et qui avait toujours préconisé un rapprochement avec lui. Malheureusement, Fox est mort quelques mois plus tard. Napoléon avait toujours gardé sur le rebord de sa cheminée un buste de Fox, qu'il a emporté avec lui en exil. Cet homme, pensait-il, aurait pu changer le cours de l'Histoire. Parmi les plus fervents défenseurs de l'Empereur, le comte voit les noms de Lord Byron et du duc de Wellington, le vainqueur de Waterloo ! Le duc s'oppose farouchement à ce qu'il soit remis à Louis XVIII.

Solidarité de castes. L'Opposition proposait, si se confirmait l'arrivée de Napoléon en Amérique, qu'une délégation aille le rencontrer aux États-Unis afin de connaître ses intentions.

– Si le Cabinet anglais devait donner suite aux « recommandations » des milieux conservateurs, dit Joseph, vous devrez assurer votre sûreté personnelle.

– J'ai encore deux mois devant moi ! dit Napoléon. Le temps de la confirmation de mon arrivée en Amérique... et celui de la traversée d'un commando.

Ces nouvelles d'Europe ajoutent à son impatience de recevoir une réponse du président Madison. Cet après-midi, il ira à la chasse comme prévu.

Accompagné de Joseph et du général Savary, il emprunte le chemin de la forêt, carabine en bandoulières. Un cerf croise leur route et s'approche des chasseurs. Était-ce lui qui mangeait des pommes hier soir dans le verger ? Il aura la vie sauve. Napoléon n'a jamais été un amateur de chasse. Il s'y livrait à Fontainebleau, parce que la chasse faisait partie des usages de la cour. De plus, il était plutôt médiocre à débusquer le gibier.

En s'approchant de la East River, les trois chasseurs aperçoivent à distance un rassemblement sur la rive. Quelqu'un s'est-il noyé ? S'agit-il de baigneurs, venus simplement se rafraîchir ? Napoléon et ses compagnons s'avancent et observent. Des hommes et des femmes, soutenus par d'autres, sont immergés dans l'eau. D'autres, demeurés sur la rive, récitent des incantations et lancent des cris. On dirait un rituel. Les chasseurs regardent autour d'eux et découvrent un panneau indiquant qu'ils sont sur la propriété des baptistes.

Quelques heures plus tard, ils rentreront avec deux bécasses en gibecière, l'une tirée par Savary, l'autre par Joseph.

Planat rentre de New York. Cette fois, il apporte du courrier. Il tend la lettre tant attendue à Napoléon. Celui-ci pense pouvoir la lire sans l'aide de personne.

Montpellier, 22 août 1815

Sire,

J'ai bien reçu votre lettre du 16 août nous informant de votre arrivée en sol américain. Instruit des événements récents qui ont secoué l'Europe, et qui vous ont conduit à abdiquer, puis à quitter le sol français, nous tenons à vous rappeler que la Constitution des États-Unis d'Amérique protège quiconque, ayant mis le pied sur le sol américain, demande asile. En conséquence, le gouvernement américain ne pourrait donc donner suite à une éventuelle procédure d'extradition, quel que soit le pays qui en ferait la demande.

Les demandeurs d'asile, en contrepartie, doivent s'abstenir de toutes activités politiques en sol américain, qui risqueraient de mettre le gouvernement de ce pays dans l'embarras ou de l'entraîner dans une voie qu'il n'a pas choisie…

La lettre est signée :

JAMES MADISON
Président des États-Unis d'Amérique

Napoléon est satisfait. Le ton est neutre. Il ne pouvait en être autrement. Joseph aussi est rassuré. Ils passeront donc deux semaines, comme prévu, dans cette oasis de calme, en attendant de s'installer de manière définitive à Philadelphie, et de connaître la suite des événements en Europe.

Chapitre V

Philadelphie

La pluie des derniers jours a dissuadé tout le monde de faire le voyage New York – Philadelphie par la route, les voitures risquant de s'enliser dans la boue. Il y a aussi une autre raison. C'est que tout le monde veut essayer le bateau à vapeur. Le trajet entre les deux ports s'effectuerait maintenant en vingt-quatre heures. Quant aux domestiques, ils voyageront en diligence. C'est moins cher. Le général Bertrand et Marchand, eux, sont déjà partis. Ils font le voyage à bord de la *Magdelaine* avec Besson et les bagages, pour s'occuper de la location des chambres d'hôtel à Philadelphie. Le rendez-vous a été fixé au Mansion House.

Les Français se fraient un chemin jusqu'au *Blue River* parmi la foule et les bagages qui encombrent le quai d'embarquement. Montés à bord, ils observent depuis le pont les manutentionnaires du port qui approvisionnent le bateau en cordes de bois. Le chargement du combustible et l'embarquement des passagers terminés, les moteurs se mettent en marche et la roue à aubes commence à tourner. Alors que le bateau lentement s'éloigne du quai, tous s'extasient sur le confort et l'efficacité manifeste de ce nouveau mode de propulsion pour un navire. Napoléon est lui-même ravi. Il se souvient de Robert Fulton, son inventeur. Il était venu à Paris, à l'époque du Consulat, lui présenter sa réalisation technique révolutionnaire.

– Pourquoi n'y aviez-vous pas cru alors ? demande le général Savary.

– La démonstration qu'il avait faite sur la Seine avec un prototype n'avait pas été convaincante. Au premier essai, la coque s'était rompue sous le poids de la machinerie. Celle-ci était tombée au fond de la Seine où il avait fallu la repêcher. Un second essai, quelque temps plus tard, avait eu lieu avec un bateau renforcé, où la machinerie cette fois était étalée sur toute la surface de la cale. J'y avais invité les membres de l'Institut. Plusieurs d'entre eux avaient été sceptiques. Lui-même, Fulton, admettait à l'époque que son invention n'était pas encore au point.

Appuyés au bastingage, les passagers observent le paysage champêtre qui défile, parsemé ici et là de petites bourgades de maisons blanches.

– Quel confort ! s'exclame avec satisfaction la comtesse Bertrand.

– On dirait que tout le monde se connaît ! ajoute Albine.

– C'est un bon moyen de côtoyer les habitants de ce pays, dit à son tour le comte de Montholon.

Le général Gourgaud, qui se débrouille assez bien en anglais, a déjà lié conversation avec un passager.

– Vous aimez le bateau à vapeur ? lui demande-t-il.

– Je ne pourrais plus voyager autrement, dit l'homme. En diligence, vous êtes assis, coincé, et ne pouvez échanger qu'avec sept ou huit personnes, sans parler de l'état des routes ! Ici, il y a de l'espace pour déambuler, se restaurer, bavarder avec plusieurs personnes… Et vous ?

– C'est mon premier voyage.

– Vous êtes étranger ?

– Oui, Français.

– Vous n'avez donc pas connu les tables de jeu et les soûleries des anciens bateaux à voile. Ici, désormais, tout cela est banni. À la place, pour distraire les passagers, vous trouvez des présentoirs de livres et de journaux.

L'homme s'arrête et jette un coup d'œil sur la roue à aubes.

– Le seul inconvénient, c'est le vacarme de la machinerie et de la roue.

Gourgaud poursuit la conversation encore un moment, puis retourne vers son groupe. En passant près d'un présentoir, il prend un livre et l'ouvre. C'est une Bible.

C'est bientôt l'arrivée à New Brunswick. Tous débarquent pour le relais. Un bras de terre sépare la Raritan River de la Delaware River. Il faudra malheureusement le parcourir en diligence. Napoléon propose de déjeuner sur place avant de reprendre la route. Une trentaine de diligences à six chevaux, en attente de clients, sont alignées devant une dizaine d'auberges et autant de tavernes. Dans le pâturage qui longe la rivière, quelques centaines de chevaux paissent à l'ombre de grands chênes, se reposant avant d'être attelés de nouveau. Les passagers essaient de se faufiler parmi les attelages avec leurs bagages. Napoléon envoie Las Cases en éclaireur pour s'enquérir de la capacité d'accueil de ces établissements et réserver une table. Ce sera au Green Schack.

Le groupe entre et prend place à la table qui lui est indiquée par la serveuse. Les plats sont déjà sur la table !

– C'est ce qu'on appelle un service rapide, dit Las Cases.

– Mon cher, dit Napoléon sur un ton amusé, il faut que nous nous intégrions !

– Ce sont les mêmes plats sur toutes les tables, observe la comtesse Bertrand.

– Qu'est-ce que c'est? demande Albine en regardant le plat qui fume.

– Ça sent le maïs, dit le général Lallemand, visiblement en appétit.

La taverne est bondée, le personnel affairé, et les lieux bruyants. Le repas est rapidement terminé. Chacun a plus ou moins touché à son assiette. Un garçon vient débarrasser pour faire place au groupe suivant. Tout le monde se lève de table, certains avec le fou rire, d'autres indignés, puis se redirige vers les diligences. Gourgaud négocie le prix pour trois voitures jusqu'à Trenton, ville située à une cinquantaine de kilomètres.

La route est mauvaise. De temps à autre, les roues se heurtent à des cahots ou s'enfoncent. Les villages traversés se ressemblent: deux ou trois églises de cultes différents, un magasin général, un bureau de poste, une taverne, un meeting hall et une douzaine d'autres maisons. Entre ces villages s'étendent à perte de vue des fermes et des champs en friche. L'arrivée à Trenton est un soulagement. Le cocher de la première voiture suggère à ses clients de les déposer au Franklin Inn.

– *The best in town,* assure-t-il.

Napoléon aide la comtesse Bertrand à descendre de voiture. Il la regarde.

– Vous avez mauvaise mine!

– Avec une telle route, vous ne devriez pas vous en étonner!

– Je crois que le voyage a épuisé tout le monde, dit Joseph, soucieux de ménager les rapports entre son frère et Mme Bertrand.

L'auberge borde la Delaware River. Le bâtiment est rustique, mais il faut convenir, en revanche, que le lieu est bucolique. Les chambres sont modestes. Qu'importe, ils découvrent le pays, et c'est ce qu'ils souhaitaient. Chacun éprouve le besoin de se reposer avant de se retrouver pour le dîner.

La salle à manger a vue sur le fleuve. Elle est à l'image des chambres, modeste. Au menu : poulet du Delaware, *corned-beef* ou mouton braisé.

– Mon cher, demande Napoléon à Las Cases, avez-vous fait votre choix ?

– J'aimerais savoir comment est préparé le poulet du Delaware.

Napoléon fait signe au serveur de venir.

– C'est du poulet bouilli, répond le garçon.

– De quelle façon est-il apprêté ? insiste Las Cases.

– Avec l'eau de cuisson, monsieur, précise le serveur.

Un client, installé au bar, observe les nouveaux venus. Les cheveux châtains, le visage anguleux, le nez allongé, il porte une veste étriquée qui laisse voir des poignets osseux et de grandes mains. De son pantalon trop court dépassent curieusement ses chevilles et ses longs pieds.

– C'est l'image qu'on se fait d'un Yankee ! remarque la comtesse de Montholon.

L'homme est quelque peu éméché. Le visage impassible, la voix nasillarde, il se tourne vers la table des étrangers.

– Vous parlez quelle langue ?

– Le français, lui répond Napoléon.

– Vous venez d'où ?

– De la France, répond-il, amusé par l'incongruité de la situation.

L'homme tend la main à l'Empereur.

– Aaron Slover. Enchanté de vous connaître.

– Et vous, d'où venez-vous ? demande Napoléon.

– De Hollande, répond l'homme qui a du mal à articuler. Mais j'suis Yankee[1]. Mon vrai nom est Seelooveers. Trop de voyelles. Trop long. Les Yankees aiment les noms courts, parce que tout le monde est pressé ici.

1 Américain du Nord.

Le visage toujours aussi impassible, l'homme lève son bock de bière :

– *Bienevenoue* à Trenton, dit-il.

Le repas terminé, les uns et les autres partent explorer la ville. Des banderoles annoncent partout qu'il y a courses de chevaux ce soir au manège. Les rues sont désertes. C'est que tout le monde est sans doute au manège en question. En effet, une fois arrivé sur place, le groupe constate que les estrades sont bondées. La foule est échauffée. Une bagarre vient d'éclater entre parieurs éméchés. L'un d'eux sort un pistolet de sa gaine et tire un coup en l'air. La foule, prise de panique, se disperse comme une nuée de moineaux effrayés. L'ordre est vite rétabli mais la course est annulée. Étonnés par ces mœurs un peu rudes, les voyageurs décident de rentrer rapidement à leur hôtel.

Après une mauvaise nuit et un petit-déjeuner copieux, le groupe se dirige vers le port. Ce sera de nouveau le confort du bateau à vapeur jusqu'à Philadelphie, située à une soixantaine de kilomètres.

On aperçoit la ville à distance. L'activité portuaire n'a pas l'ampleur de celle de New York, mais il y règne néanmoins une grande animation. Le *Liberty* s'approche des quais. Des fiacres attendent les passagers.

Napoléon et sa suite prennent place dans quelques-uns d'entre eux.

Les voitures remontent Market Street, la grande artère qui relie le port au centre de la ville. Las Cases regarde par la fenêtre.

– C'est Londres en plus petit ! observe-t-il.

– Ça me semble bien différent de New York, en tout cas, dit Napoléon.

Des maisons de brique assez semblables bordent de larges trottoirs ombragés par des peupliers et des platanes qui se profilent sur la brique rouge des habitations. Les rues sont larges et pavées de petits cailloux arrondis. Tout est d'une grande propreté.

Les voitures s'immobilisent devant Mansion House, l'ancienne maison d'un riche particulier, convertie en hôtel.

Ainsi qu'à New York, le général Bertrand a fait la réservation de la suite de l'Empereur au nom de colonel Muiron. Comme si les États-Unis ignoraient encore la véritable identité du colonel ! Depuis l'article paru dans le *New York Evening Post* le lendemain de son arrivée, la nouvelle s'est répandue comme une traînée de poudre dans certains milieux. Mais le directeur de l'établissement feint d'ignorer l'identité de son client, le traitant néanmoins avec tous les égards. Napoléon sait qu'il sait. Il prend possession de sa suite. L'ensemble est confortable et agréable. Les lieux ont déjà été aménagés par Marchand, qui est sur place depuis quelques jours. Les domestiques, qui doivent arriver bientôt, logeront dans des pensions environnantes.

S'il souhaite visiter la ville incognito, il doit le faire maintenant. Demain, il sera sans doute trop tard. Les journaux auront paru entre-temps.

Accompagné de Joseph, de Las Cases et de son fils Emmanuel, Napoléon déambule dans les rues de l'ancienne capitale. Tout respire l'ordre, à commencer par la disposition des rues elles-mêmes qui se coupent à angle droit, formant un ensemble géométrique régulier. Les rues en abscisse partent toutes de la Delaware River et portent des noms d'arbres, tandis que celles en ordonnée sont numérotées. Ainsi William Penn, son fondateur, a-t-il conçu la ville en 1682. Étant quaker[2], il avait obtenu de Charles II d'Angleterre une concession de terres en

2. Secte religieuse fondée en Angleterre au XVIIe siècle par des dissidents de l'Église anglicane et de son courant puritain.

Amérique où pourraient trouver refuge ses coreligionnaires persécutés, mais aussi les membres d'autres sectes. Il l'a nommée Philadelphia, ville de « l'amour fraternel ».

– J'ai lu que Penn avait conçu sa ville de manière à faciliter le commerce, dit Napoléon. Il pensait que marchands et clients se trouvaient ainsi plus facilement lorsqu'il y avait de l'ordre.

– Aussi pour des raisons sanitaires, ajoute Joseph. Les rues larges en damier sont mieux ventilées, ce qui freine la propagation des épidémies.

Toutes ces maisons à murs mitoyens ne font guère plus de trois étages, auxquels s'ajoute pour chacune un grenier à toit incliné percé de deux mansardes. Elles ont un air de famille. Seules leurs dimensions varient en fonction de la fortune de leurs propriétaires. Les plus modestes font près de sept mètres en façade, alignées le long de rues étroites, nommées « allées ». Les plus cossues ont des portes richement ornées, donnant sur un perron généralement de marbre blanc, et sont souvent agrémentées de jolis balcons de fer forgé. Certaines sont entourées d'un jardin, sauf en façade. L'ensemble est séduisant par sa sobriété et son élégance. Dans les allées commerciales, le rez-de-chaussée abrite des ateliers de menuiserie, d'ébénisterie, de rembourrage, de confection de vêtements, d'orfèvrerie, de poterie, tandis que les étages sont habités par des familles, comme à New York. Ici et là, cafés et tavernes accueillent une clientèle animée.

– Il règne décidément dans cette ville un esprit particulier, observe Napoléon. Je ne sais pas à quoi l'attribuer ! À l'esprit quaker ? Au fait que Philadelphie a été le berceau de la démocratie des temps modernes ? Ou tout simplement à quelques hommes éclairés, comme Benjamin Franklin ?

Las Cases regarde autour de lui.

– Comment font-ils pour garder la ville aussi propre ?

– C'est plus facile lorsque toutes les infrastructures sont modernes. Mais je crois qu'il y a plus. Il semble y avoir ici un sens civique qui n'existe pas chez nous, dit Napoléon.

– Il est aussi plus facile de garder propre une ville de quatre-vingt-dix mille habitants que de six cent cinquante mille, dit Joseph.

– Et il y a aussi que vous êtes arrivé au pouvoir après dix ans de révolution. Le pays était en décrépitude, ajoute le comte.

Napoléon, songeur, marche en silence. Puis il dit :

– Il m'aurait fallu dix années de plus pour faire de Paris une ville propre, avec des services publics et sanitaires bien organisés. Il y avait tant à faire. J'y ai fait installer cinq kilomètres d'égouts souterrains et démolir des centaines de bâtiments insalubres. J'ai fait construire des trottoirs afin de prévenir les inondations des caves des maisons. Dans certaines rues, j'ai fait bomber le milieu de la chaussée et remplacer le caniveau central par des ruisseaux artificiels installés des deux côtés. Cette méthode donnait de bons résultats en Angleterre, m'avait-on assuré. J'ai fait également construire des fontaines, des bassins et des canaux, pour alimenter les Parisiens en eau potable jour et nuit.

L'extraordinaire énergie qu'il avait déployée, lorsqu'il était au pouvoir, pour faire de Paris la capitale de l'Europe était connue de tous.

– À Naples[3] et à Madrid, ajoute Joseph, j'ai affronté et tenté de solutionner des problèmes similaires, mais sans beaucoup de succès.

– Il règne dans cette ville un ordre moral. Voilà la différence ! conclut Napoléon.

L'ordre moral et le temps qui lui avait manqué, c'était là deux idées qui revenaient constamment dans sa conversation.

3. Joseph fut roi de Naples de 1806 à 1808.

Anonyme, pour l'heure, parmi tant d'immigrants, le groupe s'est assis sur les bancs du parc public, face à Independance Hall. Cet immeuble, à clocher de style géorgien, fut construit au milieu du siècle précédent pour abriter la Chambre des représentants de la Pennsylvanie. C'est ici qu'en 1776, les délégués des treize colonies d'Amérique ont déclaré leur indépendance de l'Angleterre.

Celui qui fut Empereur des Français médite aujourd'hui, avec émotion, devant l'un des premiers symboles de la démocratie moderne.

– La Révolution américaine fut un grand moment dans l'histoire de l'humanité, dit-il. Il ne s'agissait pas que de rompre le lien colonial avec l'Angleterre, mais aussi avec les valeurs de la vieille Europe, féodale et corrompue. C'est ce que nous devions faire nous-mêmes quinze ans plus tard.

Napoléon se lève, suivi de son frère et du comte, pour se diriger vers le bâtiment. La porte est ouverte. Les visiteurs entrent. L'intérieur étonne par sa sobriété. Ici, pas de lambris dorés. L'austérité des lieux contraste avec la grandeur des événements dont ces murs furent témoin.

Le groupe retourne au parc. Napoléon marche les mains derrière le dos, en silence. De temps à autre il pense à voix haute. Il admet que cette république est démocratiquement plus avancée que ne l'était la république impériale. Il en impute la cause à l'histoire et à la géographie, ainsi qu'au caractère de ses habitants.

– Aux États-Unis, il était impossible d'établir un gouvernement centralisé comme nous l'avons fait. Les hommes y sont trop dispersés sur un trop grand territoire, et séparés par trop d'obstacles naturels, pour qu'un seul gouvernement puisse diriger les détails de leur existence.

Ses compagnons l'écoutent sans l'interrompre. Ils ont l'habitude de ces soliloques sur l'Histoire que Napoléon considère d'ailleurs comme le fondement de toute philosophie.

Boulimique de lecture depuis son jeune âge, il a lu abondamment sur les sociétés anciennes et modernes. Il a « des connaissances en toutes choses », disait-on. Il aime les combinatoires, et les points de vue inédits sur les hommes et les événements.

– La société américaine, poursuit-il, s'est ainsi constituée, dès l'origine, en un grand nombre de petites sociétés distinctes, qui ne se rattachaient à aucun centre commun, et dont chacune devait s'occuper de ses propres affaires, faute d'autorité centrale capable d'y voir.

– Il y a aussi le fait que les premiers colons anglais avaient déjà une connaissance des rouages démocratiques, dit le comte qui a séjourné dix ans en Angleterre. La liberté communale et municipale faisait partie des mœurs et des lois anglaises. Les Anglais y attachaient un grand prix.

Le groupe continue sa promenade, tout en méditant sur les origines de la démocratie américaine.

– Ces petites communautés ont généré une mentalité, dit Joseph. On le sent partout. Elle s'est incrustée, elle a pétri les esprits, même dans les villes.

– Assez curieusement, dit Las Cases, les républicains américains associent démocratie et religion, liberté et moralité. Pour nous, Français, cela peut paraître étonnant.

Sur l'entrefaite, un marchand ambulant s'approche. Il vend des bibles de poche.

– Vous imaginez cela à Paris ? demande Las Cases.

– Chez nous, la liberté est synonyme d'anarchie, dit Napoléon, qui se plaint régulièrement du caractère de ses compatriotes. Le temps seulement nous en fera faire un meilleur usage. Tous les Français sont turbulents, d'éternels frondeurs… Leur légèreté est tellement de nature, leurs variations si subites, qu'on ne pourrait dire qu'elles les déshonorent. Ce sont de vraies girouettes qui réagissent au gré des vents. Mais ce vice chez eux est sans calcul ; voilà leur meilleure excuse.

Il s'arrête, puis ajoute :

– Si l'Angleterre est le pays des libertés, la France demeure le pays de l'égalité.

L'heure de dîner[4] étant venue, les promeneurs s'arrêtent à la City Tavern, une taverne qui a connu son heure de gloire quarante ans plus tôt. C'est ici, autour d'une table, que se rencontraient les délégués des treize colonies pour discuter de la nature de leur riposte aux nouvelles provocations de Londres. Ici et là sont exposées des reliques de ces temps héroïques : étendards, cocardes, imprimés de l'époque. Aujourd'hui, l'endroit semble surtout fréquenté par des marchands.

Les visiteurs ont pris place. Aux tables voisines, la fièvre des affaires a succédé à la ferveur patriotique d'antan. Comme c'est l'usage, plusieurs plats de viande et de légumes sont apportés sur les tables et chacun se sert. Le service de viande terminé, le personnel retire les nappes et dépose sur les tables fruits et fromages avec le vin. Les femmes se lèvent alors et disparaissent.

– Où vont-elles toutes ? demande Joseph au garçon de service.

– Elles changent de pièce. C'est l'habitude ! lui répond le serveur avec un léger sourire. Arrivés au fromage, les hommes ont souvent trop bu et deviennent un peu vulgaires et grossiers. Les femmes ont peur d'être offensées.

Le repas terminé, le groupe se dirige lentement vers l'hôtel. Les deux frères observent les femmes qui passent. Joseph est un connaisseur. À la politique, il a toujours préféré le beau sexe, l'art et la littérature, ce que lui reprochait précisément l'Empereur. On ne pourrait en dire autant de Las

4. La lumière du jour dictant l'heure des repas, le petit-déjeuner se prend alors vers six ou sept heures, selon la saison, le déjeuner, vers dix heures et le dîner, vers seize heures, suivi d'une légère collation en soirée, si nécessaire.

Cases. À droite, derrière un étal de fleurs, ils remarquent une jeune fille aux longs cheveux blonds, dont les vêtements colorés tranchent avec la sévérité vestimentaire quaker. Napoléon s'approche d'elle et la regarde. Elle a les yeux bleus, le visage légèrement arrondi, un sourire à la fois engageant et réservé.

– Puis-je vous aider ? demande-t-elle avec un accent que Napoléon identifie immédiatement.

– Vous êtes originaire d'Allemagne ?

– Oui, mes parents ont immigré quand j'avais dix ans. Vous connaissez l'Allemagne ?

– Oui, j'y suis allé à plusieurs reprises.

– Et vous, vous êtes Français ? Je reconnais votre accent, dit-elle.

Napoléon confirme.

Elle observe cet homme d'âge mûr, vêtu avec élégance, au sourire charmeur et au regard envoûtant.

– Je voudrais une douzaine d'œillets rouges, lui dit-il.

La jeune fille prépare le bouquet avec soin et le lui tend.

– Ce sera cinquante cents.

Il lui remet l'argent, après avoir reçu les fleurs, et la regarde fixement.

– C'est pour vous ! lui dit-il finalement en lui tendant le bouquet avec le même sourire.

La jeune fille, médusée, regarde ensuite les trois hommes s'éloigner.

– Ici, elles sont jolies jusqu'à vingt-cinq ans ! dit Napoléon.

– C'est le revers de médaille de l'ordre moral, réplique Joseph en souriant.

Ce soir, l'hôtel est bondé et la salle de bal, pleine à craquer. Las Cases s'enquiert auprès du tenancier.

– C'est une *subscription dance,* lui est-il répondu.

– Qu'est-ce que ça veut dire ?

– Que c'est payant, d'ajouter l'homme.

Le comte se tourne vers Napoléon et Joseph.

– Allons voir, je vous y invite.

Les trois hommes, accompagnés du fils du comte, pénètrent dans la salle de bal. La soirée est animée par un maître danseur, John de Tennancour, un réfugié de Saint-Domingue. Il connaît toutes les danses européennes, depuis le cotillon jusqu'à la valse, en passant par les reels écossais et les gigues. Des tables de jeu sont là, à l'écart, pour ceux qui ne dansent pas. L'allure générale des participants laisse croire que l'événement rassemble le gratin social de Philadelphie. Le maître danseur, voyant que les nouveaux venus parlent français, s'approche et les invite à danser le cotillon. Des jeunes filles sont en attente d'un cavalier. Napoléon se tourne vers Las Cases, petit et toujours timide, qu'il appelle parfois « Votre Excellence », et lui dit :

– Osez, Votre Excellence !

Le maître danseur, convaincu qu'il s'agit là d'un bon parti pour les cavalières, attire le comte pour lui assigner une partenaire. Et le voilà lancé dans le tourbillon du cotillon. Spontanément, son fils de quinze ans s'élance vers une autre jeune fille en attente. Devant tant de succès, le maître danseur s'approche de Napoléon et de Joseph… qui, eux, disparaissent aussitôt dans le hall d'entrée de l'hôtel.

Comme prévu, les journaux de Philadelphie annoncent ce matin à la une « l'arrivée de l'Empereur Napoléon à Philadelphie. Il serait actuellement au Mansion House, et voyage sous le nom de colonel Muiron. » Les journaux en question s'interrogent encore. Entend-il s'établir aux États-Unis, ou n'est-ce pour Napoléon qu'une escale ? Envisagerait-il un second « retour », si le peuple français le rappelait ?

Napoléon se penche à la fenêtre de sa suite. Un attroupement de curieux attend devant l'hôtel. Ce matin, de toute façon, il n'avait pas prévu sortir. Il doit s'entretenir avec le général Bertrand. Les voilà en Amérique depuis déjà un mois. Chacun éprouve le besoin d'organiser sa vie. Napoléon lui-même est pressé d'établir sa maison. Il accueille le général.

Les deux hommes se sont rencontrés en 1797, lors de la première campagne d'Italie. Bertrand, alors âgé de vingt-quatre ans et diplômé en génie, avait rejoint le général Bonaparte, commandant en chef de l'armée d'Italie. Bertrand l'avait ensuite suivi en Égypte. Il fut par la suite de toutes les campagnes militaires de l'Empire. Dix-sept ans de fidélité, de dévouement. Napoléon le considère comme le meilleur ingénieur militaire d'Europe. En 1813, il l'avait nommé grand maréchal du Palais, chargé de la gestion générale des Tuileries.

Les yeux de Bertrand sont expressifs et bons, malgré une mine plutôt bourrue et un peu austère. Son caractère discret, presque timide, tranche avec celui de sa femme, qui est la petite-cousine de Joséphine. Ils se sont mariés en 1808.

Napoléon dit au général :

– Vous êtes désormais identifié à mon sort.

– Sire, je serai à vos côtés aussi longtemps que mes services seront requis.

– Je voudrais que vous continuiez à vous occuper de la gouvernance générale de ma maison. Vous conserverez le titre de grand maréchal.

Le titre est inamovible aux termes de l'ancien règlement de la Maison impériale. Seul le mot « palais » sera supprimé. Napoléon a de l'estime pour le général. Il le juge honnête, franc, courageux. Il a été en mesure d'apprécier sa bravoure au cours de toutes ces années. Mais il lui reproche d'être trop sous la coupe de sa femme. Il déplore aussi son étroitesse de vue, « des moyens un peu en dessous de son imagination », a-t-il déjà dit. Il a cru bien longtemps que Bertrand était incapable de lui cacher quoi que ce soit, et que jamais il ne le quitterait. Mais il sait depuis l'île d'Elbe qu'il n'en est rien. Bertrand lui avait dissimulé son désir de rentrer en France. Et pourtant, il s'est offert spontanément pour l'accompagner en Amérique. Était-ce pour échapper aux tribunaux militaires ?

Napoléon regarde Bertrand :

– Je ne doute pas qu'un jour le gouvernement américain soit intéressé à vos services. Dans ce cas, vous seriez libre d'aller vers de nouvelles destinées.

– Sire, je souhaite demeurer attaché à votre personne.

Napoléon pense que la fidélité du général est comme instinctive.

Puis, le grand maréchal fait rapport de ses démarches immobilières. Napoléon veut habiter à la campagne, tout en gardant un pied-à-terre à Philadelphie. À Fairmount, soit à une dizaine de kilomètres de Philadelphie, il a visité une propriété qui pourrait convenir, Lansdowne House, accessible en bateau et en voiture. La maison, de la fin du XVIIIe siècle, est de style classique italien, avec fronton et portique à colonnades en façade. C'était la demeure de l'ancien gouverneur Penn, un descendant du fondateur de Philadelphie. La maison est construite sur une falaise qui domine la Schuylkill River. Entouré d'un parc magnifiquement aménagé, avec massifs de fleurs, bosquets, grands arbres, le lieu est très privé. Le prix de location, bien en deçà de ceux de Paris, inclut chevaux, voitures et embarcations. D'autre part, le grand maréchal dit avoir trouvé à Philadelphie un hôtel particulier moderne, avec jardin à l'arrière. Il est situé au 260 South Ninth Street. Napoléon veut visiter les deux établissements dès demain. Si la propriété de Fairmount lui plaît, il aimerait s'y installer pour plusieurs mois, le temps de trouver une terre où Joseph et lui pourraient se faire construire une maison à leur convenance.

Cet après-midi, il réussit à quitter l'hôtel incognito par une porte arrière. Il se promène maintenant dans Philadelphie avec Joseph, James Carret, l'interprète de son frère et le général Savary. Les quakers l'intriguent.

Sur Arch Street s'élève une maison d'assemblée de quakers. Un panneau de bois, à l'entrée, indique qu'aujourd'hui il y a assemblée à quinze heures. Le petit groupe décide d'entrer. Il est accueilli avec chaleur par un homme d'âge mûr, tout de gris vêtu, qui multiplie les mots de bienvenue. Sur une table, dans le grand hall d'entrée, ont été déposées des théières avec tasses et des assiettes de *cookies*. Chacun est invité à se servir avant de passer à la salle d'assemblée. Sur un comptoir sont disposées des brochures relatives à la Société des Amis. Le lieu est sobre, le mobilier réduit au minimum. La méditation débutant dans quelques minutes, l'homme en gris s'avance pour faire quelques recommandations aux Amis, avant de les inviter à passer dans la salle d'assemblée. James Carret traduit au fur et à mesure :

– N'ayez pas peur de vous exprimer. N'hésitez pas à crier ce qui vous opprime au fond de vous-mêmes. Les cris libèrent. Mais soyez brefs dans vos interventions.

Une cinquantaine de personnes ont déjà pris place dans une salle carrée qui peut en contenir en fait plus d'une soixantaine. Le groupe saisit quelques chaises libres situées près de la porte d'entrée. Le lieu est austère. Ni meubles, ni ornements susceptibles de distraire. Seule une horloge au mur est là pour indiquer l'heure du début et de la fin de la méditation. Les chaises sont disposées en rangées, parallèlement aux murs, et se font face. Tous sont vêtus sobrement, proprement. Aucune parure ne doit attirer le regard.

Les yeux fermés, les Amis plongent en eux-mêmes, allant à la rencontre de Dieu. Un lourd silence envahit l'assemblée. Seul le battement de l'horloge rappelle aux participants qu'ils sont encore de ce monde. De temps à autre, le regard de Napoléon croise celui du général Savary. Sont-ils les seuls étrangers ici ? Il semble bien que oui, tant le recueillement est profond. L'assemblée sait-elle qu'ils sont étrangers? Que lui importe. Dieu ne fait pas de distinction. Après vingt minutes de silence, un Ami élève la voix:

– Je crois que notre neutralité au moment de la Révolution était une erreur. Il y a des guerres justes.

Après un moment de silence, un autre Ami se lève:

– Je crois que nous devrions revoir nos préventions à l'égard du théâtre. Sans adopter les vues des catholiques sur le sujet, nous devrions nous inspirer de l'approche disciplinée des presbytériens, des méthodistes et des baptistes.

– Il faut d'abord sortir les prostituées des théâtres! rétorque une âme indignée.

Long silence. Y aura-t-il d'autres interventions avant la fin de cette assemblée? Voilà qu'une autre âme inquiète se fait entendre:

– Il faut augmenter notre aide aux esclaves fugitifs. Nous devons accroître le nombre de refuges et faciliter leur passage au Canada.

Long silence. Une autre voix s'élève:

– Nous devons également intervenir pour obtenir une réforme des prisons. Il faut humaniser les prisons.

L'heure de méditation s'étant écoulée, ces apôtres de la lumière intérieure émergent d'eux-mêmes, se tournent vers leurs voisins, échangent des poignées de mains et engagent une conversation animée sur tout et sur rien. Les visiteurs quittent les lieux, se dégageant difficilement de ce lourd silence.

– Pour un esprit matérialiste, ils sont déroutants, dit Napoléon. Mais ils sont une force morale. Leur tolérance et leur pacifisme sont bien connus. On les dit en plus industrieux et entreprenants. Ils sont sûrement d'excellents citoyens.

Ce matin, Marchand vient informer l'Empereur que le général Lallemand a demandé à être reçu. Napoléon l'accueille dans sa suite et l'écoute. L'homme est toujours impressionnant : haut de taille, bâti carré, manières emportées, autoritaire, enflammé. Plus qu'un fidèle, c'est un inconditionnel.

Le général, qui est sans fortune, veut partir pour la Nouvelle-Orléans. Il croit pouvoir y trouver du travail plus facilement qu'à Philadelphie puisqu'on y vit en français. Et s'il ne trouve pas à s'employer à la Nouvelle-Orléans, explique-t-il, il a quelques autres projets en tête. Par exemple, créer une colonie de réfugiés bonapartistes, quelque part en Louisiane ou en Alabama. Ou encore, offrir ses services aux insurgés du Texas[5] qui luttent pour obtenir leur indépendance de l'Espagne. Mais en attendant que l'un de ses « projets » aboutisse, il a besoin d'un peu d'argent pour le voyage jusqu'à la Nouvelle-Orléans, et pour subvenir à ses besoins dans l'immédiat.

Napoléon, qui connaît l'ascendant du général, demande, inquiet :

– Une colonie de bonapartistes ? Que voulez-vous dire au juste ?

– Il s'agit d'un projet agricole, répond le général. Il paraît que le gouvernement donne des terres à ceux qui s'engagent à les cultiver.

– Vous voulez devenir agriculteur ? Avez-vous des connaissances dans ce domaine ?

– Puisqu'il s'agit de fonder une colonie, sire, les tâches sont multiples. J'en trouverai qui sont à ma mesure.

– Vous savez sûrement que le Texas est un territoire que se disputent les États-Unis et l'Espagne ?

5. La vice-royauté de la Nouvelle-Espagne, dont Mexico était la capitale, comprenait l'Amérique centrale et plusieurs territoires en Amérique du Nord, dont le Texas.

Napoléon, qui ne veut surtout pas inquiéter le gouvernement américain, avertit le général sur un ton sans équivoque :

– Si vous vous engagez aux côtés des insurgés espagnols, vous n'engagerez que vous.

– Sire, je n'ai jamais songé à combattre autrement qu'à titre personnel !

– Combien voulez-vous ?

– De quoi payer le voyage, et pouvoir vivre quelques semaines.

Napoléon convoque Bertrand :

– Remettez mille dollars au général Lallemand.

Plus tard en matinée, Napoléon reçoit Las Cases. Il veut lui proposer de lui servir officiellement de secrétaire et d'interprète, et d'habiter avec lui jusqu'à l'arrivée de la comtesse de Las Cases, prévue avant la fin de l'année. Il apprécie la conversation de cet homme bien né, ses connaissances étendues et variées, ses manières agréables. Le comte, qui voue une admiration sans bornes à l'Empereur, acquiesce volontiers.

Les deux frères visitent aujourd'hui Lansdowne House. Ils sont séduits par le site. La végétation luxuriante, le chant des grillons, les eaux calmes de la Schuylkill River, qui rappelle les fleuves de France, offrent un décor enchanteur. Ils conviennent d'y cohabiter jusqu'à l'arrivée de Julie, la femme de Joseph, et de leurs deux filles, Zénaïde et Charlotte.

À leur retour à Philadelphie, ils font un arrêt sur la 9e Rue. Cet hôtel particulier convient pour de brefs séjours. Il pourrait aussi héberger temporairement des réfugiés.

Revenu à l'hôtel, Napoléon reçoit à tour de rôle le colonel Planat et le général Gourgaud. D'abord le colonel Planat de la Faye. Il souhaite garder à son service « ce bon jeune homme», comme il l'appelle souvent, souple et aimable. Comme le colonel Muiron, Planat aurait donné sa vie pour sauver celle de l'Empereur. Il se dit prêt à exercer toutes fonctions, à la condition de demeurer à ses côtés.

– Je vous confie donc ma sécurité personnelle, lui dit-il. Il se pourrait que dans les mois à venir vous soyez fort occupé !

Puis, il reçoit Gourgaud, qu'il a fait général aux Cent Jours. Il sera son écuyer, en plus d'assurer, lui aussi, sa sécurité. Il est vrai qu'il est jaloux et orgueilleux, mais Napoléon éprouve de l'affection pour cet homme intelligent et vif d'esprit. À Brienne en 1814, lors de la campagne de France, le général lui avait sauvé la vie. Un cosaque a cheval avait sa lance dirigée contre l'Empereur, prêt à le transpercer, lorsque le général l'abattit de justesse d'un coup de pistolet.

– Vous m'avez déjà sauvé la vie, Gourgaud. Peut-être aurez-vous à le faire de nouveau.

Un courrier vient d'arriver à l'hôtel. Le pli est adressé à l'« Empereur Napoléon ». Il est du général Andrew Jackson, le héros de la Nouvelle-Orléans, son émule ! Il effectue présentement une tournée triomphale à travers les États-Unis, qui l'a conduit à Philadelphie. Il sera au Mansion House demain soir où une fête est organisée en son honneur. Il demande à être reçu.

Napoléon est curieux de connaître ce personnage haut en couleur à qui toute l'Amérique voue un véritable culte depuis sa victoire en janvier dernier, victoire aussi spectaculaire qu'inattendue : plus de deux mille victimes – morts et blessés – du côté britannique, incluant le commandant en chef, le général Pakenham, qui y a trouvé la mort, et seulement soixante et onze du côté américain. Jamais dans l'histoire des États-Unis une victoire n'avait été si totale. Elle confirmait, aux yeux des Américains et des Britanniques, que les États-Unis avaient la force de frappe et la trempe d'un pays désormais incontournable. Tandis que les Britanniques enterraient leurs morts, et que les survivants se retiraient sur leurs navires et reprenaient le large, le général Jackson faisait son entrée triomphale à la Nouvelle-Orléans, défilant sous l'arc de triomphe que lui avaient érigé ses habitants, tel un empereur romain. Lorsque cette victoire survint, la paix était pourtant déjà signée depuis le 24 décembre 1814 à Gand. Mais la nouvelle n'était pas encore parvenue au général. Quelle revanche sur l'été de 1814, alors que la capitale, Washington, était dévastée et incendiée par les Britanniques. Depuis lors, le pays honore son héros.

Ce matin, fidèle à son habitude, Napoléon a épluché la presse en prenant son petit-déjeuner. La tournée du général fait partout les machettes. Certains journalistes le comparent au « général Bonaparte », « deux héros romantiques », à la « volonté de fer », « sortis de la foule », qui se sont faits eux-mêmes. « Deux titans », a-t-on même écrit.

La métaphore lui plaît. Mais la nostalgie l'envahit. Le simple citoyen, aujourd'hui exilé, repense à la gloire du général Bonaparte, à qui le Directoire[6] avait confié le commandement de l'armée d'Italie. Il avait alors vingt-six ans. Les victoires se succédaient. « L'aigle ne marche pas, il vole, chargé des banderoles de victoires suspendues à son cou et à ses ailes. » Ainsi parlait-on du général Bonaparte. L'Autriche était finalement chassée d'Italie, et la paix signée à Campoformio le 17 octobre 1797. Quelqu'un qui venait de quitter Paris lui avait alors dit : « On acclame votre nom… vous êtes auréolé de la gloire du général victorieux et de celle du sage… Quand vous reviendrez à Paris ce sera un triomphe. On se pressera dans les rues que vous emprunterez. »

6. Pouvoir exécutif, composé de cinq membres, qui gouverna la France de 1795 à 1799, date de l'arrivée au pouvoir du général Bonaparte.

En effet, ployant sous les lauriers, la France l'avait accueilli dans un délire indescriptible. Le nouveau ministre des Affaires étrangères, le prince de Talleyrand, qui n'avait encore jamais rencontré le général, lui avait écrit: « … amitié, admiration, respect, reconnaissance: on ne sait où s'arrêter dans l'énumération. » Il avait alors eu le pressentiment de sa destinée exceptionnelle.

Il abandonne les journaux sur la table de la salle à manger. Aujourd'hui, il n'a pas l'intention de quitter sa suite. Il veut lire et se reposer.

Le général Savary, qui avait demandé, lui aussi, à être reçu, déjeune avec Napoléon dans sa suite. Savary, qu'il avait fait duc de Rovigo en 1808, est presqu'un intime. La conversation avec lui est toujours franche. Le général a son caractère, et des vues bien à lui, ce qui n'a jamais déplu à l'Empereur. Napoléon n'aime pas être contredit mais il aime les opinions divergentes, et estime ceux qui les émettent. Il a toujours méprisé les courtisans. Le général, qui préfère vivre à la ville plutôt qu'à la campagne, informe Napoléon qu'il ne le suivra pas à Fairmount. Il restera à Philadelphie pour attendre sa femme. Il croit qu'elle a trouvé refuge à Londres. Il attend de ses nouvelles. Il espère qu'elle le rejoindra au cours de l'automne. D'autre part, il a un projet dont il veut lui faire part.

– Je songe à offrir mes services au gouvernement américain.

Napoléon le regarde, l'air réjoui.

– Je n'y vois aucune objection. Je vous encourage même à le faire. Votre feuille de route est suffisamment longue et impressionnante pour intéresser les Américains.

– L'Amérique n'a pas de service de renseignements, dit le général, ce qui lui a été presque fatal au cours du dernier conflit. Je pourrais offrir au gouvernement d'en créer un.

– Vous êtes l'homme de la situation, affirme Napoléon.

Celui-ci soulève le couvercle du plat de saumon à l'aneth et en offre spontanément au général.

– J'ai lu que le gouvernement songe aussi à se doter d'une armée de métier, ajoute-t-il.

– En effet, j'ai entendu quelques déclarations à ce sujet, confirme Savary.

L'idée que ses anciens collaborateurs servent le gouvernement américain est loin de lui déplaire. Il y voit une reconnaissance *de facto* de la grandeur de la France, de la valeur des hommes qui l'ont servi, de la gloire de son régime.

Bertrand vient prévenir Napoléon que le général Jackson vient d'arriver. Napoléon fait venir son interprète, Las Cases, et demande à Bertrand de rester. Marchand fait entrer le général Jackson qui est accompagné du maire de Philadelphie et du gouverneur de l'État de la Pennsylvanie. Napoléon va vers eux et tend chaleureusement la main à chacun. Après avoir dit quelques phrases en anglais, dont l'effort de prononciation fut très apprécié, il invite ses hôtes à prendre place au salon. Le héros de la Nouvelle-Orléans est impressionnant. Très droit dans son uniforme, il fait près de deux mètres de taille. Il doit approcher la cinquantaine. Le visage maigre et allongé, il porte une chevelure rousse et abondante qui retombe sur le front, masquant mal une cicatrice ancienne. Il a les yeux bleus, le regard scrutateur. On le dit impulsif, capable de grandes colères, mais sachant garder le plus souvent le contrôle de lui-même. Certains croient qu'elles sont parfois feintes. Ses manières sont un peu rudes. C'est un homme qui s'est fait au contact de la nature, disent ses partisans. C'est un illettré, disent ses détracteurs.

Napoléon demande à Marchand d'apporter du café. Le général Jackson s'est assis face à son idole.

– J'suis venu vous souhaiter la bienvenue dans notre pays, *Sir*, et vous dire que j'vous ai vengé des Anglais, déclare-t-il de sa voix forte, un peu nasillarde.

Le maire et le gouverneur suivent attentivement l'entretien.

– En effet, j'ai lu à propos de votre éclatante victoire à la Nouvelle-Orléans. Je vous en félicite. Je suis heureux qu'elle ait eu lieu aux dépens de mon ennemi le plus constant !

– Y a plus, ajoute Jackson. Le général Pakenham, qui est mort au commandement des forces britanniques, était le beau-frère du duc de Wellington[7] !

Napoléon connaissait le général Pakenham ! Il était en Espagne, avec le duc de Wellington, et combattait l'armée française.

– Grâce à vous, me voilà doublement vengé ! déclare Napoléon en souriant.

La conversation est interrompue par le garçon d'hôtel qui apporte le café.

– J'ai su par ailleurs que vous aviez eu le plein soutien des Français de la Nouvelle-Orléans, ajoute Napoléon.

– *Yes, Sir.* Y avait pas que la milice créole. Y avait aussi de vos hommes. Ceux qui se sont réfugiés à la Nouvelle-Orléans après votre première abdication.

Napoléon le regarde, étonné.

– Je ne savais pas cela ! Combien y en a-t-il eu ? demande-t-il.

– Assez pour faire une différence, *Sir*. Sur un champ de bataille, un de vos hommes vaut dix Anglais !

Décidément, le général est un admirateur. Puis, parlant de stratégie, il ajoute :

7. Arthur Wellesley, duc de Wellington (1769-1852). Vainqueur de Napoléon à Waterloo.

– J'ai défait les troupes anglaises en utilisant l'une de vos tactiques !

– Laquelle ? demande Napoléon, curieux et séduit par ce général si peu conforme aux standards européens.

– En enfonçant le centre de la ligne ennemie, en y concentrant un maximum de forces ! dit le général qui illustre son propos en simulant une attaque par des gestes précis, se terminant par un coup de poing dans sa main gauche.

De temps à autre, Napoléon se tourne vers son interprète pour s'assurer d'avoir bien compris. Car le général parle vite, et avec un accent du Kentucky.

– J'ignorais que j'avais fait école en Amérique ! s'exclame Napoléon.

Les deux hommes continuent à discuter stratégies et tactiques, avec le secours de Las Cases. C'est leur terrain commun. Napoléon aime le style direct du général Jackson. Il voit l'homme derrière le général. Une force de la nature, ambitieux, complexe, mais prudent. Il sent aussi chez lui l'homme de cœur. Le maire et le gouverneur assistent, silencieux et attentifs, à ces échanges. Une heure plus tard, un messager vient prévenir les visiteurs que les notables de la ville attendent le général dans la salle de bal du rez-de-chaussée. Le général se lève, puis prend congé de Napoléon en l'invitant cordialement à lui rendre visite à sa plantation du Tennessee.

Ce soir, l'Empereur est d'humeur gaie. La visite du général l'a sorti de sa morosité. Comme il lui arrive souvent en pareil cas, il se met à fredonner. Les airs sont bien connus de ses familiers, car son répertoire est limité. Il a une préférence pour *Grand-père*. Mais il chante faux, ce qui ne semble pas le déranger. Il est aussi heureux parce qu'il connaît maintenant la composition de sa maison. Il est un homme d'ordre. Seul le général Montholon n'a pas été convoqué. Il n'a pas non plus demandé à être reçu. Ce sont ses fidélités successives, au roi et à l'Empereur, jumelées à ses problèmes d'argent, qui ont contraint Montholon à s'exiler. Napoléon le juge médiocre. Il sait seulement qu'il a manifesté le désir de s'établir à Philadelphie.

Pour marquer ce nouveau départ, il a convoqué son monde à dîner dans sa suite. Après quoi, il les invite tous au théâtre.

Le Philadelphia Theater, dont on dit qu'il est le meilleur établissement du genre des États-Unis, présente, en ce moment, une pièce de Diderot intitulée *Le Père de famille*, un drame domestique bourgeois écrit en 1758. La pièce a été traduite en anglais, mais qu'importe. Les tickets d'entrée peuvent s'acheter d'avance, à l'hôtel : vingt-cinq centimes pour la fosse, soixante-quinze centimes pour les galeries et un dollar pour les loges. Le préposé à la vente des tickets explique les difficultés de la vie théâtrale à Philadelphie. La même pièce doit en même temps intéresser l'élite et divertir le peuple, les amateurs de théâtre n'étant pas assez nombreux. Soixante-dix pour cent de la population est contre le théâtre, dit cet Anglais récemment immigré, parce qu'il excite dangereusement l'imagination et incite à l'immoralité !

– Dans ce pays, le peuple se méfie des acteurs, parce que leur conduite est souvent jugée scandaleuse. Il en résulte, poursuit-il, une pénurie d'acteurs américains, tous confinés dans de petits rôles, les premiers rôles étant généralement confiés à des acteurs anglais et irlandais.

Ce soir, les deux femmes rivalisent d'élégance. La comtesse de Montholon a revêtu une robe de soie bleue et s'est chaussée des souliers de même tissu. Sa coiffure à la grecque est ornée d'une enfilade de perles et de saphirs. La comtesse Bertrand, pour sa part, porte une robe de mousseline jaune au décolleté plongeant, ses cheveux noirs négligemment relevés et retenus par un peigne serti de diamants. Napoléon félicite les dames pour leur élégance. Quant aux messieurs, ils sont tous en grand uniforme, sauf Napoléon qui a définitivement adopté la tenue bourgeoise en toutes circonstances. Le groupe monte en voiture.

À l'arrivée au théâtre, la foule, admirative, s'écarte pour laisser passer ces étrangers.

– Ce doit être des aristocrates ! déclare une vieille dame éblouie.

– Ils viennent d'Europe, c'est certain, lui répond sa voisine.

Tous les regards se focalisent d'abord sur les deux nouvelles venues.

– Des princesses ! s'exclame une jeune fille qui n'en croit pas ses yeux.

Puis les regards féminins se tournent vers ces hommes, dont le raffinement et l'élégance contrastent avec l'austérité quaker et la rusticité yankee. L'une des admiratrices se met sur le passage du général Gourgaud, qui l'écarte gentiment.

Peu après cette entrée très remarquée, tous s'installent dans les loges. Construit en hémicycle, le théâtre comprend une fosse où les moins nantis ont pris place sur des bancs. Au-dessus, se trouvent deux rangées complètes de loges pour les plus fortunés. Tout en haut, une galerie rassemble la populace. La salle est éclairée par des appliques murales et par un immense lustre suspendu au plafond.

Depuis un moment, tous les regards convergent vers une loge près de l'avant-scène. Des femmes au maquillage agressif, légèrement vêtues, se sont mises en évidence. Leur posture est provocante. Elles ciblent les occupants des autres loges.

Le programme, distribué à l'entrée, indique que la pièce a été traduite par un *gentleman* de Philadelphie. La représentation, y lit-on, sera suivie d'une chanson comique chantée par Mister West, d'une danse exécutée par Miss Placide, d'une farce par Mister Ogilvie, et enfin d'une pantomime intitulée *La Nonne ensanglantée*, interprétée par Raymond et Agnès.

– Le programme est chargé! s'exclame Napoléon en riant.

– Tout cela pour un dollar! ajoute le général Savary.

Le rideau est à peine levé que soudain la comtesse Bertrand laisse échapper un cri.

Les chandelles de cire du lustre fondent rapidement et débordent bientôt le petit réceptacle de la base. Des gouttes de cire chaude lui sont tombées sur la poitrine.

Les représentations se suivent et sont très appréciées. Voilà enfin l'entracte. La loge située près de l'avant-scène s'agite de nouveau. Quelques messieurs y ont pénétré. On discute.

Puis, nouveau lever de rideau avec la représentation de *La Nonne ensanglantée*. La pièce est accueillie avec enthousiasme. Les interprètes reviennent sur scène saluer la foule. Napoléon se tourne vers Savary:

– Vous n'applaudissez pas, mon général?

– J'attends Miss Placide, la danseuse! répond Savary sur un ton ironique.

Napoléon veut emménager à Lansdowne House demain. C'est là qu'il veut attendre les mauvaises nouvelles, car les journaux d'Europe sont à la veille d'arriver. Cette maison louée, en attendant d'avoir la sienne, sera le refuge temporaire des siens. Et puis, il appréhende un nouvel encerclement de l'hôtel par les journalistes. Car les événements d'Europe, aussitôt connus, auront leur écho dans la presse américaine. Il informe Marchand de sa décision. Cet «honnête jeune homme», comme il dit souvent, a l'habitude des préavis courts.

Chapitre VI

Lansdowne House

Installé à Lansdowne House depuis une quinzaine de jours, Napoléon a l'impression d'y habiter depuis des mois. Général, consul ou empereur, il a toujours su, où qu'il fût, organiser son existence rapidement. C'est un homme d'habitudes. Ses valets de chambre les connaissent et ont tôt fait d'aménager son intérieur selon ses exigences.

Il se sent bien ici. Cette maison de l'époque coloniale est spacieuse et baignée par la lumière. Planchers et portes sont en acajou. À l'exception du grand salon tout blanc, dans le plus pur style rococo, les autres pièces sont de teintes pastelles, sobrement décorées de panneaux de bois peint, couvrant les murs depuis le plancher jusqu'à la base des fenêtres. Les frontons surmontant le cadre des portes, ainsi que le manteau des cheminées, sont magnifiquement sculptés.

L'étage compte deux suites, occupées par les deux frères, et quatre chambres avec salle de bain, dont deux occupées par Las Cases et Marchand, les deux autres étant prévues pour les invités. Le jeune Emmanuel a choisi d'habiter les combles. La famille Bertrand, le général Gourgaud, le colonel Planat, ainsi que la suite de Joseph ont loué à moins d'un kilomètre de Lansdowne House. Pour ce qui est des domestiques, ils logent dans le pavillon situé à l'entrée du parc.

Les bagages transportés sur la *Magdelaine,* et entreposés dans le port de Philadelphie depuis le départ du commandant Besson, ont été livrés. Marchand a pris soin de substituer aux accessoires de la maison ceux rapportés des palais impériaux: porcelaine de Sèvres, argenterie, lingerie, literie, petits meubles, dont un magnifique lavabo en argent, œuvre de Biennais et Genu, installé dans la salle de bain de Napoléon. Sur le rebord de la cheminée de sa chambre, Marchand a déposé le buste de marbre du roi de Rome, et des miniatures de Joséphine, de Madame Mère et d'autres membres de la famille, ainsi que deux magnifiques candélabres en argent. Un portrait de l'impératrice Marie-Louise, tenant le roi de Rome dans ses bras, peint par Gérard, orne le mur au-dessus. Sur la commode, Marchand a placé son nécessaire de toilette en or. Seules les caisses contenant ses souvenirs de campagnes, ses armes, telle l'épée qu'il portait à Austerlitz ou le sabre d'Aboukir, n'ont pas été ouvertes, faute d'espace. En ce qui concerne la garde-robe, Marchand n'a emporté en Amérique que les habits bourgeois, à l'exception du costume rouge de Premier Consul, et du manteau qu'il portait lors de la victoire à Marengo, ainsi que quelques uniformes. Tous les autres, ainsi que les habits impériaux, incluant le costume du Sacre, ont été emballés et remis au grand maître de la garde-robe, le comte de Turenne, conformément aux ordres de l'Empereur. « Peut-être, un jour, pourront-ils prendre place dans un musée », avait dit Napoléon.

Les livres, rangés sur les étagères des bibliothèques de la maison, ont été retirés pour faire place à ceux de l'Empereur. Des meubles ont été déplacés. En quelques jours, Marchand a tout aménagé pour recréer un décor familier à son maître qui vient de le promouvoir intendant de sa maison. À ce titre, il se voit confier la gestion du personnel domestique, qui s'ajoute aux services reliés à la personne de l'Empereur, qui a toujours été la personne la moins soucieuse de ses aises, mais en même temps la mieux servie.

Il a maintenant entamé une vie régulière, et le protocole est réduit à son minimum. Mais comme il n'aime pas la familiarité, il reste que personne ne pénètre dans son intérieur sans y être appelé, ou sans avoir au préalable demandé à être reçu, ni ne se retire sans y être invité; lui seul peut initier la conversation, personne ne peut s'asseoir en sa présence à moins d'y être invité, et lorsqu'il est en tête-à-tête avec l'un ou l'autre, nul ne peut se joindre à la conversation sans être appelé à le faire. En ce qui concerne les communications ou requêtes venant de l'extérieur, elles doivent toutes transiter par le grand maréchal. Comme aux Tuileries, il accorde une énorme importance à la tenue de ceux qui l'entourent, en particulier lors des «dîners de famille» où le port du grand uniforme est de mise. Pour le quotidien, il invite chacun à adopter les usages vestimentaires du pays.

Sa journée débute désormais vers sept heures, s'il a passé une bonne nuit. Il appelle alors Marchand et lui pose immanquablement la même question:

– Quel temps fait-il?

Marchand lui apporte un bol de café noir avec un morceau de pain, et des journaux américains. Ce qu'il ne comprend pas fera l'objet de la leçon d'anglais du jour. La lecture des journaux terminée, il fait sa toilette qui est extrêmement soignée et qui n'a jamais varié, où qu'il fût. Elle commence par un bain très chaud, même l'été. C'est là que souvent il y reçoit le grand maréchal. Sur une tablette de bois fixée à la baignoire par Marchand, il appose sa signature sur les documents qui lui sont présentés, ou encore questionne le grand maréchal sur les résultats de certaines démarches. Celui-ci reparti, il se rase, se brosse les dents avec sa brosse en vermeil et de l'opiat dentifrice, se peigne les cheveux, s'asperge d'un mélange d'eau de Cologne coupée d'eau pure, puis s'étrille le corps.

« C'est un préservatif contre bien des maladies », dit-il à Marchand, à qui il confie parfois cette tâche, pour ce qui est du dos.

Pour ses mains et ses ongles, il utilise du citron. Ensuite, avec l'aide de son valet de chambre, il s'habille. Il a demandé à Marchand de lui trouver un tailleur, car il veut refaire sa garde-robe. Puis, dans une poche, il glisse une bonbonnière en écaille contenant de l'anis, et dans une autre une tabatière. Il en a plusieurs. Aujourd'hui il a choisi la tabatière que lui avait offerte Madame Mère le jour du Sacre. S'il est de bonne humeur, il tire fort l'oreille de Marchand en signe de satisfaction. C'est la marque d'estime bien connue que tout son personnel redoute !

Sa toilette terminée, il fait habituellement une longue promenade sur les pelouses de la propriété. Il vérifie l'état des plates-bandes et des bosquets, regarde les bateaux passer au loin, s'arrête à l'écurie pour caresser les chevaux un moment. À dix heures, il déjeune sous la pergola du jardin avec son frère et le comte de Las Cases, accompagné de son fils. Bien que les déjeuners soient peu formels, le personnel de service revêt l'uniforme de son rang. Aussi étonnant que cela puisse paraître, ce sont les domestiques qui tiennent le plus au maintien du protocole. Les repas sont apportés de la cuisine dans un service d'argenterie. Le menu comporte généralement un potage, une viande grillée ou des œufs en omelette, un plat de légumes, un fromage, parfois un dessert suivi d'un café noir. Comme boisson, un verre de vin coupé d'eau.

Napoléon mange peu et boit encore moins, mais toujours aussi rapidement. En vingt minutes, il a généralement terminé. Il aime cependant prolonger les repas en conversant. Il ne se lasse pas d'entendre et de réentendre les histoires colportées par les aristocrates du faubourg Saint-Germain sur la vie parisienne et surtout sur son régime. Las Cases, qui a longtemps fréquenté ce milieu, étant lui-même d'origine aristocrate, peut en parler longuement.

Après le repas, suit une sieste. Puis arrive l'heure de la promenade à cheval, qui fait rarement moins de trente kilomètres. Il revêt alors un habit de chasse à courre, dont il a fait enlever les galons, et des bottes. Il aime ces longues randonnées à travers champs et forêts, avec quelques haltes pour admirer le paysage flamboyant de l'été indien. L'air sec de l'automne a remplacé la chaleur humide et suffocante de l'été. Parfois, sans prévenir, il s'agrippe à sa monture, en serrant les rênes, pour s'élancer au triple galop et disparaître dans la nature. Ce comportement n'est pas sans inquiéter ceux qui l'accompagnent.

« Quand j'ai un cheval sous moi, se plaît-il à dire, je me sens toujours prêt à lui lâcher la bride. »

Il est vrai qu'à cheval, il manque d'élégance et de style à cause de sa taille, ayant une assise insuffisante sur sa bête. Mais quelle endurance !

Au retour, c'est la leçon d'anglais, après quoi il s'installe dans le jardin pour lire jusqu'à l'heure du dîner, soit vers seize heures. Aux convives qui étaient du déjeuner, s'ajoutent généralement Planat et le général Gourgaud, parfois le secrétaire et l'interprète de Joseph, soit Louis Maillard et James Carret, ainsi que le général Bertrand lorsqu'il vient travailler avec lui l'après-midi. Après le repas, et avant que la nuit ne tombe, il fait d'ordinaire une promenade en calèche dans les rues environnantes. De temps à autre, il s'arrête et bavarde avec les gens, médusés mais respectueux lorsqu'ils le reconnaissent. Ils ont entendu parler du grand homme défait par les Anglais qui a trouvé refuge dans leur pays. Mais il ne ressemble pas aux portraits qu'ils ont déjà vus de lui. Ils le trouvent affable, même bonhomme, assez peu « impérial ».

Certains, d'abord hésitants, s'avancent enfin timidement pour lui tendre la main et échanger quelques mots avec lui. Napoléon, qui a toujours aimé tâter le pouls des citoyens, les interroge sur leur métier, sur des faits divers survenus à Fairmount. Il ne comprend pas toujours leurs réponses. Il éprouve le besoin de converser davantage avec James Carret, qui est Américain, pour se faire l'oreille à l'accent du pays. Avec Las Cases, il se concentrera surtout sur la grammaire et la lecture.

De retour à Lansdowne House, il fait habituellement une partie de billard ou d'échecs avec l'un ou l'autre. Il se retire généralement vers vingt-deux heures, puis lit environ une heure avant de s'endormir, à moins que Joseph et lui ne s'engagent dans un long tête-à-tête.

Dimanche, il y aura un dîner de famille, comme la semaine dernière. Tout le monde y était, incluant Albine et son mari, le général de Montholon.

En ce moment, il n'est ni heureux, ni malheureux. Il est en attente. En attente de tout : de nouvelles de sa famille, de ses proches collaborateurs qui ont refusé de servir le roi, de ceux qui ont été démis et proscrits, de son fils « prisonnier » à Vienne, du sort que les Alliés réservent à la France, d'un mouvement de l'opinion publique française en sa faveur. Et d'une nouvelle destinée sur sa terre d'accueil ! Il sait que même si le peuple français réclamait son retour, les Alliés s'y opposeraient. Face à l'opinion américaine cependant, un mouvement en sa faveur serait de nature à rehausser son image, surtout auprès de ses ennemis. Mais il continue à penser que, si les institutions impériales doivent revivre, ce sera par son fils, Napoléon II.

Mi-octobre. L'Europe sait maintenant qu'il a trouvé refuge aux États-Unis. La prochaine livraison de journaux devrait en faire état. Il imagine la réaction des chancelleries. Les inquiéter ne lui déplaît pas. Il aime que les choses bougent.

Il a demandé à Bertrand de faire suivre à Fairmount le courrier arrivé à la poste restante de New York. Las Cases attend des nouvelles de sa femme. Au moment de son départ, elle avait déjà confirmé qu'elle le rejoindrait à l'automne. Joseph aussi attend des nouvelles de sa femme Julie, restée à Paris. Il espère que sa santé lui permettra de venir en Amérique avec leurs deux filles. Tous ici aspirent à une vie de famille. C'est l'antidote aux malheurs.

Et lui ? Lui aussi aspire à vivre entouré des membres de sa famille. Mais il ne compte plus sur Marie-Louise. L'impératrice a vite surmonté ses malheurs ! Le feld-maréchal autrichien Von Neipperg s'en est chargé. Il le connaît. Il sait que Neipperg le déteste, qu'il a incité ses principaux lieutenants à le trahir lors de la crise finale de 1813-14. D'ailleurs, le général autrichien déteste tous les Français, bien qu'il ait passé sa jeunesse en France. Est-ce parce que l'un d'eux lui a un jour crevé l'œil droit de la pointe de son sabre ? Même borgne, Neipperg est resté séducteur. Bel homme, élégant de manières, empressé, flatteur, plein de tact, il plaît aux femmes. Il parle bien, il écrit avec grâce. Marie-Louise n'est pas la première femme qu'il a séduite et ravie à son mari.

Ce qui le préoccupe, c'est l'influence qu'aura ce francophobe sur son fils. Mais comme Marie-Louise vit maintenant à Parme avec le feld-maréchal, sans son fils, il n'y a peut-être pas lieu de s'inquiéter. Le traité de Fontainebleau de 1814 a assuré à Marie-Louise la souveraineté à vie sur le duché de Parme, de Plaisance et de Guastalla.

C'est à Joséphine qu'il pense en ce moment, tandis qu'il déambule seul dans le parc. L'air est pur et frais, légèrement humide à cause de la forte rosée d'octobre. Les arbres se dégarnissent. Un tapis de feuilles rouges recouvre l'herbe verte mouillée.

Depuis sa mort, il y a dix-huit mois, son souvenir l'obsède. Il a la certitude que si Joséphine avait vécu, elle l'aurait accompagné en Amérique. N'est-elle pas née sur ce continent[1] ? Quelque temps après son arrivée à l'île d'Elbe, il avait remis à l'un de ses valets de chambre, qui rentrait à Paris, une lettre pour Joséphine. En route, celui-ci avait acheté un journal où il avait appris avec stupeur la mort de l'ancienne impératrice. Il lui avait alors renvoyé la lettre avec le journal. C'est ainsi qu'il avait appris la mort de la femme qu'il avait tant aimée.

« Elle a illuminé quinze ans de ma vie », avait-il dit à ses proches en apprenant la nouvelle.

Sa mort l'avait profondément affecté.

Joséphine avait l'élégance des Créoles. Elle joignait à infiniment de grâce et de charme une affabilité et une égalité d'humeur qui ne se démentaient jamais. Tout ce qu'elle portait était élégant et faisait mode. Sa toilette de nuit était aussi soignée que celle de jour. Leurs différends n'ont jamais porté que sur l'incapacité de Joséphine à contrôler ses dépenses.

Il était commandant en chef de l'armée de l'Intérieur lorsqu'il la vit pour la première fois. La vicomtesse de Beauharnais le charma, plus par son esprit et sa grâce que par sa beauté. Elle était alors la maîtresse de Barras, le président et homme fort du Directoire. Veuve avec deux enfants, et endettée, elle se cherchait un mari. Et elle savait séduire. Il devint amoureux fou d'elle. Ce fut le premier grand amour de sa vie. Elle avait six ans de plus que lui, ce qu'elle lui avait caché en falsifiant ses papiers. Lui-même s'était vieilli de quelques années. Il l'épousa en 1796. Il venait d'être nommé commandant en chef de l'armée d'Italie. Il avait vingt-six ans, elle, trente-deux. Quarante-huit heures plus tard, il rejoignait son quartier général. Il lui avait demandé de l'y retrouver. Elle avait promis. Mais elle tardait. Il lui écrivait des lettres en-

1. Joséphine est née en Martinique.

flammées. Puis un jour elle arriva à Milan, accompagnée d'un jeune lieutenant, Hippolyte Charles, son amant. Napoléon feignit d'ignorer celui-ci. Puis, il accepta l'évidence. Faute d'être aimé, il voulait au moins l'estime de Joséphine.

Quelque temps plus tard, la paix les ramena tous deux à Paris, mais pour quelques mois seulement, car il allait repartir pour l'Égypte. Joséphine avait promis de le suivre. Il n'était pas dupe. Et elle n'est pas venue. En Égypte, sa décision était prise. À son retour à Paris, il allait divorcer. Dix-huit mois plus tard, il rentrait et retrouvait Joséphine, mais il était toujours décidé à divorcer.

Malgré les scènes, les larmes et les suppliques, il tint bon. Puis il flancha. Il n'avait jamais été capable de résister aux larmes des femmes. Elle le savait et en abusait. Il renonça alors au divorce, mais à partir de ce jour les rôles s'inversèrent. Joséphine lui fut fidèle, profondément attachée, et s'avéra une collaboratrice irremplaçable. Quant à lui, la passion fit place à la tendresse et à une profonde amitié. Bien sûr, il eut des maîtresses, dont le nombre devait croître avec sa gloire montante. Mais il n'a jamais cessé d'aimer Joséphine. À son souvenir, se rattachent les plus grands moments de sa carrière politique.

Le divorce, en 1809, fut un déchirement pour eux deux. Elle ne s'en est jamais vraiment remise. Il n'aurait jamais quitté Joséphine si elle avait pu lui donner l'héritier souhaité pour asseoir sa dynastie. Les termes du divorce, généreux, prévoyaient qu'elle garderait le titre d'impératrice. De temps à autre, il lui rendait visite à la Malmaison. Mais Marie-Louise, qu'il épousa en 1810, était jalouse. Ses visites à Joséphine se firent plus rares. Un jour, elle demanda à voir le roi de Rome. Lorsqu'elle l'eut dans les bras, elle fondit en larmes.

Il sait à quel point ses désastres en Russie l'ont affectée. Ses ultimes revers ont achevé de miner sa santé. Elle mourut le 29 mai d'une angine gangreneuse, soit six semaines seulement après qu'il eut abdiqué et pris le chemin de l'exil vers l'île d'Elbe.

Après son retour triomphal à Paris au printemps dernier, il avait convoqué le médecin qui avait soigné Joséphine. Il avait voulu tout savoir sur les circonstances ayant entouré sa mort. Il se souvient de leur conversation comme si elle avait eu lieu hier.

– Quelle a été la cause de cette maladie ? avait-il demandé au médecin.

– L'inquiétude... le chagrin, avait répondu celui-ci.

– Vous croyez ?

Puis il avait suffoqué sous l'émotion. Reprenant la maîtrise de lui-même, il s'était rapproché du médecin.

– Vous dites qu'elle avait du chagrin... Quel chagrin ? D'où venait-il ?

– De ce qui se passait, sire ; de la position de Votre Majesté.

– Ah ! elle parlait de moi, donc !

– Souvent... très souvent...

De grosses larmes avaient coulé sur ses joues qu'il avait essuyées de sa main.

– Bonne femme... bonne Joséphine !... Elle m'aimait vraiment, celle-là, n'est-ce pas ? Elle était Française !

– Oh ! Oui, sire, et elle vous l'eût prouvé, si la crainte de vous déplaire ne l'eut retenue...

– Comment cela ? Qu'aurait-elle fait ?

– Elle a dit, un jour, qu'impératrice des Français, elle aurait traversé Paris, à huit chevaux, toute sa maison en grande livrée, pour aller vous rejoindre à Fontainebleau, et ne plus vous quitter[2].

2. Allusion au fait qu'après la capitulation de Paris, le 31 mars 1814, l'impératrice Marie-Louise ne rejoignit pas Napoléon au château de Fontainebleau, où il passa trois semaines, attendant que les Alliés statuent sur son sort et sur celui de sa famille.

– Elle l'aurait fait monsieur, elle était capable de le faire !

Elle seule, pense-t-il, aura été la compagne de sa vie. Il ressent soudain un grand vide… Il met un terme à sa promenade et marche vers la maison, car le docteur Barry doit y être déjà.

Napoléon a décidé de se faire soigner. Ses ennuis de santé avaient toujours été tenus secrets, tout comme ses blessures sur les champs de bataille, afin de ne pas alarmer ses partisans, et de ne pas donner des armes à ses ennemis. « Ma santé est excellente », ainsi terminait-il chacune de ses lettres avant de les signer, lorsque, en campagne, il écrivait à ses proches. Il savait que « la santé est indispensable à la guerre et ne peut être remplacée par rien ». Il était d'une robustesse exceptionnelle. « De ma vie, je n'ai senti ma tête ni mon estomac », aimait-il dire. Il soignait ses indispositions toujours de la même manière : bouillon de poulet, diète, sieste, auxquels s'ajoutaient parfois d'épuisantes randonnées à cheval qui provoquaient des suées qui extirpaient le mal, disait-il. Il avait également recours à un autre traitement, qui était de commettre un excès opposé à l'état où il se trouvait. C'est ce qu'il appelait rétablir l'équilibre de la nature. Ainsi, s'il était assailli par une grande fatigue, il se condamnait au repos absolu durant vingt-quatre heures. Cette secousse imprévue lui causait infailliblement une crise intérieure qui amenait aussitôt le résultat désiré. Mais le bouillon de poulet et ses autres traitements particuliers s'étaient avérés impuissants à le guérir de ses problèmes de vessie. La douleur avait été particulièrement vive à Moscou et à Rochefort. La volonté seule pouvait expliquer sa résistance.

Il voudrait aussi perdre du poids. Pourtant il mange peu, et boit encore moins. Après sa victoire à Austerlitz, il se plaignait : « L'agitation et le mouvement m'ont engraissé. Je crois que si tous les rois de l'Europe se coalisaient contre moi, je gagnerais une panse ridicule. »

Connaissant les opinions de l'Empereur sur la médecine et sur ceux qui l'exercent, Marchand est inquiet de l'accueil qu'il réservera au docteur Barry. Aux Tuileries, lorsqu'il recevait la visite de son médecin, le docteur Corvisart, il l'apostrophait toujours avec la même question : « Alors, docteur, combien de malades avez-vous tués aujourd'hui ? »

Marchand vient prévenir l'Empereur – car, pour ses domestiques, il demeure toujours l'Empereur –, qui est dans sa chambre, que le docteur Barry est arrivé. Napoléon le fait entrer.

Barry est invité à prendre place en face de lui. C'est un réfugié de la Révolution. Il n'a donc jamais rencontré l'Empereur, mais il nourrit un préjugé favorable à son égard parce qu'il a ramené l'ordre et doté la France d'institutions fortes qui devraient, pense-t-il, en assurer la prospérité et la stabilité.

Il observe son patient et l'écoute. Napoléon, désireux de ne pas dérouter son médecin à sa première visite, s'abstient de lui poser la question d'usage, comme il le faisait avec Corvisart.

– J'éprouve depuis quelques années certains malaises, dit-il. Depuis la campagne de Russie ma santé n'est plus la même. J'ai de la difficulté à uriner. D'autre part, je ressens sporadiquement des douleurs aux reins, parfois de façon aiguë. Cela a commencé durant la campagne d'Italie.

Docteur Barry écoute en silence, l'air absorbé, puis lui dit :

– Votre dysurie pourrait être causée par la prostate, ou encore être due à une inflammation mal soignée. Ce mal peut être aggravé par la tension et la fatigue.

– Il y a aussi que je souffre épisodiquement d'hémorroïdes.

– Là encore, ce mal entretient des liens étroits avec le psychisme du patient. Les sangsues devraient vous apporter le soulagement souhaité.

Napoléon le regarde, incrédule.

– Mais il se pourrait que le repos suffise, s'empresse d'ajouter le docteur Barry.

– J'ai aussi de temps à autre des vomissements de bile.

– Il est possible que vous souffriez alors de troubles hépatiques dus à l'épuisement, ou encore que vous mangiez trop vite.

– Je dois aussi vous dire que je suis sujet aux rhumes, et souvent avec de la fièvre.

– Sire, soutient encore Barry, votre organisme est simplement épuisé. Il lui faut du repos.

Napoléon se lève et se regarde dans le miroir. Prenant le médecin à témoin, il lui dit :

– J'ai un excès de poids qui ne fait qu'empirer, en dépit de la frugalité de mes habitudes de vie !

– Vous ne croyez pas à la médecine, m'a-t-on prévenu, dit Barry. Et vous n'avez guère confiance dans les médecins. Vous avez raison. Mais j'aimerais vous rappeler une certitude : l'âme et le corps ne font qu'un. Tous les malaises que vous ressentez sont liés à un épuisement physique et moral. La meilleure médecine dans votre cas, c'est le repos, une alimentation saine, et deux heures de promenade à cheval tous les jours.

Puis le docteur Barry examine son patient. Il confirme ses pronostics, et lui prédit qu'il ira mieux dans un mois ou deux, du simple fait d'avoir changé de vie. Si ce n'était pas le cas, il pourrait émettre un nouveau diagnostic.

Napoléon remercie le médecin et se dit heureux d'avoir été confié à ses soins.

À peine Barry est-il parti, que Joseph se fait annoncer. Il trouve son frère dans les meilleures dispositions.

– Alors, que t'a-t-il dit ? Que t'a-t-il prescrit ?

– Rien. Que du repos et de l'exercice ! Voilà un honnête homme ! J'ai toujours dit que le corps est une machine à vivre, qu'il est organisé pour cela... Laissons-y la vie à son aise, qu'elle s'y défende elle-même, elle fera plus que si nous la paralysons en l'encombrant de remèdes. Corvisart était d'accord.

Joseph partage en partie cet avis.

– À une époque, dit Napoléon, j'avais songé à une loi qui n'eût permis aux médecins français que l'usage des remèdes « innocents », et interdit l'usage des remèdes « héroïques », à moins que les médecins aient pu témoigner de leur éducation, de leurs connaissances, et de leur réputation. Mais le peuple aurait crié à la tyrannie ! Pourtant cette loi les aurait dérobés à leurs bourreaux !

Ce soir, il a pris un bain chaud, s'est fait une eau panée avec de la fleur d'oranger et s'est couché tôt.

Un pli affichant les armoiries de la république américaine vient de lui être apporté. Il l'ouvre et regarde la signature. Elle est rédigée en français et signée « James Monroe, secrétaire d'État ». Il demande à être reçu au cours de la semaine du 15 octobre, si cela convenait à « Sa Majesté ». Le ton tranche avec celui de la presse anglaise ! L'objet de la rencontre n'est pas précisé, mais Napoléon connaît James Monroe. Il était l'un des représentants américains à Paris lors de la négociation pour l'achat de la Louisiane en 1803. Il sera heureux de le revoir. Il est bien décidé à recevoir tous ceux qui sollicitent une audience, incluant l'ambassadeur anglais, s'il le demandait ! C'est ainsi qu'il entend combattre les libelles à son endroit.

Aujourd'hui dimanche, tous sont arrivés en grande tenue pour le dîner de famille. Le comte et la comtesse de Montholon, qui habitent maintenant Philadelphie, se sont aussi joints au groupe. Tandis que le maître d'hôtel débouche les bouteilles de vin de Champagne, Albine prend place au piano. Les domestiques circulent avec verres et canapés. Les exilés échangent des anecdotes sur la vie américaine. Puis la « famille » est invitée à prendre place dans la salle à dîner.

Nappe, vaisselle et argenterie, tout rappelle un passé récent. Les plats sont apportés, recouverts de cloches en argent, surmontées de l'aigle impérial. Le menu est digne des Tuileries. Le repas est servi dans de la vaisselle de porcelaine de Sèvres, dont chaque pièce représente des vues de champs de bataille ou de grandes villes où s'est illustrée la Grande Armée.

Napoléon est d'excellente humeur, entouré, comme il dit, de sa petite cour. Conformément au protocole, il entame la conversation.

– Quelles impressions les ambassadeurs turc et persan ont-ils produites sur Paris ? demande-t-il à Las Cases.

– Il est certain que leurs usages ont longtemps alimenté les conversations de nos salons, assure Las Cases. Je me souviens d'une histoire en particulier. Un jour, l'ambassadeur persan, Asker Khan, malade et las de sa médecine persane sans effet, demande à voir le célèbre médecin parisien, M. Bourdois. Son entourage se trompe et va chercher M. de Marbois, président de la Cour des comptes. « Son Excellence l'ambassadeur de Perse est fort malade, lui dit-on, et désire avoir une entrevue avec vous. » Surpris d'abord, mais aussi flatté d'être appelé par un grand prince, de Marbois se rend à son chevet en grande pompe. Dès qu'Asker Khan aperçoit M. de Marbois, il lui tire la langue, lui tend le bras, et lui présente le pouls. Étonné, de Marbois croit qu'il s'agit là d'un usage oriental. Il accepte sa main et la lui serre, lorsque entrent avec solennité quatre estafiers qui viennent placer sous le nez de M. de Marbois un vase des moins équivoque, pour mieux l'informer sur l'état du malade. De Marbois devient rouge de colère et demande ce que signifie tout cela ! On constate ensuite qu'il y a eu erreur d'identité à cause de la consonance des noms. De Marbois, ajoute Las Cases, est alors devenu la risée de toute la capitale, et pour longtemps.

Napoléon s'étonne de n'avoir jamais entendu parler de cette histoire.

– Un jour, poursuit encore Las Cases, j'ai appris que l'archichancelier Cambacérès leur avait offert un grand dîner, les deux ensemble. Quoique tous deux orientaux et de même religion, ils affichaient des différences. Le Turc, disciple d'Omar, était le « janséniste », tandis que le Persan, de la secte d'Ali, était le « jésuite ». Chacun observait l'autre afin de s'assurer qu'il ne prenne pas de vin, comme auraient pu le faire deux évêques pour la viande le vendredi. Le Turc, irritable et ignorant, a été considéré comme « une grosse bête ». Quant au Persan, littérateur et fort causant, on lui trouva beaucoup d'esprit. Il se servait dans les plats à pleines mains, et peu s'en fallut qu'il servît également ses voisins de la même manière. Il s'étonnait de nous voir manger du pain avec tout. Comment pouvions-nous accompagner constamment nos plats avec la même chose ?

La conversation est brusquement interrompue lorsque les enfants Bertrand et Montholon, fort excités, se ruent dans la salle à manger. Ils viennent de trouver deux gros chiens et veulent les nourrir avec les restants de table. Les chiens semblent habitués aux enfants, n'empêche qu'ils sont fort remuants. Les parents demandent aux enfants de garder les chiens dehors, et Ali promet d'apporter à leur intention les restes de table dans le jardin.

Le service reprend. Napoléon convoque le chef Lepage et le remercie pour la qualité de sa cuisine. Tous approuvent. Il y a longtemps qu'on avait goûté à une cuisine aussi raffinée.

Le repas terminé, les convives passent au salon pour le café. Albine joue Haendel. L'acoustique de la salle et la sonorité du piano laisseraient croire à un véritable concert.

Napoléon regarde Albine. Ce qu'il aime le plus dans son visage est sa partie inférieure. Sa minceur et son menton un peu pointu donnent de la finesse à sa physionomie. Il croit qu'Albine ne l'aime pas parce qu'à l'époque il s'était opposé à son mariage avec le comte de Montholon.

Les invités estiment que l'Empereur a bonne mine et qu'il a visiblement commencé à perdre du poids. Son entourage, d'ailleurs, remarque que l'homme change, et pas seulement physiquement. On ne reconnaît plus l'impérieux meneur d'hommes, celui qui apeurait les souverains et qui faisait trembler les ambassadeurs dans les antichambres des Tuileries. Aujourd'hui, lorsqu'il sermonne son personnel, c'est sur un ton enjoué, presque affectueux. En fait, l'homme n'a pas changé. C'est qu'on découvre l'homme privé, bien différent de ce que fut l'homme public. Ses domestiques, en revanche, ont toujours connu l'homme de cœur, foncièrement bon, juste, et généreux. Mais en dehors de son entourage immédiat, bien peu ont percé le secret sa vraie nature.

Sorti de la foule, il avait dû cacher, disait-il, cette facette de lui pour éviter la familiarité. Bertrand affirmait qu'il avait un caractère difficile, mais qu'« il revenait toujours au bien ». À Caulaincourt, il disait en 1812 : « On me croit sévère et même dur. Tant mieux, cela me dispense de l'être… Je suis un homme, j'ai aussi, quoi qu'en disent certaines personnes, des entrailles, un cœur, mais c'est un cœur de souverain. Je ne m'apitoie pas sur les larmes d'une duchesse, mais je suis touché par les maux des peuples… L'aisance sera partout si je vis dix ans. » Joséphine disait de lui : « On ne connaît pas Napoléon. Il est vif, mais il est bon. On le jugerait mieux s'il ne résistait pas autant à ces mouvements du cœur, qu'il regarde comme une faiblesse. » Il s'était formé une cuirasse parce qu'il pensait que l'on ne gouvernait pas avec de la sensibilité. Son secrétaire, Méneval, disait : « Il redoutait le spectacle des larmes et de l'affliction, qui avait sur lui un empire presque irrésistible. » Mais dans les moments les plus difficiles, au milieu des pires catastrophes, il était de marbre.

Dès son plus jeune âge, il avait dû se forger une carapace. Les enfants à Autun et à Brienne riaient de lui à cause de son nom, Napoleone, prononcé « paille au nez », et à cause de son accent, qui s'est estompé avec le temps mais que certains qualifient encore « d'étrange ». Étant jeune, le manque d'argent, au milieu de camarades bien nantis, et son caractère vif, colérique, lui avaient attiré des inimitiés. Il s'était alors replié sur lui-même et s'était jeté à corps perdu dans les études. Orphelin de père à seize ans, il devenait chef de famille. Avec ses maigres revenus, il avait dû pourvoir aux besoins de ses six jeunes frères et sœurs. Seul Joseph, son aîné, subvenait à ses propres besoins. Les soucis d'argent devaient ternir ses souvenirs de jeunesse. Puis ce furent les luttes fratricides corses, la maison familiale brûlée, et la famille en fuite vers la France. Il avait dû se blinder.

Le pire des défauts, dit-il souvent, c'est le manque de cœur. Il se sépare difficilement d'un collaborateur, à moins d'y être obligé. Les trahisons des gens qu'il a comblés demeurent pour lui des blessures douloureuses, mais il en parle sans rancune. Il oublie et pardonne facilement. Il ne sait pas haïr les hommes. Il impute la duplicité de ses généraux à la nature humaine.

Mais il est vrai qu'il est peu démonstratif de ses sentiments, tant ici qu'à Paris. Un regard plus attentif, une voix plus douce, un pincement d'oreille à l'un de ses proches, sont des marques de satisfaction. Lorsqu'il est de bonne humeur, il aime prendre un ton enjoué, faire des plaisanteries avec son personnel. Il devient presque bonhomme. Il rit de certains de ses manquements. Il aime amuser les enfants et leur tolère presque tout. Il s'intéresse à leurs conversations naïves, à leurs jeux, il est attentif à tout ce qu'ils racontent, même lorsqu'ils fabulent. Peu de ses compagnons d'exil ont soupçonné cet homme-là.

Napoléon s'est rendu aujourd'hui à Philadelphie pour des essayages. Le tailleur que lui a recommandé Marchand habille l'élite de la ville de Philadelphie. Tous ses tissus sont importés d'Angleterre. Compte tenu de l'identité de son client, il a fermé boutique pour la journée afin de ne pas être dérangé. La commande comporte plusieurs pantalons de lainage fin, des culottes de casimir, des fracs, des vestes, quelques redingotes, et enfin une capote fourrée pour l'hiver qui vient. Comme il a encore la mauvaise habitude d'essuyer l'encre de sa plume sur sa culotte ou sur sa manche, il se doit d'avoir plusieurs tenues de rechange. Il aime être bien mis, mais paradoxalement il n'est pas soigneux. Le tout sera prêt à temps pour la visite de James Monroe. Il doit aussi passer chez le bottier où il a commandé plusieurs paires de bottes. Comme il a aussi l'habitude de repousser les tisons dans l'âtre avec ses pieds, ses bottes et chaussures doivent être remplacées souvent.

Pour le reste, il ne manque de rien. Marchand a apporté de Paris plusieurs douzaines de chemises, de col cravates, de gilets, de paires de bas, de souliers à boucle, et de bottes de tous genres. Une grande partie des vêtements est restée dans les caisses, faute de place pour tout ranger.

À peine rentré, le domestique de service vient l'informer qu'il a reçu la visite d'une dame. Il s'agit de la comtesse de Montholon.

Napoléon, quelque peu étonné, demande :

– Vous a-t-elle indiqué la raison de sa venue ?

– Non, sire. Elle s'est simplement présentée, et a dit qu'elle repasserait.

Napoléon s'interroge depuis quelques jours sur les motifs de la visite de James Monroe. C'est son premier contact officiel avec un membre du gouvernement américain. Est-ce une simple visite de courtoisie ? Vient-il sonder ses intentions ? Croit-il qu'il puisse un jour revenir aux affaires et que, le cas échéant, il serait utile de développer de bonnes relations pour l'avenir ? Croit-il que lui, Napoléon, puisse être utile pour l'Amérique ? Vient-il lui proposer quelque chose ?

Il se souvient de l'homme. Il l'avait invité, lui et l'ambassadeur américain, Robert Livingston, à dîner aux Tuileries le 1er mai 1803. C'était pour marquer la signature de la vente de la Louisiane aux États-Unis. Il était alors Premier Consul, et Monroe, l'envoyé extraordinaire du président Jefferson, venu seconder l'ambassadeur. James Monroe connaît bien la France pour y avoir été lui-même ambassadeur à l'époque du Directoire. Il parle bien français et c'est un francophile notoire. Il a une dizaine d'années de plus que Napoléon. Monroe avait conservé un souvenir plus ou moins agréable de sa rencontre avec le Premier Consul. Napoléon en avait été informé. Le protocole et la raideur qui avaient présidé à la signature du document, ainsi qu'au dîner, avaient été mal supportés par les Américains, habitués à des usages beaucoup plus simples et conviviaux. La conversation du Premier Consul à table n'avait rien arrangé. Ses questions étaient si brusques qu'elles n'autorisaient que les réponses les plus brèves : « Parlez-vous français ? » « Avez-vous fait bon voyage ? » « Et M. Jefferson, quel âge a-t-il ? » « Est-il marié ou célibataire ? »

Il tâchera de faire mieux cette fois.

On vient le prévenir que le secrétaire d'État est arrivé. Napoléon va à sa rencontre. Il reconnaît la haute silhouette, droite, imposante, robuste, aux manières énergiques. Mais l'homme a grisonné, et son visage est aujourd'hui marqué de rides profondes. C'est depuis la guerre, dit-on. Respecté et estimé de ses concitoyens pour ses services désintéressés rendus à la nation, il est l'un des derniers vétérans de la Révolution à occuper un poste de ce niveau. Il y a de fortes chances qu'il succède au président Madison lors des élections de l'an prochain. Il n'a pas la vivacité d'esprit, ni le brio de Jefferson, mais il compense par un jugement sûr, un esprit constamment en éveil, des idées claires, et une grande capacité de travail.

Il est habillé de noir. Sa tenue vestimentaire date un peu. Napoléon, soucieux de son image auprès des Américains, a revêtu l'un de ses nouveaux habits, dont la qualité de la coupe et du tissu serait remarquée même à Paris. Monroe, à son tour, observe son interlocuteur. Sans doute trouve-t-il qu'il a pris beaucoup de poids depuis le Consulat, bien qu'il vienne d'en perdre un peu, et que sa mèche sur le front s'est éclaircie. Napoléon accueille son visiteur avec ce sourire et ce regard qui exercent toujours tant d'emprise sur ses interlocuteurs.

Après avoir pris place dans le petit salon, Monroe évoque d'abord des souvenirs de son dernier séjour à Paris. Il était là, le 2 décembre 1804, jour de son couronnement. Il s'était mêlé à la foule massée sur le parcours du cortège qui se dirigeait des Tuileries vers Notre-Dame de Paris. Il n'était cependant pas entré dans la cathédrale. Puis il aborde le motif de sa visite.

– Comme vous le savez, sire, les États-Unis ont toujours souhaité garder une attitude de neutralité dans le conflit qui a opposé la France à l'Angleterre, au temps de votre règne comme au temps de la Révolution. Mon gouvernement entend poursuivre cette politique, même si les hostilités en Europe ont pris fin. Les États-Unis ne veulent pas être entraînés dans les conflits d'outre-Atlantique.

Napoléon l'écoute en silence.

– D'autre part, ajoute-t-il, le traité de Gand, qui a mis fin à la guerre l'année dernière, n'a rien réglé. Le litige avec l'Angleterre demeure entier. Mais des changements politiques récents à Londres laissent présager une volonté de rapprochement avec les États-Unis.

Le visage de James Monroe se crispe soudain.

– Or, votre arrivée en Amérique a soulevé une telle tempête dans les milieux politiques anglais, et dans une partie de l'opinion publique, que le gouvernement américain redoute que cette politique de rapprochement soit maintenant compromise.

Une lueur à peine perceptible éclaire le regard de Napoléon. Cette tempête ne lui a pas déplu.

– Mon gouvernement, poursuit Monroe, souhaite donc s'abstenir de tout geste à l'égard de votre personne qui pourrait être interprété comme un appui à l'ancien chef d'État français, le temps que les esprits se calment en Europe. C'est le message que le président Madison m'a prié de vous transmettre.

Ali apporte des gâteaux, du thé et du café. James Monroe prendra du thé, Napoléon, du café noir comme d'habitude. Soucieux de modifier l'image déplaisante que Monroe avait gardée de leur rencontre aux Tuileries, Napoléon déclare sur un ton amical :

– Je n'entends pas ajouter à l'embarras du gouvernement américain. Je suis venu ici en simple citoyen. J'ai même adopté le nom de colonel Muiron.

James Monroe esquisse un sourire.

– Je doute que vous réussissiez à imposer cette nouvelle identité !

Napoléon à son tour veut lui faire part d'une de ses préoccupations.

– Vous savez sans doute que la France est aux prises avec des luttes fratricides. La haine qui déferle actuellement sur mon pays est telle que je n'exclus pas qu'elle nous rejoigne ici même, en Amérique. Votre pays peut-il assurer la sécurité physique aux réfugiés politiques qu'il accueille?

– Je ne sais si ce que je vais vous dire vous rassurera, mais à ce jour, les États-Unis d'Amérique n'ont jamais connu d'assassinats politiques sur leur territoire. Pour cette raison, mon pays n'a pas prévu de mesures à cet égard. Mais le shérif du *county* pourrait assurer une surveillance accrue de Lansdowne House.

Puis la conversation bifurque sur l'Angleterre, sujet inépuisable, et sur son mercantilisme, cette fois.

– Les Anglais ne donnent pas, dit Napoléon. Ils vendent et achètent, mais ne donnent pas. Et encore! Lorsqu'ils achètent, ils le font mesquinement. Les Autrichiens et l'empereur Alexandre disaient la même chose: leurs subsides sont bons sans doute, mais ils les font tellement attendre! Ensuite, ils veulent gagner sur les changes: ils vous donnent des lettres de change qui ont fait le tour de l'univers auparavant, de sorte que par les changes et les retenues, ils vous font perdre un tiers de leur valeur. Les Anglais, qui donnent comme des *gentlemen,* sont en fait des marchands!

James Monroe partage pleinement cet avis. L'un et l'autre regrettent Fox, le ministre anglais des Affaires étrangères, mort en 1806, à peine quelques mois après son entrée au Foreign Office.

– Avec lui, j'aurais pu m'entendre et l'Europe aurait connu la paix, dit Napoléon sur le ton du regret.

– Le président Jefferson aussi a regretté la mort de Fox.

Après avoir échangé sur l'Angleterre, la conversation porte sur des sujets plus personnels. James Monroe rappelle à Napoléon qu'à l'époque où il était ambassadeur à Paris, l'une de ses filles avait bien connu Hortense, sa fille adoptive, les deux ayant fréquenté l'Institution nationale de Saint-Germain, fondée par Mme Campan.

– Ma fille a longtemps rêvé d'épouser un maréchal de France ! dit Monroe. Je crois qu'elle avait été séduite par l'uniforme.

– Si les généraux français l'intéressent, il y en a dans ma suite qui sont célibataires ! répond Napoléon en souriant.

– Entre-temps elle s'est mariée ! dit Monroe en riant. Je lui transmettrai néanmoins le message.

Cette rencontre, fort amicale, prend fin sur l'invitation de James Monroe à visiter sa plantation de Virginie l'été prochain. Napoléon sort de cet entretien tout à fait satisfait. Il se rendra en Virginie.

Chapitre VII

La déferlante

La première livraison de journaux français est enfin arrivée aujourd'hui. Elle couvre de la mi-juillet à la fin août.

Napoléon s'est enfermé dans sa suite pour prendre connaissance de cette littérature haineuse. L'énormité de certaines calomnies à son égard est telle qu'elles comportent leur propre antidote. Elles n'ajoutent rien à celles qui ont suivi sa première abdication en 1814. De toute façon, elles ne l'atteignent pas. Ses détracteurs mordent dans le granit, dit-il. Il est leur pâture, mais il ne sera jamais leur victime.

Il apprend d'abord le ralliement de presque tous ses anciens collaborateurs à la cause des Bourbons! « Voulez-vous compter vos amis? Tombez dans l'infortune », dit-il. Les juge-t-il traîtres? Non. Ainsi sont les hommes. Ils sont difficiles à saisir. Se connaissent-ils eux-mêmes? S'il avait été victorieux à Waterloo, la plupart de ceux qui l'ont abandonné n'auraient peut-être jamais soupçonné leur propre défection. Ils lui seraient restés fidèles. Il y a des vices et des vertus de circonstance.

Il apprend également les mesures de licenciement massif prises à l'encontre de l'armée, son armée, l'armée victorieuse qui a couvert de gloire la France. Il parcourt la liste des officiers proscrits. Les noms de trois de ses compagnons d'exil, les généraux Lallemand, Savary et Bertrand, y sont en bonne place. Ils seront probablement condamnés à mort par contumace. Se trouvent également sur la liste les noms de ceux qui lui ont ouvert la route vers Paris à son retour de l'île d'Elbe, en mars dernier. Sont aussi proscrits ou démis ceux qui, en apprenant son retour, ont hissé le drapeau tricolore et affiché la cocarde. Tous ceux-là seront conduits devant des conseils de guerre.

Puis, il y a les mesures contre les civils. Les organes de l'État sont épurés de tous ceux qui ont voté ou endossé la reconnaissance de son fils, Napoléon II. Les hauts fonctionnaires de l'État, nommés durant les Cent Jours, sont démis. L'Institut de France et l'Académie des sciences morales et politiques n'échappent pas à la purge. Ces civils sont éloignés de Paris et mis en résidence surveillée, en attendant le verdict des Chambres. L'État doit être « dégorgé » du bonapartisme.

Il ne doute pas que les Alliés téléguident la France de Louis XVIII.

Enfin, il apprend que des troubles ont ensanglanté plusieurs villes du Midi, après son départ. On y a massacré des bonapartistes. Les ultraroyalistes règlent leurs comptes avec les siens.

Mais son départ n'a pas provoqué les manifestations d'envergure et les mouvements d'opinions qu'il avait anticipés. La déception est cruelle.

D'un geste brusque, il jette le journal par terre.

Ce soir, les deux frères dînent en tête-à-tête. Ils ont lu les mêmes nouvelles.

– Il faut que nous organisions une riposte, dit Napoléon.

– Laquelle ? demande Joseph.

– Il faut publier en Amérique la correspondance que m'adressaient les souverains d'Europe au temps de ma gloire, en particulier la correspondance du tsar, de l'empereur d'Autriche, mon beau-père, et celle du roi de Prusse. C'est la meilleure réponse à toutes les calomnies qu'on débite contre moi.

Il vide son verre de Chambertin, qu'il n'a pas coupé d'eau, cette fois.

– L'Europe et l'Amérique apprendront ainsi leur duplicité ! Lorsque j'étais puissant, ils m'appelaient « leur frère », et me témoignaient tous les égards. Ils me suppliaient de leur laisser leur trône. Aujourd'hui, alors qu'à leurs yeux je ne suis plus rien, ils réclament que je sois mis au ban de la société. Cette correspondance, je te l'ai confiée à Paris le jour de mon départ de l'Élysée pour la Malmaison. Où est-elle ?

– J'ai remis les caisses à Julie et à mon secrétaire, pour qu'ils les répartissent entre divers amis de la famille.

– Demande-leur d'expédier ces caisses en Amérique.

Puis, songeur, Napoléon ajoute :

– Le ralliement au Roi de plusieurs de mes collaborateurs me laisse de glace, car je sais que les événements ont été les plus forts. Ils me seraient restés fidèles si j'avais été victorieux. Les Français sont des girouettes.

Joseph, qui veut amortir le coup, lui dit :

– Pas tous. Sans doute apprendrons-nous que plusieurs se sont retirés dans leurs terres, plutôt que de se rallier au roi.

Après un moment de silence, il lève le nez de son assiette :

– Les mesures que le gouvernement vient de prendre à l'encontre de l'armée vont se retourner contre lui.

– Ces licenciements étaient inévitables, dit Joseph, maintenant que la paix est revenue. Qu'aurais-tu fait avec de tels effectifs ? Tu aurais dû aussi licencier.

Napoléon reste muet. Puis il dit encore :

– Plusieurs d'entre eux doivent déjà songer à l'Amérique !

En effet, depuis le début de l'automne, généraux et proches collaborateurs débarquent en Amérique et se succèdent à Lansdowne House. Napoléon accueille aujourd'hui le général Lefebvre-Desnouettes. La voiture qui l'amène s'immobilise devant le portique à colonnades. Il en descend avec difficulté. Le général est mal remis des blessures qu'il a reçues à Waterloo. Napoléon s'en approche et lui ouvre les bras.

Le général était son aide de camp lors de la campagne d'Italie. Il y a vingt ans de cela. Depuis lors, il est un inconditionnel de Bonaparte, du Premier Consul, puis de l'Empereur, et son destin s'est confondu avec celui de la France consulaire et impériale. Il porte dans sa chair les stigmates de la guerre : coups de baïonnette, éclats d'obus, blessures par balles. Il était aux côtés de l'Empereur lors de la désastreuse retraite de Russie. En avril 1814, il faisait partie du cortège accompagnant, avec ses chasseurs à cheval, l'Empereur sur la route de l'exil. À Waterloo, il commandait la cavalerie légère de la garde impériale. Dans la grande débâcle qui a suivi la défaite, Napoléon s'est trouvé séparé du général, et ne l'avait pas revu depuis.

Il est accompagné du général Clausel, que Napoléon accueille aussi avec chaleur.

Lui aussi était en Italie et, par la suite, de presque toutes les campagnes militaires. Les deux généraux ont combattu ensemble en Espagne, où ils ont été blessés. Napoléon avait vu dans le général Clausel un futur maréchal. Il était commandant de la région militaire de Bordeaux au moment de son départ, en juillet dernier. En route vers Rochefort, Napoléon avait été supplié par des partisans de regrouper les forces de Clausel avec celles d'autres garnisons de la région pour reprendre Paris. A-t-il craint à un moment qu'en quittant, le général Clausel le supplante et reprenne lui-même le commandement des forces hostiles aux Bourbons ?

Pour ces deux hommes, rejoindre au-delà des mers celui pour lequel ils ont tant de fois risqué leur vie est dans l'ordre des choses. Pour Napoléon, retrouver ses généraux, c'est comme retrouver un peu de la France.

Il invite ses visiteurs à entrer, après leur avoir montré les jardins de Lansdowne House et la vue donnant sur la Schuylkill River. Les trois hommes prennent place au salon.

– Vous êtes venu seul ? demande Napoléon au général Lefebvre-Desnouettes.

– Oui. Ma femme est restée en France. Elle souffre trop du mal de mer. Elle a décidé de se battre pour obtenir mon amnistie.

Napoléon interroge ensuite ses généraux sur la situation prévalant en France à leur départ.

– L'armée d'occupation est visible partout, dit le général Lefebvre-Desnouettes.

– Si les carnages se poursuivent, dit le général Clausel, c'est la guerre civile, le peuple et l'armée d'un côté, les monarchistes de l'autre, soutenus par les Alliés.

Puis Napoléon évoque Waterloo.

– Les victoires ou les défaites ne sont pas le fruit du hasard. Mais je ne sais toujours pas pourquoi nous avons perdu cette bataille. J'avais soixante et onze mille hommes en ligne, les Alliés en avaient près de cent mille, et j'ai été sur le point de les battre. J'ai refait tant de fois le plan de la bataille depuis, et je ne comprends toujours pas !

– Si le maréchal Grouchy ne s'était pas mépris sur vos ordres, dit le général Lefebvre-Desnouettes, ses troupes auraient effectué leur jonction avec les vôtres, et nous aurions vaincu à Waterloo.

Puis il ajoute :

– Grouchy est à New York depuis une semaine. Il hésite à vous contacter.

– Dites-lui que je l'accueillerai à bras ouverts, assure l'Empereur.

Napoléon s'interroge sur le sort que l'avenir réserve aux siens. Que feront tous ces hommes de bravoure, maintenant contraints à la vie civile ? L'armée était leur famille, les campements et les champs de bataille, leur pays. Que savent-ils faire en dehors de commander des milliers d'hommes ?

– Que comptez-vous faire maintenant ? leur demande-t-il.

– Comme je ne parle pas anglais, répond le général Lefebvre-Desnouettes, j'irai à la Nouvelle-Orléans. On dit que les terres se vendent à faible prix. J'envisage d'y créer éventuellement une colonie agricole.

– C'est un projet que nous envisageons ensemble, ajoute le général Clausel.

Aujourd'hui, c'est au tour d'un haut dignitaire de l'Empire, le comte Regnault de Saint-Jean d'Angély, à faire escale à Lansdowne House. Conseiller d'État, procureur à la Haute Cour, puis député et ministre pendant les Cent Jours, il a la confiance de Napoléon qui apprécie ses manières affables et son éloquence. C'est lui qui avait convaincu l'Empereur après Waterloo qu'il lui fallait abdiquer en faveur de Napoléon II. Le comte s'est réfugié en Amérique avec son fils, qui était chef d'escadron à Waterloo.

Joseph s'est joint à eux. Celui-ci connaît bien Regnault, mais surtout sa femme, la belle comtesse, qui est restée à Paris. Le mari est sans rancune. Un jour, Napoléon, indigné de la conduite de la comtesse, avait sommé un de ses collaborateurs de convoquer le mari et « de lui faire connaître que sa femme se conduit de la manière la plus inconvenante ; qu'elle a chez elle un boudoir qui est le scandale de tout Paris », et que si elle continuait à se comporter ainsi, avait-il ajouté, « je serai forcé de lui donner un témoignage public de ma désapprobation ».

Napoléon dirige le visiteur dans le petit salon, plus intime, plus facile à chauffer, car le temps est maintenant humide et maussade. Ali apporte du café et ravive le feu dans la cheminée. Naturellement, Napoléon interroge son hôte sur la tournure des événements en France, et en Europe.

– Comment voyez-vous les choses évoluer ? demande-t-il à son ancien collaborateur.

– Je redoute une nouvelle Terreur[1]. Elle a d'ailleurs commencé dans le Midi, dit le comte.

Puis il s'arrête, et rajoute :

– Vous connaissez sans doute l'énorme indemnité de guerre qu'on exige de la France. À mon avis, elle est de nature à provoquer un soulèvement populaire à plus ou moins brève échéance.

– Ce que je redoute le plus, dit Napoléon, c'est une partition de la France ! Certains, en Europe, voient là l'unique moyen de mettre fin à ses turbulences.

Puis on évoque l'avenir.

– Comptez-vous demeurer à New York ? lui demande Joseph.

– Pour le moment, oui. Pour y attendre la suite des choses, répond le comte.

Napoléon et Joseph ont trouvé que le comte avait l'air tourmenté. Il leur est apparu désœuvré, perdu. Le fils a confirmé que son père, dans le moment, avait mauvais moral.

D'autres journaux sont arrivés aujourd'hui avec leur lot d'horreurs. Comme à chaque livraison, Napoléon en

1. Nom donné à une période de la Révolution française particulièrement sanglante et répressive.

prend connaissance derrière la porte fermée de ses appartements.

Le général La Bédoyère a été fusillé le 19 août! L'ami chevaleresque, l'incarnation même du dévouement et de la fidélité. Frappé pour l'avoir servi! Il s'était rallié à lui à son retour de l'île d'Elbe, non sans cependant lui avoir dit ce qu'il pensait: «... plus d'ambition, plus de despotisme. Il faut que Votre Majesté renonce au système de conquêtes et d'extrême puissance qui a fait le malheur de la France et le vôtre.»

Et quoi encore? Le maréchal Brune a été assassiné le 2 août à Avignon par des royalistes fanatiques. Une mort ignoble. Il avait réussi à échapper de justesse à une foule déchaînée en trouvant refuge dans un hôtel, lorsqu'un assassin parvint à se glisser dans sa chambre et à l'abattre d'un coup de pistolet. Alors que son corps, déposé dans un cercueil, était transporté de l'hôtel vers une chapelle voisine, la foule s'est emparée du cercueil et en a arraché le cadavre qu'elle a ensuite traîné jusqu'au pont, puis jeté dans le Rhône. Le corps a été emporté par le courant, à la grande satisfaction des habitants. Il fut découvert quelques jours plus tard, enseveli dans le sable, à plusieurs lieues de là.

Combien sont-ils encore en attente d'un jugement? Le peuple se soulèvera-t-il pour les défendre? Il voudrait que les accusés plaident leur cause avec force, comme chez les Romains, comme chez les hommes de la Révolution anglaise. Combien d'entre eux connaîtront le sort de La Bédoyère? «Ils m'auraient fusillé s'ils m'avaient pris!» pense-t-il.

Il apprend aussi que le 27 août, les Alliés réunis à Paris ont statué sur le sort de sa famille. Un lieu de résidence en territoire allié, sous haute surveillance, a été assigné à chaque membre de la famille Bonaparte, et il leur est maintenant interdit de posséder des biens en France. Quoi d'autre? L'Angleterre, qui sait maintenant «où se cache le général

Buonaparte», a renforcé sa flotte le long du littoral atlantique, depuis le Danemark jusqu'à Gibraltar. L'Europe est en état de siège, elle vit dans la psychose d'un nouveau débarquement. En effet, des rumeurs, courant à Londres et à Paris, font état d'un débarquement imminent de régiments corses et américains ramenant «l'Usurpateur» à Paris.

Napoléon se met à rire. Il suffit qu'il jette un regard sur l'Atlantique pour que l'Europe s'affole. «Ce doit être le consul de France à Philadelphie qui est à l'origine de cette rumeur!» pense-t-il.

Enfin, les Alliés occuperont le pays jusqu'au règlement final de l'énorme indemnité de guerre qu'ils ont imposée à la France vaincue.

Ce soir, l'Empereur dîne seul dans sa suite, tout à la lecture des journaux.

La nuit a été mauvaise. Levé tôt, il a passé la matinée à mettre de l'ordre dans ses papiers, puis il est allé marcher dans le parc. Au déjeuner, il a peu mangé, puis il a disparu dans son cabinet de travail.

Ali frappe à sa porte, puis l'entrouvre. Napoléon est debout face à la fenêtre, contemplant le ciel gris et les arbres qui se dégarnissent sous l'effet du vent.

– Sire, la comtesse de Montholon est au salon et demande à être reçue.

– Faites-la monter, dit-il, surpris par cette visite impromptue.

Vêtue d'un long manteau cintré de velours vert foncé, et coiffée d'une toque de même tissu, Albine entre dans le cabinet de l'Empereur, tandis que Ali referme la porte derrière elle. Ses grands yeux le regardent fixement. Elle semble avancer sur un nuage. À la main, elle porte une petite mallette de cuir fin.

– Enlevez votre manteau, lui dit-il aimablement.

Puis, lui indiquant le canapé, il invite la comtesse à s'asseoir.

– Je vous apporte des journaux de Lyon, lui dit-elle d'entrée de jeu. Ils m'ont été envoyés par ma famille. J'ai pensé que leur lecture vous apporterait quelque réconfort. Lyon vous a toujours été favorable.

Ali apporte du café et des petits fours, à la demande de l'Empereur, pendant que Albine évoque les événements de Lyon.

Napoléon la regarde, impassible. Albine baisse alors les yeux. Comment se dérober à un tel regard ! Puis, reprenant quelque peu ses esprits, elle lui explique les circonstances entourant sa visite.

– Comme je me rendais chez Mme Bertrand, dit-elle d'une voix neutre, j'ai pensé m'arrêter en passant, afin de vous laisser ces imprimés.

– On m'a dit que vous aviez cherché à me voir, un jour que j'étais à Philadelphie, lui dit-il. Était-ce pour la même raison ?

– Oui. C'était pour vous remettre tout ceci !

Elle ouvre sa mallette et en sort plusieurs imprimés qu'elle étale sur le canapé. Napoléon en saisit un exemplaire, y jette un rapide coup d'œil, puis le dépose sur son bureau. Il s'assoit à côté d'Albine et observe ses gestes, alors qu'elle classe méticuleusement les journaux. Il n'a jamais aimé les parfums, mais le sien l'enivre. Une sorte de douceur émane de sa personne. Peut-être y est-il plus sensible par ces temps troublés. Il s'est approché d'elle sans qu'elle ne s'écarte. Il lui prend la main, sans qu'elle ne réagisse. La méfiance et la prévention, qu'ils avaient éprouvées l'un pour l'autre dans le passé, se sont donc dissipées. Pour Albine, il est encore l'Empereur des Français. Elle l'a toujours admiré, même lorsqu'il s'était opposé à ce que le comte de Montholon l'épousât. Elle lui trouve de la noblesse, de la dignité dans les traits du visage. Il a le maintien d'un homme bien né, pense-t-elle, la stature d'un empereur.

Napoléon la prend soudain dans ses bras, sans qu'elle n'oppose de résistance. Son odeur, la chaleur de son corps, l'étoffe soyeuse de son corsage, l'embrasent. Il étend doucement Albine sur le canapé et l'étreint. Un sentiment nouveau l'envahit. Une femme peut être un refuge dans l'adversité. Bonheur fugace, mais bonheur quand même.

Les informations véhiculées par la presse française des dernières semaines n'ont fait qu'accroître l'impatience des exilés en attente de nouvelles de leur famille.

Depuis le début du mois de novembre, enfin, peu de jours se sont écoulés sans que l'un d'eux n'en reçoive de ses proches.

Aujourd'hui est arrivée une lettre très attendue, celle de Mère, adressée conjointement à ses deux fils, accompagnée d'une autre, celle du cardinal Fesch, leur oncle. Son courrier étant épié, Letizia l'a remise en main propre à l'ambassadeur américain, à Rome, qui partait pour les États-Unis. Joseph lit la lettre à Napoléon.

Rome, 30 septembre 1815

Mes chers fils,

Il vous serait difficile d'imaginer le bonheur que j'ai éprouvé en apprenant, par les journaux, votre arrivée aux États-Unis, à l'abri des vexations et des poursuites des ennemis de ma famille. Cette nouvelle a mis un terme à deux mois d'angoisse. Je vous ai souvent dit que celui de mes enfants que j'aime le plus est celui qui souffre le plus. Je crois qu'aujourd'hui, c'est toi, Napoléon. Le sang-froid avec lequel tu supportais ton infortune à la Malmaison était inconcevable. Quelle force de caractère, quelle impassibilité dans le malheur. Quelle force morale ! Cette image ne m'a pas quittée.

Que d'événements à raconter depuis notre séparation ! D'abord, après avoir quitté la Malmaison le 29 juin, je suis rentrée chez moi, où je me suis terrée, et j'ai attendu les événements. Tous les jours mon frère venait déjeuner à la maison, m'entretenant dans l'illusion que le nouveau gouvernement nous permettrait de continuer à habiter Paris. Hortense[2] *et Julie sont aussi venues me rassurer. Ce furent les seuls visiteurs. Nous étions, le cardinal et moi, surveillés nuit et jour. Par qui ? Par mon ancien secrétaire particulier, Decazes, devenu préfet de police !*

Joseph s'interrompt :
– Decazes !
Il tombe des nues !
– Il a toujours eu de l'ambition ! dit Napoléon.

Au début de juillet, l'ordre nous a été donné de quitter la France, faute de quoi nous serions arrêtés. Nous avons donc décidé de nous établir à Sienne, en Toscane. Mais il fallait, au préalable, l'autorisation du grand-duc de Toscane. Metternich[3]*, qui semble être maintenant l'arbitre de l'Europe, est intervenu auprès du grand-duc. Le 20 juillet, munis de passeports, nous sommes donc partis pour Sienne, avec quelques domestiques seulement, sous la protection d'un officier autrichien, fourni par le commandant en chef des forces autrichiennes, et, pour sortir de Paris, d'une escorte de cuirassiers autrichiens.*

2. Hortense de Beauharnais a épousé Louis, frère de Napoléon, dont elle vit séparée.
3. Klemens Wenzel Nepomuk Lothar, prince de Metternich-Winneburg (1773-1859). Chancelier d'Autriche de 1809 à 1848.

En arrivant dans son ancien diocèse de Lyon, le cardinal a décidé de s'arrêter à Bourg. Le curé l'a invité à dire la messe du lendemain, dimanche. Au retour de l'église paroissiale, où l'avait conduit tout le clergé en habit de chœur, éclatèrent des « Vive le Roi » auxquels répondirent des « Vive l'Empereur ». Il y eut un commencement d'émeute.

Puis nous nous sommes arrêtés à Genève, où nous avons rencontré Hortense. L'une et l'autre ne vivions que dans l'attente d'une confirmation de votre arrivée en Amérique. Mais nous n'osions lire les journaux de peur d'y apprendre plutôt votre arraisonnement en mer! Hortense ne savait toujours pas où elle aurait l'autorisation d'habiter. Elle faisait preuve de beaucoup de courage. Puis nous avons passé la nuit dans le château vide de Joseph, à Prangins, d'où nous sommes repartis le lendemain pour Sienne.

– Tu devrais vendre Prangins, dit Napoléon à Joseph. Tu n'y retourneras jamais.

– C'est ce que j'ai l'intention de faire!

Il s'arrête, puis ajoute:

– Je n'y aurai habité que neuf mois! Le temps de ton séjour à l'île d'Elbe.

Joseph reprend la lecture.

En arrivant à Sienne, le cardinal a pris contact avec le grand-duc. Il était maintenant réticent à nous accueillir. Il avait cru, disait-il, qu'il s'agissait d'un séjour temporaire! Et pourtant, il a été accueilli aux Tuileries plus d'une fois, et nous avions noué avec lui, votre oncle et moi, des rapports amicaux. Il paraît qu'il craignait la réaction de ses sujets s'il accueillait la famille Bonaparte. Nous avons donc logé à l'Albergo del Sole.

Des femmes de la rue sont venues chanter à ma fenêtre le Départ des conscrits *et* La Prise de Paris, *chants anodins s'il en est. J'ai commis l'erreur de les applaudir. On déclara le lendemain que notre présence avait provoqué des émeutes entre la police et ceux qui s'opposaient à notre séjour. En termes polis, on nous invitait à prendre le chemin de Rome, une fois que nous nous serions remis de notre fatigue. Le cardinal a donc demandé au pape l'autorisation de nous établir à Rome, ce qui nous fut rapidement accordé, malgré l'hostilité de la majorité des cardinaux.*

– Pie VII me voue une reconnaissance sans bornes parce que j'ai rétabli le catholicisme et la liberté de culte en France. Aujourd'hui la famille en bénéficie !

– Oui, c'est clair. Il ne t'en a jamais voulu de l'avoir fait prisonnier durant quatre ans et demi !

– Prisonnier, c'est trop dire ! Il habitait une aile du château de Fontainebleau avec sa suite de cardinaux et circulait comme il voulait !

Notre pire ennemi à Rome est l'ambassadeur de France auprès du Saint-Siège. Il dénonce l'accueil qui nous est fait, le qualifiant de geste hostile à l'égard de Louis XVIII. J'ajouterais même que tout le personnel de l'ambassade nous est hostile. Toutes les démarches de votre oncle sont épiées, au point qu'il s'abstient de paraître en public.

Mes chers fils, voilà en ce qui me concerne. Pour ce qui est de vos frères Jérôme[4] *et Lucien*[5], *ils vous écriront dès qu'ils*

4. Jérôme Bonaparte (1784-1860). Cadet de la famille Bonaparte. Roi de Westphalie (1807 à 1813).

5. Lucien Bonaparte (1775-1840). Ministre de l'Intérieur (1799-1800). En brouille avec Napoléon en 1803, à cause de son mariage avec Alexandrine de Bleschamp. S'établit à Rome. Fait prince de Canino par le pape en 1814.

le pourront. Je peux néanmoins déjà vous dire que Lucien est arrivé à Rome le 22 septembre, après deux mois et demi de captivité à Turin. Il avait décidé d'aller rejoindre sa famille à Rome par la route des Alpes. Il est malheureusement tombé sur l'armée autrichienne! Un officier l'a reconnu et l'a arrêté. Il a été mis sous la garde du roi de Sardaigne, à Turin, le 8 juillet. Lucien a alors écrit au pape. Celui-ci s'est dit prêt à l'accueillir en homme libre, et à se porter garant de lui auprès des Alliés.

– Rome est devenue le refuge de notre famille, constate Joseph.

– Son refuge et sa prison! rétorque Napoléon.

Quant à Jérôme, il est arrivé sain et sauf chez le roi du Wurtemberg, son beau-père, le 20 août. Il a eu de la chance, comme toujours. Il avait quitté Paris le 27 juin pour se réfugier dans un château en Sologne, muni d'un passeport sous un nom d'emprunt. Craignant d'être dénoncé, il était rentré clandestinement à Paris le 14 août. C'était pure folie. À cette date, tout le monde violait les domiciles suspects, perquisitionnait et arrêtait au nom du roi, disant que les explications viendraient après. Caché en un lieu sûr, il envoya un émissaire à l'ambassadeur du Wurtemberg à Paris, afin de sonder les intentions du roi, son beau-père, à son sujet. Jérôme décida d'attendre la réponse à l'ambassade même, parce qu'il était alors couvert par l'extraterritorialité. Entre-temps, un de tes anciens ministres, pressé de voir Jérôme échapper à une arrestation imminente, écrivit à l'ambassadeur que l'intention du roi du Wurtemberg était d'accueillir son gendre dans ses États, bien qu'il n'en sût rien. Jérôme partit donc pour l'Allemagne sans attendre. Les ministres de Louis XVIII, qui épient notre famille jour et nuit, ont alors lancé un mandat d'arrêt contre votre frère. L'ordre a été envoyé par sémaphore à Strasbourg, mais à cause du brouillard, celui-ci n'est arrivé que le 21. Trop tard, Jérôme avait franchi la frontière allemande le 20.

– Si Jérôme avait dû attendre le consentement de son beau-père pour rentrer au Wurtemberg et y rejoindre sa femme, il ne l'aurait jamais eue. Je suis certain qu'il forcera sa fille à divorcer, pour ne plus être lié à la famille de l'« Ogre corse » ! estime Napoléon.

Pour ce qui est de Louis[6]*, il est toujours à Rome mais sa santé décline. Il passe ses journées à visiter les antiquaires, les églises, et à faire des vers. Les démarches pour obtenir l'annulation de son mariage avec Hortense l'occupent beaucoup. Les Alliés sont d'accord pour qu'il reste à Rome, au palais Salviati-al-Corso, où il s'est établi.*

Pauline[7] *se propose de vous écrire prochainement. Elle est toujours à Lucques et fort préoccupée de sa santé et de sa situation financière. Elle pense avoir l'autorisation de s'établir à Rome bientôt. Élisa*[8] *a été assignée à Brünn en Moravie, en résidence surveillée. On lui a imputé des propos qui ont inquiété l'Europe, mais qu'elle n'a jamais prononcés. Seule Caroline*[9] *est libre. Elle est au mieux avec l'empereur d'Autriche, qui l'appelle « Madame ma sœur », et avec Metternich.*

6. Louis Bonaparte (1778-1846). Roi de Hollande (1806-1810). Brouillé avec Napoléon, Louis ne le rejoint pas en France à son retour.
7. Pauline Bonaparte (1780-1825). Épouse en 1803 le prince romain Camille Borghèse.
8. Élisa Bonaparte (1777-1820). Princesse de Piombino et de Lucques. Grande-duchesse de Toscane.
9. Caroline Bonaparte (1772-1839). Sœur cadette de Napoléon. Reine de Naples (1808-1815).

– Il y a longtemps que notre sœur a ménagé ses arrières ! dit Napoléon.

Elle réside à Trieste et s'attend à ce que Murat[10] vienne la rejoindre. Je tâche maintenant de passer mes jours occupée de mes enfants, et préoccupée de leurs malheurs. Donnez-moi de vos nouvelles, et qu'il plaise à Dieu que je vous embrasse avant la fin de mes jours.

Adieux, mes très chers fils, rappelez-vous votre tendre mère et soyez convaincus qu'elle vous porte dans son cœur.

LETIZIA

Joseph dépose la lettre sur la table.

– Il est clair, dit Napoléon, qu'aucun membre de la famille n'obtiendra de passeport pour l'Amérique. Le seul qui puisse être en position de venir, c'est Murat. Je crois qu'il nous aura rejoints d'ici la fin de l'année.

– Il y a aussi la lettre du cardinal, dit Joseph.

Mes chers neveux,

Ma sœur vous a raconté notre départ forcé de Paris et notre pénible périple jusqu'à Rome. Après m'avoir retiré le diocèse de Lyon, on a refusé de me verser des traitements arriérés, et on n'a pas à ce jour levé le séquestre, décrété le 14 décembre dernier, sur mes biens. Ainsi on a obligé un évêque et un cardinal à entreprendre un aussi long voyage d'une manière peu conforme à sa dignité, et presque sans aucune ressource.

Dieu m'avait élevé, il m'humilie maintenant. Baisons respectueusement la main qui nous frappe. Dieu donne, mais parfois il reprend. Heureusement, j'ai réussi à faire envoyer

10. Joachim Murat (1767- 1815). Roi de Naples (1808-1815). Mari de Caroline Bonaparte.

à Rome mes tableaux et mes livres. Je présume que les États-Unis seront le terme du parcours de tous les Bonaparte. Je vous bénis, mes chers neveux, en priant le Ciel pour qu'un jour nous soyons tous à nouveau réunis. Le Saint-Père prie pour vous.

JOSEPH CARDINAL FESCH

– Cet homme m'éloigne de la religion ! dit Napoléon.

Il n'a jamais aimé Fesch, qu'il juge étroit d'esprit, ladre, égoïste, davantage préoccupé par les biens de ce monde que par l'au-delà.

– Si jamais notre mère reçoit un jour l'autorisation de venir en Amérique, il voudra l'accompagner. Ils ne peuvent vivre l'un sans l'autre.

Napoléon se promène dans le parc avec Joseph. La lettre de sa mère l'a affecté. Il est nostalgique. Il repense à ses frères et sœurs, à la Corse de son enfance, à cette mère qui n'a vécu que pour ses enfants.

– Nous nous aimions, dit-il à Joseph.

Les deux frères évoquent des souvenirs de jeunesse, leur complicité dans la gestion de la ferme familiale après la mort de leur père.

– Un jour, lorsque nous nous promenions à cheval, dit Joseph, moi, j'admirais la beauté du paysage, tandis que toi, tu étudiais les positions des troupes d'occupation de l'île à travers les âges !

Napoléon sourit. Son frère a donc gardé la mémoire de ces conversations de jeunesse !

– À Autun, moi, je lisais avec passion le récit des conquêtes de César et d'Alexandre, réplique Napoléon. Toi, tu faisais des vers.

– C'est vrai, j'aimais la littérature. Je t'aidais à traduire les auteurs grecs et latins.

– Moi, je t'aidais à résoudre tes problèmes de physique et de mathématiques, dit Napoléon.

– Je me souviens surtout de tes colères, à Autun ! Tu me battais et me mordais !

– C'est vrai que j'étais turbulent, et que j'explosais facilement ! J'ai toujours été comme ça. Tu le sais bien.

– Rappelle-toi de nos longues promenades le long du golfe d'Ajaccio, et de l'odeur des myrtes et des orangers, dit Joseph avec mélancolie. Nous parlions de l'émancipation de la Corse, et du rôle que chacun de nous y jouerait.

– Il y a une éternité de cela ! dit Napoléon.

– C'est vrai. Comme le temps a passé ! Nous discutions des idées nouvelles. Ces idées subversives que sont la souveraineté du peuple, la liberté politique, l'égalité des droits pour tous.

– Je me souviens, dit Napoléon en riant, du traité que j'écrivais à l'époque et qui alimentait nos discussions quotidiennes : « Quels sont les sentiments et les opinions que l'on doit inspirer aux hommes pour qu'ils soient heureux ? » J'avais évidemment beaucoup lu Jean-Jacques Rousseau !

– Déjà tu pensais au jugement de la postérité ! affirme Joseph. Tu me disais que, si ces idées devaient triompher en France, elle aurait tous les despotes de l'Europe contre elle, qu'elle ne pourrait être défendue que par des hommes passionnés par la gloire, car eux seuls sont capables de sacrifier leur vie, parce qu'une telle cause immortaliserait leur nom !

Napoléon ne répond pas, il se contente de sourire. Oui, il se souvient !

– Quelques années plus tard, dit Joseph, tu écrivais que « les hommes de génie sont des météores destinés à brûler pour éclairer leur siècle ».

Napoléon le pense encore !

Joseph sait qu'en dépit de leur différence de tempérament et de leurs divergences de vues dans la gestion des affaires de l'Empire, son frère n'a jamais cessé de l'aimer, ni de se confier à lui, car il connaît les qualités de l'homme privé et les admire. Mais il n'a pas oublié les lettres que Napoléon lui envoyait, alors qu'il était roi d'Espagne. Il lui écrivait notamment :

> *Chez vous tout porte à la tête, vous devez vous passionner. Chez moi, rien n'y porte… Je passe mes nuits à mes papiers, c'est là que je sens de la chaleur. Vous les passez au lit… Vous êtes occupé à jouir de tout, moi à penser, jamais à jouir. Je ne puis être un instant sans penser, et vous ne pensez jamais. Je travaille quinze heures de suite sans être fatigué ; au bout de deux heures vous avez mal à la tête. Vous aimez les femmes, je n'y pense guère. Nous sommes deux hommes, juste l'opposé l'un de l'autre…*

Ce qui opposait les deux frères était le travail. L'un se disait « né et construit pour le travail », sa seule maîtresse, l'autre était un homme du monde, aimant les arts, les lettres, la société, les femmes.

Alors qu'il était roi de Naples, Joseph reçut un jour une lettre de l'Empereur lui disant : « Vous vivez trop avec des lettrés et des savants. Ce sont des coquettes avec lesquelles il faut entretenir un commerce de galanterie, mais dont il ne faut jamais songer à faire ni sa femme, ni son ministre. »

Il n'y avait pas seulement la gestion des affaires d'Espagne et de Naples qui avait opposé les deux frères. Lorsque l'Empire croulait sous les coups de boutoir de l'Europe coalisée, à la fin de l'hiver 1814, et que Napoléon confiait à Joseph la gouverne de la France, pendant que lui prenait le commandement de l'armée et livrait son ultime combat, Joseph, pendant ce temps, parlait de capitulation. Et il a capitulé à l'encontre de la volonté de l'Empereur ! C'est que Joseph est un réaliste. L'ennemi était aux portes de Paris. Il fallait empêcher le sang de couler.

Aujourd'hui l'exil les rapproche.

Joseph vient enfin de recevoir une première lettre de sa femme, Julie Clary. Elle est restée à Paris avec leurs deux filles et habite dans l'hôtel particulier de la princesse royale de Suède, sa sœur. Cette tolérance, pense Joseph, est due au fait que plusieurs membres de la famille Clary sont bien vus à la cour de Louis XVIII. Mais Julie ajoute qu'elle ne se montre pas dans leur ancienne propriété de Mortefontaine, fictivement vendue à son frère. Elle se dit espionnée par la police. Toute visite qu'elle reçoit est signalée. Ses voitures, lorsqu'elles sortent, sont filées, même lorsqu'elles sont vides, parce qu'on pense que Joseph s'y cache. Elle va donc quitter Paris pour Auteuil, avec sa sœur qui y a une maison. Elle compte y rester jusqu'en décembre, espérant que sa santé sera alors rétablie et qu'elle pourra venir le rejoindre en Amérique.

Mais Joseph a le sentiment que sa femme ne le rejoindra pas. Elle n'aime pas les longs voyages. Elle ne l'avait rejoint à Naples qu'à la fin de son séjour, parce que l'Empereur l'y avait contrainte. Quant à Madrid, elle n'y vint jamais. Elle préfère la compagnie de sa famille à celle de son mari depuis longtemps. Peut-être sait-elle, comme beaucoup d'autres, que Joseph est père de deux autres filles à Naples ! Mais c'est à leurs deux filles qu'il pense. Il aimerait les faire venir, si leur mère ne s'y oppose pas.

Par contre, le comte de Las Cases n'est plus seul. La comtesse l'a enfin rejoint. Ils ont loué une maison voisine de celle du général Bertrand.

Les exilés ont été aujourd'hui frappés de stupeur ! Les journaux français leur ont appris l'assassinat du maréchal Murat sur les côtes de Calabre. Joachim Murat, le mari de Caroline Bonaparte, grand-duc de Berg, maréchal de

France, roi de Naples ! L'un des piliers de la Grande Armée. La nouvelle a créé une onde de choc à Lansdowne House. Personne n'ose y croire ! Murat, l'admirable sabreur, le cavalier magnifique aux costumes extravagants !

Depuis 1813, Murat, qui estimait les jours de l'Empire français comptés, s'était mis à comploter avec les Alliés contre son beau-frère, Napoléon, pour conserver le trône de Naples. Mais les Alliés, réunis à Vienne pour refaire la carte de l'Europe postnapoléonienne, avaient plutôt décidé de redonner le trône à celui qui en avait été délogé, le roi Ferdinand IV[11].

Voyant au début de 1815 sa cause perdue, Murat défiait les ordres de Napoléon et décidait d'attaquer l'Autriche[12]. Battu à Tolentino par nul autre que le général Neipperg, l'amant de l'impératrice Marie-Louise, Murat perdait son trône au profit de son ancien occupant.

Refusant d'abdiquer, il trouvait refuge en France. Mais Napoléon refusait de le recevoir, lui imputant l'échec de sa tentative de réconciliation avec son beau-père, l'empereur d'Autriche. Comment celui-ci pouvait-il ajouter foi aux nouvelles dispositions pacifiques de Napoléon, alors que son beau-frère déclarait la guerre à l'Autriche ?

Murat repartait donc pour la Corse, y levait une troupe, prenait la mer et débarquait sur une plage en Calabre, dans une tentative pour reprendre Naples. Mais il y fut accueilli par une foule hostile. Il tenta en vain de reprendre la mer, mais fut vite arrêté, jugé et, sur l'ordre du roi Ferdinand IV, fusillé dans la demi-heure qui suivit le jugement, le temps de

11. Ferdinand Ier de Bourbon (1751-1825). Roi de Sicile et de Naples. Après avoir été dépossédé plusieurs fois du royaume de Naples, il fut rétabli en 1815 et fonda un « royaume des Deux-Siciles » en prenant le nom de Ferdinand Ier. On lui avait auparavant attribué le nom de Ferdinand IV en 1759, alors qu'il était enfant.
12. L'Italie était *de facto* un protectorat de l'Autriche.

recevoir les derniers sacrements. Il paraît qu'il a donné lui-même l'ordre de tirer au peloton d'exécution ! Son corps fut transpercé de sept balles, dont une dans la tête, puis mis dans une bière de bois blanc, aux planches disjointes, et enterré dans une fosse commune.

Napoléon, visiblement secoué par la nouvelle du jour, échange avec Joseph. Ils sont bientôt rejoints par le couple Bertrand et par Gourgaud.

– Murat a voulu reconquérir Naples comme je venais de le faire avec la France ! Comment Murat a-t-il pu penser reconquérir avec trente Corses un royaume qu'il n'a su conserver avec soixante mille soldats ? Descendre en Calabre avec trente Corses ! En Calabre où les Corses ont commis mille horreurs ! Si je n'avais eu avec moi que des Corses au retour de l'île d'Elbe, je n'aurais certes pas réussi. Ce sont les bonnets à poil de ma garde qui ont le plus fait. Ils rappelaient tant de souvenirs...

Puis, poursuivant dans le même ordre d'idées, il conclut :

– Sur un champ de bataille, Murat était admirable. En dehors, il ne faisait que des sottises !

Après un moment de silence, il ajoute encore :

– Si aujourd'hui nous sommes en Amérique, c'est à cause de lui !

La nouvelle de l'assassinat de Murat a créé une telle commotion que celle de la création de la Sainte-Alliance est passée inaperçue. C'est Mme Bertrand qui relève l'article en question.

– De quoi s'agit-il au juste ? demande Napoléon.

– C'est une idée pieuse du tsar Alexandre, dit-elle. Un pacte mystique ! Il a été conclu le 26 septembre, au nom de la Sainte-Trinité, entre la Russie, la Prusse et l'Autriche !

– Un pacte mystique au nom de la Sainte-Trinité ! s'exclame Napoléon. Le tsar est tombé complètement sous l'emprise de cette femme illuminée, Mme Krüdener.

– Je vous lis le premier article du pacte : « Conformément aux paroles des Saintes Écritures, qui ordonnent à tous les hommes de se regarder comme frères, les trois monarques contractants demeureront unis par les liens d'une fraternité véritable et indissoluble, et, se considérant comme patriotes, ils se prêteront, en toute occasion et en tout lieu, assistance, aide et secours ; se regardant envers leurs sujets et armées comme pères de famille, ils les dirigeront dans le même esprit de fraternité dont ils sont animés pour protéger la religion, la paix et la justice. »

– Alexandre poursuit des chimères ! rétorque Napoléon. Il a de l'esprit, il est instruit, ses manières sont raffinées, mais il est susceptible. En fait, je me suis constamment trompé sur lui. C'est un Grec du Bas-Empire. On m'a rapporté, peu de temps après mon retour à Paris, en mars dernier, qu'il tombait souvent dans des engouements extatiques, qu'il se comportait, lui aussi, comme un illuminé. On racontait qu'il aimait de plus en plus la solitude et qu'il s'agenouillait dans le fond des cimetières, ressassant des pensées lugubres, se croyant destiné à réparer les maux que j'ai apparemment causés à l'Europe ! Ce pacte sera de courte durée. Ils vont recommencer à se quereller.

– Le pacte n'est pas que mystique, dit Mme Bertrand. Il a aussi un volet pratique ! Il a pour objet de surveiller la France, « incorrigible boutefeu, indigne de la confiance des diplomates européens ».

– C'est la France qui les soude en ce moment.

Le général Bertrand s'est rendu chez le shérif pour savoir si l'Empereur pourrait bénéficier d'une surveillance accrue. Compte tenu de l'étendue du *county*, le shérif s'est dit dans l'impossibilité d'augmenter la patrouille à cheval autour de Lansdowne House. Mieux valait embaucher des gardes privés. De retour, Bertrand transmet l'information à l'Empereur.

– J'étais le seul souverain d'Europe à ne pas avoir de gardes du corps, vous le savez. On m'abordait sans avoir à traverser une salle de gardes. Lorsqu'on avait franchi l'enceinte extérieure des sentinelles, on pouvait circuler dans tout le palais des Tuileries. Ce n'est pourtant pas les conspirations qui manquaient.

– En effet, il a dû y en avoir une trentaine! dit le général.

– J'ai dû mon salut au fait que je n'ai jamais eu d'habitudes régulières, que l'excès de travail me retenait dans mon cabinet, et limitait mes sorties. Je ne dînais chez personne, j'allais rarement au spectacle et je ne paraissais que là où on ne m'attendait pas, et au moment le plus imprévu.

– Il y avait aussi autre chose, sire. La police était là pour déjouer les conspirations. Ce qui n'est pas ici le cas.

– Procédez donc à l'embauche de gardes comme vous l'entendez, mon général.

Puis il l'invite à rester déjeuner avec lui. Napoléon éprouve le besoin d'échanger sur les nouvelles du jour.

– Le maréchal Ney a été fusillé! Vous le saviez? demande Napoléon.

– Le maréchal Ney, fusillé?

Le maréchal s'était rallié à Louis XVIII en 1814. Apprenant le débarquement de Napoléon en mars dernier, le roi l'avait envoyé à la rencontre de l'« Usurpateur ». Le maréchal avait promis de « le ramener dans une cage de fer ». En route, il avait demandé à être reçu par Napoléon.

– Il était mal à l'aise. Il avait tenté d'expliquer son ralliement au roi.

Napoléon se souvient encore de leur entretien : « Vous n'avez pas besoin d'excuses, lui avait-il dit. Votre excuse, comme la mienne, se trouve dans les événements qui ont été plus forts que les hommes. Mais ne parlons plus du passé et ne nous en souvenons que pour mieux nous conduire à l'avenir. » L'Empereur lui avait ouvert les bras et Ney s'y était précipité.

– Ney se tournait alors vers moi parce qu'il me voyait vainqueur. Je savais très bien qu'il me serait fidèle aussi longtemps que je serais victorieux, comme tant d'autres.

Napoléon s'arrête. Des images de la campagne de Russie l'assaillent. Il revoit Ney, le héros de la Moskowa, s'élançant avec fougue contre l'ennemi.

– Il était le plus brave des braves sur un champ de bataille, c'était un lion. Mais là se bornaient ses habilités, comme celles de Murat d'ailleurs. J'ai lu sa plaidoirie. Il s'est mal défendu. Finalement, il n'a eu que ce qu'il méritait. Il était par trop immoral, comme l'était aussi Murat.

Chapitre VIII

Hortense, Marie

20 décembre. Cette nuit, Fairmount a reçu sa première neige, mais à midi celle-ci avait entièrement fondu. Les enfants Bertrand, Montholon et même le jeune Las Cases désirent célébrer Noël comme les autres enfants d'ici. Ils veulent des décorations et des étrennes. Tout le monde décide donc de renouer avec l'ancienne tradition, car depuis la Révolution, la France laïque ne fête plus la nativité du Christ. À Noël, Napoléon accueillera toute la « famille », lui seul ayant une maison suffisamment grande. « Il faut adopter les usages américains », dit-il souvent à son monde. Mais il y a aussi que tous éprouvent le besoin d'oublier quelque peu les terribles événements des derniers mois. Les fêtes de famille sont un antidote au malheur.

Depuis plusieurs jours, c'est la fièvre des préparatifs. Ali, aidé de plusieurs domestiques, s'affaire à décorer la maison, tandis que d'autres astiquent l'argenterie.

Les dames se préparent aussi à l'événement. Elles sont à Philadelphie depuis deux jours pour y faire leurs emplettes. Marchand, l'intendant, s'est joint à elles, car l'Empereur lui a demandé de faire quelques courses pour lui.

24 décembre. Un immense sapin de Noël a été dressé dans le grand salon rococo, au pied duquel des emballages de papier argenté ont été placés. Sous les plafonds, Ali a tendu des guirlandes dorées, et suspendu à chaque fenêtre du rez-de-chaussée des couronnes de feuilles de houx, éclairées par des bougies. Tout le monde est là, incluant le général Lefebvre-Desnouettes, qui a retardé son départ pour la Nouvelle-Orléans, et le comte Regnault de Saint-Jean d'Angély, venu de New York avec son fils, ainsi que Mme Savary, duchesse de Rovigo, arrivée de Londres il y a quelques jours seulement. Les dames rivalisent d'élégance. Napoléon a regardé avec insistance la toilette d'Albine. Il semblait approuver. Le comte sait-il ? Compagnon d'exil, sans doute ne s'opposerait-il pas à ce que sa femme meuble, de temps à autre, la solitude de celui à qui il doit tant.

Comme à chaque « réunion de famille », la conversation est fort animée par le plaisir des retrouvailles. Lansdowne House est devenu une enclave française en sol américain.

C'est l'ambiance des jours fastes de l'Empire. À la lumière des lustres, et des candélabres disposés tout autour du grand salon, la vaisselle et les cristaux, conçus pour les palais impériaux, brillent de tout leur éclat. Les domestiques des Bertrand sont venus prêter main-forte. Le maître d'hôtel, le Corse Cipriani, en habit brodé d'argent, culotte de soie noire, bas blancs et souliers à boucle, vient annoncer solennellement que le buffet est servi. C'est la formule retenue, étant donné le nombre de convives. Quelques petites tables ont néanmoins été dressées ici et là pour permettre à ceux qui le souhaitent de s'asseoir pour manger. Noverraz et Ali s'occupent de la personne de l'Empereur. Ils portent un habit semblable à celui du maître d'hôtel, sauf pour la broderie du collet et des parements, qui est d'or au lieu d'argent.

Le menu comporte plusieurs pièces montées, tels des saumons accompagnés de sauce tartare, des canards aux pommes, un dindonneau aux airelles, en plus de plats cuisinés, tel du poulet au champagne, des quenelles de volaille, des vol-au-vent à la française, des huîtres, des salades, un grand choix de fromages importés de France, et plusieurs desserts préparés par le pâtissier Pierron, telles des glaces à différents parfums, un gâteau Saint-Honoré, des clafoutis et des petits fours.

En rappel de la splendeur passée, Marchand a déballé le magnifique service à café où chaque tasse reproduit, sur fond bleu avec hiéroglyphes en or, un paysage d'Égypte, selon les dessins originaux de Vivant Denon, qui était de l'expédition. Des soucoupes bordées d'or offrent en grisaille le portrait d'un bey ou d'un personnage célèbre.

Pour les enfants, une petite table a été dressée à proximité du sapin de Noël, mais ils ont tous délaissé leur assiette. Ce qu'ils veulent, ce sont les étrennes. Voilà que le jeune Napoléon Bertrand surgit, déguisé en Santa Claus, vêtu de l'uniforme rouge de Premier Consul qu'il a trouvé dans les placards du maître de la maison, et coiffé d'une tuque rouge. Il veut distribuer les cadeaux. Mais Napoléon a prévu des étrennes qui ne peuvent se mettre sous le sapin de Noël. Il fait signe à Arthur et à son frère, Napoléon, ainsi qu'à Tristan de Montholon et à Emmanuel de Las Cases, de s'approcher. Il ouvre la porte avant de la maison. Les enfants laissent échapper des cris de joie! Quatre poneys sous la garde des palefreniers. Vite habillés, les enfants s'élancent et sont mis en selle pour une première promenade. Une surprise attend aussi Hortense Bertrand: un chiot, un magnifique petit épagneul beige. Pour le jeune Henri Bertrand, Napoléon a prévu un petit cheval de bois sur roues.

Il y a aussi des étrennes pour les adultes: une chaîne en or pour la comtesse de Las Cases, et un petit nécessaire de campagne pour le comte; une assiette de porcelaine de Sèvres pour la comtesse Bertrand, représentant le passage du Danube dont les ponts furent jetés par le général Bertrand, et une montre en or pour Bertrand à qui il dit : « Tenez, Bertrand, elle sonnait deux heures de la nuit à Rivoli quand j'ai donné ordre à Joubert d'attaquer. » Il y a aussi une paire d'éperons en argent, que l'Empereur avait portés à Austerlitz, pour le général Gourgaud, et une autre pour Planat, qu'il avait portée à Wagram. Il offre une tabatière ovale en or pour Regnault, et une autre pour le général Lefebvre-Desnouettes ; au fils de Regnault, un poignard à la mamelouk ; une assiette de porcelaine de Sèvres évoquant Alexandrie pour la comtesse de Montholon et, pour le comte, son nécessaire de toilette pendant la campagne d'Égypte ; une petite boîte en or sertie de diamants pour Mme Savary, et un glaive avec poignée en ivoire et le fourreau en nacre pour le général Savary à qui Napoléon dit en souriant : « Pour mieux vous défendre contre nos ennemis, mon général. » Enfin, pour son frère Joseph, des pièces de monnaie anciennes qu'il avait rapportées d'Égypte.

La distribution des cadeaux terminée, la comtesse Bertrand fait une révélation :

– Sire, je vous annonce que la famille s'élargit !

Napoléon esquisse un large sourire et la regarde un moment.

– Je félicite les futurs parents, dit-il en se tournant vers le général. Ma petite cour s'agrandit ! ajoute-t-il en souriant.

Il porte un toast au comte et à la comtesse.

Tout le monde se réjouit. L'événement est pour juin.

L'occasion incite Napoléon à disserter sur l'esprit de famille et les traditions qui se sont perdues avec la Révolution. C'est le genre de rêveries auxquelles il s'adonne de temps à autre. Il parle du bonheur d'autrefois, celui de l'individu, honnête et aisé, qui jouissait paisiblement, dans le fond de sa province, des champs et de la maison qu'il avait reçus de ses pères.

– La Révolution a tout bouleversé, dit-il. Elle a privé les anciens propriétaires de leurs biens ; les nouveaux n'ont pas encore de traditions. Être privé de sa chambre natale, du jardin qu'on avait parcouru dans son enfance, n'avoir pas d'habitation paternelle, c'est n'avoir point de patrie.

Puis il ajoute avec regret :

– Le coin du feu s'est perdu en France. L'esprit de famille disparaît et, avec lui, le respect des jeunes gens pour les vieillards.

Le comte Regnault, qui supporte mal l'exil, abonde dans le même sens.

– Perdre la demeure qu'on s'était créée après le naufrage[1], la maison qu'on avait partagée avec sa femme, celle où on avait donné le jour à ses enfants, c'était encore perdre sa seconde patrie. Que de monde en sont là ! Et quelle époque a été la nôtre !

Napoléon, qui souhaite que la fête se termine sur une note moins sombre, invite Albine à chanter quelques airs d'opéra italiens.

1er janvier 1816. Le premier jour de l'an, à l'époque de sa gloire, était le jour où les ambassadeurs de toutes les puissances européennes venaient, au nom de leur maître, témoigner de leur amitié envers sa personne. Derrière eux, la foule empressée des courtisans envahissait les vastes salons des Tuileries.

Aujourd'hui, sans faste ni protocole, ses compagnons d'exil sont venus lui offrir leurs vœux, avec plus de chaleur peut-être qu'autrefois. Tous ont insisté sur les vœux de santé, et de succès dans ses nouveaux projets. Car il en a au moins deux : se construire une maison, dont il compte dessiner lui-même les plans, et rédiger ses mémoires, une fois installé dans sa nouvelle demeure.

Il se remémore l'année écoulée qui fut riche en événements. À pareille date l'année dernière, il était à l'île d'Elbe, entouré de Madame Mère et de sa sœur Pauline, qui l'avaient

1. La Révolution de 1789.

rejoint dans les mois qui avaient suivi son arrivée à l'île. L'Empereur – le traité de Fontainebleau lui laissait son titre – avait reçu les félicitations des autorités de l'île et des corps d'officiers réunis. Il avait aussi reçu une lettre de Marie-Louise lui donnant des nouvelles de leur fils : « Il est charmant, écrivait-elle, et bientôt il pourra écrire lui-même », ainsi que des lettres de tous les membres de la famille. Les réjouissances du Nouvel An avaient cependant eu lieu au milieu des rumeurs d'enlèvement, d'assassinat, et de déportation à l'île Sainte-Hélène dans l'Atlantique Sud, mais également des échos d'une volonté populaire, à Paris et dans le reste du pays, pour qu'il revienne. Il avait alors décidé de tenter le tout pour le tout. Puis, il y a eu Waterloo, et le voilà maintenant simple citoyen en Amérique.

Le courrier qu'il reçoit d'Europe se fait chaque semaine plus abondant. D'anciens collaborateurs lui ont écrit à l'occasion du Nouvel An. Certains parlent de venir le rejoindre en Amérique, des membres de la famille songent à demander un passeport. Des Américains lui ont envoyé leurs vœux, tel le général Jackson, bien sûr, mais aussi Dewitt Clinton de New York, le secrétaire d'État James Monroe, le maire de Philadelphie, le gouverneur de la Pennsylvanie, l'orateur de la Chambre des représentants au Congrès, Henry Clay, et quelques autres, dont deux banquiers. L'un se nomme Étienne Girard. A-t-il un lien avec la Girard's Bank où sont déposés ses avoirs ?

Hier, il a reçu la première lettre, très attendue, de sa fille adoptive, Hortense.

Constance, 10 décembre 1815

Mon cher père,

Quelle ne fut pas ma joie d'apprendre par les journaux, après trois mois d'angoisse, que vous étiez arrivé sain et sauf aux États-Unis, et de vous savoir ainsi à l'abri de nos ennemis ! Ce fut la seule bonne nouvelle depuis que j'ai quitté Paris, il y a cinq mois. J'attends avec impatience le récit de votre longue traversée.

J'ai quitté la Malmaison peu après votre départ. Il était temps, car l'armée prussienne fonçait droit sur le château, croyant que vous y étiez. Rentrée à Paris, je me suis enfermée chez moi, à l'hôtel Cerutti, et j'ai attendu les événements.

Le 8 juillet, j'ai été témoin de l'entrée de Louis XVIII dans Paris. Il y avait là un manque d'enthousiasme général. Le peuple portait encore la cocarde tricolore[2]*. Les journaux ont écrit que je payais ceux qui la portaient ! On m'a tenue responsable du manque d'élan national.*

Deux jours plus tard, les Alliés rentraient dans Paris et forçaient l'armée française, ou plutôt ce qu'il en restait après Waterloo, à se retirer du côté de la Loire. L'un de vos généraux m'a proposé de rejoindre l'armée en m'escortant d'un régiment. Devais-je m'en aller à la suite d'une armée vaincue ?

Ceux qui se préoccupaient de ma sécurité m'invitaient cependant à quitter mon hôtel. On me soupçonnait d'être l'âme dirigeante d'un vaste mouvement d'opposition au roi.

Contrairement à l'année dernière, je n'ai pu compter, cette fois, sur l'appui du tsar Alexandre qui me soupçonne d'avoir fomenté votre retour de l'île d'Elbe. Il aurait déclaré : « Comment voulez-vous que je me mêle encore de cette famille-là ! Voyez la reine Hortense ! Je l'ai protégée en 1814. Eh bien, elle est la cause de tous les malheurs qui arrivent à la France. » Cette cause perdue, qui n'a plus

2. Emblème républicain.

d'armée, sans appuis, abandonnée de tous, cette cause, mon père, fait encore trembler l'Europe en armes. Et c'est sur moi que s'arrêtent les regards des souverains ligués.

C'est en Suisse que je désirais maintenant vivre. Pressés de me voir quitter le territoire français, les Alliés m'ont finalement octroyé les passeports demandés. J'ai eu deux heures pour quitter Paris, avec mes enfants et quelques domestiques. Le commandant en chef de l'armée autrichienne m'a offert son aide de camp pour me faciliter la traversée des armées autrichiennes. J'ai accepté.

Ce même jour, les journaux nous apprenaient que vous voguiez vers l'Amérique. L'angoisse m'étreignit! Je n'osai plus, à compter de ce jour, ouvrir un journal de peur d'y apprendre votre arrestation en mer.

Le lendemain, alors que nous roulions vers Dijon, notre voiture croisa de malheureux soldats français, épuisés, affamés, assoiffés. Ils allaient rejoindre les débris de notre armée, au sud de la Loire. J'ai donc donné de l'argent à tout le monde.

Le troisième jour, en entrant dans Dijon, j'ai vu mon nom affiché, dans toutes les rues de la ville, comme celui de la personne qui avait causé les malheurs de la France. À l'auberge, trois officiers français, fort embarrassés de leur mission, se sont présentés. Ils avaient reçu l'ordre de m'arrêter. Le commandant des avant-postes autrichiens s'interposa.

Escortés de quatre Autrichiens à cheval, nous reprenions la route devant la population émue. Plusieurs personnes me tendaient les bras, entourant ma voiture, me jetant des œillets rouges. Des femmes, des hommes pleuraient à chaudes larmes. J'ai entendu quelqu'un dans la foule dire: « C'est-y pas fâcheux que les bons s'en aillent et que les méchants restent. » Un autre s'est approché de ma voiture et m'a demandé si j'étais prisonnière, si l'officier autrichien était bon pour moi. Plus loin, j'ai rencontré un corps d'officiers français qui venaient de rendre une place. Ils entouraient ma voiture en pleurant. Plusieurs proposaient de me suivre. Je tâchais de les calmer et de leur montrer la nécessité de se résigner aux tristes événements. « Oui, il faut se résigner, dit un charretier, mais le moment viendra et ce sera le réveil du lion. »

Arrivés à la frontière suisse, nous avons tous poussé un grand soupir de soulagement. Mais la détente fut de courte durée. Car j'ai alors pris connaissance de l'ordonnance du 24 juillet où j'ai pu lire les noms de mes amis sur les listes de mort et de proscription. Ce malheur ajoutait à l'angoisse que j'éprouvais en songeant aux dangers que vous encourriez sur l'Atlantique, tant nos ennemis sont partout. Comme si cela ne suffisait pas, les autorités de Genève m'informaient que je ne pouvais ni rester, ni aller plus loin, bien que munie d'un passeport émis par les puissances alliées et le roi !

Pendant que j'attendais qu'on statue sur mon sort, un homme dépouillé par les soldats ennemis et réduit à l'état d'une affreuse misère s'est présenté à moi. Frappé par l'ordonnance du 24 juillet, il fuyait la mort. Prêt à céder au découragement, il allait retourner sur ses pas et se livrer lui-même. C'était le général Ameil. Il arriva chez moi dans le dernier état de désespoir. Observée comme je l'étais, j'ai craint qu'on ne vînt l'arrêter chez moi. Je m'empressai de lui donner tous les secours nécessaires et lui ai sauvé la vie.

C'est sur les représentations de l'ambassadeur de France que j'ai été expulsée de Suisse. L'aide de camp autrichien me ramena donc à Aix-les-Bains, puis partit à Paris chercher des instructions auprès des puissances alliées.

Durant mon séjour, j'ai vu arriver quelques personnes, dont votre ancien ministre de la Guerre, le duc de Feltre, l'un des hommes que vous avez le plus comblés. Il paraît qu'il a été saisi d'effroi lorsqu'il a appris que je m'y trouvais aussi. Il attendait à Aix le ministère que Louis XVIII lui avait promis à Gand[3] *!*

L'armée de la Loire a finalement été dissoute, comme vous avez dû l'apprendre aussi. Tous s'y attendaient. Ce qui m'a valu la visite du général Flahaut[4]*, qui venait me consacrer sa vie. Les journaux en ont fait grand état, disant que j'étais entourée d'un grand nombre d'officiers de l'armée dissoute.*

J'ai appris au même moment la mort tragique de Murat. Quelle fin pour un roi ! Et comme les malheurs s'enchaînaient, on est venu m'enlever mon fils aîné. Ainsi les tribunaux avaient tranché en faveur de Louis. Et mon fils est parti ! J'étais effondrée, lorsque la nouvelle de votre arrivée en Amérique me fit sortir de ma léthargie.

L'aide de camp autrichien ayant reçu la consigne, à Paris, de ne plus s'occuper de moi, je devais quitter Aix, le danger devenant trop imminent. J'ai décidé d'aller à Constance, munie de passeports émis par l'ambassade russe en Suisse. J'apprenais au même moment que le tsar Alexandre, qui continuait à m'ignorer, venait d'acheter une partie de la collection de tableaux de la Malmaison, dont les Alliés voulaient s'emparer, pour éviter qu'elle n'échappe à la succession de ma mère ! Ainsi, c'était encore à l'empereur de Russie seul que je devais ces égards. Mais trop de choses m'avaient désabusée sur lui. Je ne pouvais plus me rappeler qu'il avait été mon ami.

*Arrivée à Fribourg, j'ai été arrêtée et consignée dans une minable auberge durant deux jours. M. et M*me *Fritz de*

3. Louis XVIII s'est réfugié à Gand lors du retour de Napoléon de l'île d'Elbe.
4. Général de division à Waterloo, grand amour de Hortense.

Pourtalès, l'ancien écuyer de ma mère, que vous aviez fait comte, et elle, élevée, dotée et mariée par ma mère, habitent un très beau château à peu de distance. Eh bien, ils n'ont pas donné signe de vie !

Enfin, nous sommes arrivés à Constance[5] *le 7 décembre. Mais pour combien de temps ? J'avais du mal à imaginer que mon cousin, le grand-duc de Bade, qui m'avait toujours montré de l'amitié, me refusât l'asile ! Avec beaucoup de manière, il est venu me dire que mon séjour ne pouvait être que temporaire. J'ai néanmoins décidé de m'établir ici jusqu'au printemps, puisque j'y suis autorisée par les Alliés*[6].

Mon cher père, voilà ce qu'a été ma vie depuis votre départ. Dans quelques années peut-être, quand tout le monde aura repris ses esprits, pourrai-je vous rendre visite avec mes deux enfants, si Louis m'y autorise. Mère dit qu'elle demandera un passeport l'an prochain, ainsi que Pauline, pour venir partager votre exil.

Parlez-moi de votre traversée de l'Atlantique, de votre nouvelle vie, de l'Amérique, de ceux qui vous entourent, de vos projets. Comment les Américains vous ont-ils accueilli ?

Très affectueusement,
HORTENSE

Ces nouvelles d'Europe l'atterrent. Il se sent responsable des malheurs de la France, et en particulier de ceux de sa fille. Il aime Hortense comme sa propre fille. À l'époque de son divorce avec Joséphine, il avait craint que ses enfants, Hortense et Eugène, ne veuillent s'éloigner de lui. « … je vis des larmes abondantes couler de ses yeux », avait dit Hortense, et, d'une voix entrecoupée de sanglots, il s'était écrié : « Quoi !

5. Située dans le grand-duché de Bade.
6. Hortense a fait le récit de ce voyage dans le tome III de ses *Mémoires.*

Vous me quittez tous, vous m'abandonnez! Vous ne m'aimerez donc plus?»

Le duc de Bade, Pourtalès, le duc de Feltre, qu'auraient-ils été sans lui? Les hommes le dégoûtent. Ce sentiment remonte à la campagne d'Égypte. Des lettres interceptées lui avaient appris les horreurs qui s'écrivaient sur sa personne. Il y avait été d'autant plus sensible qu'elles venaient de gens qu'il avait comblés, auxquels il avait accordé sa confiance, et qu'il croyait lui être attachés. «À cette lecture, avait-il dit à Las Cases, j'éprouvai un vrai dégoût pour les hommes: ce fut le premier découragement moral que j'ai senti et, s'il n'a pas été le seul, du moins, il a été le plus vif...» Ce sentiment a crû en observant le spectacle de leur servilité lorsqu'il est devenu puissant.

Ce mépris l'avait rendu indulgent. Mais jamais dupe. «Je défie aucun individu de m'attraper, disait-il. Il faudrait que les hommes fussent bien scélérats pour l'être autant que je le suppose.» Sa défiance, avec le temps, s'était étendue à ses plus proches collaborateurs.

Mais ces nouvelles d'Europe le réconfortent aussi parce qu'elles lui donnent le sentiment que l'armée et le peuple le regrettent.

Ce soir, il dîne en tête-à-tête avec Joseph pour la première fois depuis longtemps. Les visiteurs se sont succédé presque sans relâche depuis quelques mois. Il lui fait lire la lettre d'Hortense.

Joseph la parcourt en silence, puis la tend à son frère:

– Elle est forte. Elle assume son destin. On a du mal à imaginer tant de ressources dans un corps aussi frêle. Ce qui m'étonne, cependant, c'est l'attitude du tsar Alexandre.

Joseph s'arrête un moment, puis il ajoute:

– Le blocus l'a monté contre toi, tant il a nui à l'économie russe. Et puis, il ne t'a jamais pardonné l'invasion de la Russie. Ç'a été une grave erreur que d'envahir la Russie. Tu aurais dû t'entendre avec lui, coûte que coûte. Il avait une grande admiration pour toi, peut-être même de l'affection, qu'il a reportée sur Joséphine et Hortense. Il a été leur protecteur, leur « ange » après ta première abdication. Il est même intervenu auprès de Louis XVIII pour que la France respecte le traité de Fontainebleau. Aujourd'hui, il est convaincu que pendant qu'il les protégeait des Alliés vindicatifs, Hortense préparait ton retour.

Napoléon jette un regard par la fenêtre. Il fait nuit. Les gardes armés américains, recrutés par le général Bertrand, font les cent pas dans le parc éclairé par des torches et des lanternes. Coiffés de grosses toques de fourrure, chaussés de hautes bottes et emmitouflés dans d'épais et longs manteaux, ils assurent la garde par équipes de deux, se relayant aux six heures, sept jours semaine. Cette nuit glaciale de janvier réveille en lui le souvenir les steppes enneigées de Russie, le cimetière de la Grande Armée.

– La guerre contre la Russie n'est pas une faute. Je l'ai envahie avec l'Autriche et la Prusse. Tout le monde l'eût faite comme moi. L'expédition a mal tourné, mais ce n'est plus là la question. C'est le froid qui a vaincu la Grande Armée. N'eût été le froid, j'aurais vaincu.

Il avait passé la matinée à rédiger son courrier. Il a répondu à ses frères Lucien et Jérôme, et à sa sœur Pauline. Il a demandé à son ancien bibliothécaire, Barbier, de lui faire parvenir les documents nécessaires à la rédaction de ses mémoires : une collection complète d'exemplaires du *Moniteur*[7] depuis 1800, les meilleurs dictionnaires, la meilleure encyclopédie, un relevé de tout ce qui a été imprimé sur lui durant les diverses campagnes. Il veut également recevoir une liste de deux mille volumes, établie par ses soins, qu'il

7. Journal gouvernemental sous la Révolution, le Consulat et l'Empire.

jugerait susceptibles de l'intéresser, dont des gravures et des ouvrages sur l'Amérique. Il ne veut pas Voltaire, ni Rousseau. Il les a déjà trop lus. Il aimerait, en outre, que Barbier lui propose une liste de journaux européens auxquels il pourrait s'abonner et qui lui fourniraient un éventail de l'opinion européenne. Les articles qui l'intéressent seraient traduits à Philadelphie.

Il a aussi écrit au notaire Laffitte pour qu'il vire un million de francs sur la Girard's Bank à Philadelphie. Il veut acheter une terre pour s'y faire construire une maison.

Enfin, il a rédigé une longue lettre à son ancien et très dévoué secrétaire, le baron de Méneval, dont il souhaite retenir les services pour effectuer, sur demande, des recherches de documents d'archives, pour la durée de la rédaction de ses mémoires. Il lui a aussi parlé de son fils, le comte Léon, dont son beau-père est le tuteur. L'enfant a maintenant neuf ans. Il est issu d'une relation éphémère avec Éléonore Denuelle de La Plaigne, alors âgée de dix-neuf ans, la lectrice de sa sœur Caroline. Il est décidé à le faire venir dès qu'il sera installé. À la Malmaison, il ne l'avait pas reconnu lorsque Hortense le lui avait amené, ne l'ayant pas revu depuis des années. La naissance de cet enfant lui avait appris qu'il n'était pas stérile, contrairement à ce qu'il avait toujours cru. Il lui ressemblait trop pour qu'il en renie la paternité, après avoir douté. Il l'avait doté afin qu'il soit à l'abri du besoin.

Revêtu de sa nouvelle capote fourrée, chaussé de ses bottes d'hiver et coiffé d'un des bonnets de loutre qu'il a portés durant la campagne de Russie, il longe la falaise. Les berges de la rivière Schuylkill sont recouvertes d'une mince couche de glace. Il n'a pas froid, bien que frileux à l'ordinaire. Le tapis de neige éclaire la nuit et feutre tous les bruits environnants. Il lève la tête et contemple la voûte où brillent des millions d'étoiles. À Vienne il fait déjà jour. Il pense à son fils « prisonnier ». Marchand lui a dit qu'il espérait recevoir, pour le Nouvel An, une lettre de sa mère qui est à Vienne. Mme Marchand demeure le seul lien avec son fils. Et pour combien de temps encore ? Tous les autres Français, qui ont accompagné Marie-Louise et son fils à Vienne, ont quitté ou ont été remerciés de leurs services.

Il repense à Marie. La distance, la solitude, le temps, ont fini par raviver ses sentiments pour elle. Son mariage avec l'archiduchesse Marie-Louise, les soucis, les revers, avaient eu raisin de la passion des premières années.

Peut-être devrait-il lui écrire !

Après son divorce d'avec Joséphine, le maréchal Duroc, son meilleur ami, lui avait dit : « Épousez Marie et soyez heureux. » L'enfant que Joséphine ne pouvait avoir, Marie le lui a donné. Il a maintenant presque six ans. Il lui ressemble.

« Marie, ne doute jamais de moi. » Ainsi terminait-il chacune de ses lettres, voulant la rassurer, lui dire qu'il ne l'oubliait pas, malgré les distances et les longues absences. Joséphine avait été un amour de jeunesse, Marie était l'amour de la maturité.

C'est à Bronie, sur la route de Varsovie, que le destin de Marie croisa le sien en cette froide journée de janvier 1807. Il était accompagné de son ami le maréchal Duroc. La voiture impériale, qui s'était arrêtée pour changer de chevaux, avait vite été encerclée par une foule enthousiaste et hurlante, acclamant l'Empereur en libérateur. Marie, fervente patriote, était là, accompagnée d'une amie, venue acclamer l'homme dont la Pologne attendait son salut. Il l'avait remarquée. Elle semblait une enfant, toute blonde, jolie avec de grands yeux bleus naïfs et tendres, brillant d'un délire sacré. Assez petite de taille, mais bien proportionnée, elle était coiffée d'un chapeau sombre orné d'un grand voile noir. Il avait remarqué sa peau fine, son teint rosé, empourpré peut-être par la timidité. Il avait retiré son chapeau, s'était penché de la fenêtre de la voiture vers la dame et avait commencé à lui parler, tentant de dominer le bruit ambiant. Mais, agitée, transportée, elle l'avait interrompu : « Soyez le bienvenu, mille fois le bienvenu sur notre terre… » L'Empereur l'avait longuement regardée. Prenant dans sa voiture le bouquet qu'on lui avait offert plus tôt, il le lui avait présenté : « Gardez-le, lui avait-il dit, comme garant de mes bonnes intentions. Nous nous reverrons à Varsovie, je l'espère, et je réclamerai un merci de votre belle bouche. » La voiture s'était éloignée tandis qu'il la saluait en agitant son chapeau par la portière.

À Varsovie, il avait recherché en vain la jeune femme au milieu des fêtes qui se multipliaient en son honneur. Redoutant que son mari n'apprenne son voyage à Bronie si elle rencontrait l'Empereur, elle avait décidé de ne pas participer aux fêtes. Duroc, qui avait une description précise de la jeune femme, avait contacté le commandant en chef de l'armée polonaise, le prince Poniatowski, pour qu'il l'identifie. C'était la comtesse Marie Walewska.

Âgée de vingt ans, elle était l'épouse du vieil Anastase Colonna de Walewice-Walewski, âgé de soixante-dix ans, patriote comme elle, riche, et chef d'une des plus illustres maisons de Pologne. La comtesse était aussi dévote que patriote. Son mari, ignorant l'escapade de Bronie et ayant appris que l'Empereur souhaitait rencontrer sa femme, avait fait pression pour qu'elle vienne au bal. Peut-être l'avenir du pays en dépendait-il ? Face à son refus, le comte avait vite été relayé par les principaux représentants de la Pologne à qui la comtesse avait opposé le même refus. Le mari, qui voyait l'insistance de ses pairs comme la reconnaissance de son rang et l'approbation publique du choix qu'il avait fait de cette femme, avait fini par lui ordonner de l'accompagner au bal. Elle y avait mis une condition : qu'elle ne fasse pas l'objet d'une présentation isolée des autres femmes qui seraient amenées à l'Empereur.

Le comte avait souhaité que sa femme soit richement vêtue et parée de bijoux. La comtesse avait préféré s'habiller plus simplement. Le jour du bal arrivé, elle avait fait une entrée remarquée au milieu de murmures flatteurs, traversant les salons dans une robe unie de satin blanc, avec une tunique de gaze, et sur ses cheveux un diadème de feuillage. L'apparition de Marie avait troublé l'Empereur. Parcourant les salons, il avait semé des phrases qu'il avait voulu aimables, mais qui étaient tombées à faux, comme c'était parfois le cas aux Tuileries, lorsqu'il avait l'esprit ailleurs. À une jeune fille, il avait demandé combien elle avait d'enfants ; à une vieille dame, si son mari était jaloux ; à une dame prise d'embonpoint, si elle aimait beaucoup la danse.

Depuis le moment où il avait vu la comtesse arriver, il n'avait eu d'yeux que pour elle, elle seule existait. Arrivé devant elle, il l'avait regardée se lever, poussée par ses voisines. Elle était singulièrement pâle, et attendait : « Le blanc sur le blanc ne va pas, madame, lui avait-il dit tout haut, puis il avait aussitôt ajouté tout bas : Ce n'est pas l'accueil auquel j'aurais été en droit de m'attendre après… » Marie n'avait rien répondu. Quelques minutes plus tard, il quittait le bal. S'était-il mépris ?

Rentrés à la maison, son mari avait fait part à Marie d'une nouvelle invitation à dîner où l'Empereur serait présent. Cette fois, il souhaitait qu'elle porte une toilette plus recherchée. À peine la comtesse avait-elle mis le pied dans ses appartements que sa femme de chambre lui remettait un billet apporté par le prince Poniatowski : « *Je n'ai vu que vous, je n'ai admiré que vous. Une réponse bien prompte pour calmer l'impatiente ardeur de N.* » Révoltée par l'indécence de ce billet, elle avait signifié au prince qu'il n'y aurait pas de réponse et s'était enfermée à double tour. À travers la porte, le prince avait supplié, tempéré, puis menacé. Furieux, il était reparti.

Le lendemain au lever, sa femme de chambre lui avait remis un second billet. La comtesse l'avait redonné à celle-ci, sans le lire, puis s'était enfermée, prétextant une migraine. Les plus hauts personnages de la nation, les membres du gouvernement, le maréchal Duroc, tous avaient décidé de s'en mêler et avaient fait antichambre dès le matin, suppliant la comtesse. Le mari, excédé par le refus obstiné de sa femme et qui ne voulait pas passer pour jaloux, ne soupçonnant toujours pas ce qu'on attendait d'elle, avait forcé l'entrée de ses appartements, accompagné des membres du gouvernement. L'un d'eux, sur un ton grave, lui avait dit: «Tout doit céder, madame, en vue de circonstances si hautes, si majeures pour toute une nation. Nous espérons que votre mal passera d'ici au dîner projeté, dont vous ne pouvez vous dispenser sans paraître mauvaise Polonaise.»

Poussée à bout, elle avait finalement consenti à paraître à ce dîner, et accepté que sa dame de confiance lui lise le second billet:

Vous ai-je déplu, madame? J'avais cependant le droit d'espérer le contraire. Me suis-je trompé? Votre empressement s'est ralenti tandis que le mien augmente. Vous m'ôtez le repos! Oh! Donnez un peu de joie et de bonheur à un pauvre cœur tout prêt à vous adorer. Une réponse est-elle si difficile à obtenir? Vous m'en devez deux.

N.

Arrivé au dîner, il avait fait, comme d'habitude, le tour du cercle des invités, distribuant des mots de courtoisie, puis, arrivé à elle, lui avait dit: «Je croyais madame indisposée; est-elle tout à fait remise?» Cette simple phrase lui avait paru singulièrement délicate.

Au dîner, comme précédemment, elle était assise à côté de Duroc, presque en face de lui. Celui-ci, tout en conversant sur les questions les plus graves de la politique européenne avec l'un et l'autre des invités, n'avait que rarement quitté la comtesse Walewska des yeux. Une sorte de complicité s'était établie entre lui et Duroc, qui comprenait, à certains gestes codés de l'Empereur, les questions qu'il devait poser à la comtesse. À la fin du repas, alors que tous se dirigeaient vers les salons, il s'était approché d'elle avec ce regard auquel nul ne résiste, lui avait pris la main, qu'il avait pressée avec force, et il lui avait dit tout bas : « Avec des yeux si doux, si tendres, avec cette expression de bonté, on ne se plaît pas à torturer, on se laisse fléchir, ou l'on est la plus coquette, la plus cruelle des femmes. » Puis il était parti rejoindre les hommes dans les salons.

Les femmes de son entourage lui avaient alors dit : « Il n'a vu que vous, il vous jetait des flammes. » Elle seule, lui avait-on dit, pouvait plaider la cause de la nation ; elle seule pouvait l'attendrir et le déterminer à rétablir la Pologne. Sur ces paroles était arrivé Duroc, qui lui avait dit sur un ton grave : « Pourriez-vous repousser la demande de celui qui n'a jamais essuyé de refus ? Ah ! Sa gloire est environnée de tristesse, et il dépend de vous pour la remplacer par des instants de bonheur. » Il lui avait longuement parlé en lui tenant la main, lui rappelant que l'Empereur serait au palais royal ce soir et l'y attendrait. Elle n'avait rien répondu et avait fondu en pleurs comme une enfant. Mais la dame de confiance de la comtesse avait assuré le maréchal Duroc qu'elle irait au rendez-vous. La comtesse s'était indignée. La dame lui avait reproché son manque de patriotisme. Duroc reparti, celle-ci lut à Marie à voix haute le billet qu'il avait apporté de la part de l'Empereur :

> *Il y a des moments où trop d'élévation pèse, et c'est ce que j'éprouve. Comment satisfaire le besoin d'un cœur épris qui voudrait s'élancer à vos pieds et qui se trouve arrêté par le poids de hautes considérations, paralysant le plus vif des désirs ? Oh ! Si vous vouliez... Il n'y a que vous seule qui*

puissiez lever les obstacles qui nous séparent. Mon ami Duroc vous en facilitera les moyens. Oh! Venez! Venez! Tous vos désirs sont comblés. Votre patrie me sera plus chère quand vous aurez pitié de mon pauvre cœur.

N.

La comtesse luttait encore. Se livrer ainsi! Sa pudeur s'était révoltée. Puis elle avait fini par consentir à une entrevue: « Faites de moi ce que vous voudrez », avait-elle dit à son entourage, mais elle n'avait pas répondu à son billet. Elle n'avait point d'amour à lui donner, mais de l'admiration, de l'enthousiasme. L'amitié ne pouvait-elle remplacer l'amour, et les âmes seules se parler? C'est ce qu'elle avait l'intention de dire à l'Empereur.

Le lendemain, on l'avait conduite au grand palais où Napoléon l'attendait. En l'apercevant, elle s'était effondrée en larmes. Il s'était mis à ses pieds et avait commencé à lui parler doucement. Mais le mot de « vieux mari » lui avait échappé! Plus que d'évoquer les chastes caresses d'un vieillard, ces mots suggéraient toute la grossièreté, l'impudeur d'un contact physique avec un homme jeune et fougueux. Horrifiée, elle s'était élancée vers la porte de sortie en sanglots. Ce comportement le prenait au dépourvu, puisqu'il ne s'était jamais trouvé dans une telle situation. Ignorant les pressions dont elle avait été l'objet, il s'interrogeait. Comment cette femme avait-elle pu venir à un rendez-vous nocturne dans de telles dispositions? Alors qu'elle s'apprêtait à franchir le seuil de la pièce, il l'avait ramenée avec une douce violence à un fauteuil. Et avec une voix plus caressante, mais où perçait aussi par instants, comme malgré lui, le ton de la domination, il l'avait interrogée avec mille précautions et fini par lui arracher des lambeaux de réponse. S'est-elle donnée volontairement à celui dont elle portait le nom? Était-ce par amour des richesses et des titres ? Qui avait pu la décider à unir sa jeunesse, sa beauté à peine éclose à un vieillard ? C'était sa mère qui avait voulu ce mariage ! Elle s'était alors réfugiée dans la religion : « Ce qui a été noué sur la terre ne peut être dénoué que dans le ciel », avait-elle dit à l'Empereur. Il s'était mis à rire. Elle s'en était indignée, et ses pleurs avaient redoublé. Interloqué, il l'avait interrogée à nouveau. Cette femme qui voulait rester fidèle à son vieux mari, fidèle aux principes de sa religion, et qui lui rendait visite la nuit était d'une espèce nouvelle qu'il n'avait encore jamais rencontrée. Il voulait en savoir davantage sur elle : son éducation, la vie qu'elle avait menée à la campagne, les sociétés qu'elle avait fréquentées, sa mère, sa famille. Pour lui, elle était maintenant « Marie » et le resterait désormais pour toujours.

À deux heures du matin, Duroc était venu la chercher : « Quoi ! Déjà ! Eh bien, ma douce et plaintive colombe, sèche tes larmes, va te reposer. Ne crains plus l'aigle, il n'a d'autres forces près de toi que celle d'un amour passionné, mais d'un amour qui veut ton cœur avant tout. Tu finiras par l'aimer, car il sera tout pour toi, tout, entends-tu bien ? » Il lui avait fait jurer qu'elle reviendrait le lendemain.

Le matin suivant, il lui avait fait parvenir de magnifiques bijoux, une guirlande et un bouquet de diamants. Alors que sa dame de confiance les faisait miroiter, la comtesse Walewska les lui avait arrachés des mains et les avait lancés à l'autre bout de la chambre. Elle n'était pas à vendre, avait-elle dit. La messagère lui avait lu la lettre d'accompagnement :

> *Marie, ma douce Marie, ma première pensée est pour toi, mon premier désir est de te revoir. Tu reviendras, n'est-ce pas ? Tu me l'as promis. Sinon, l'aigle volera vers toi ! Je te verrai au dîner, l'ami (Duroc) le dit. Daigne donc accepter ce bouquet de diamants : qu'il devienne un lien mystérieux qui établisse entre nous un rapport secret, au milieu de*

la foule qui nous environne. Exposés aux regards de la multitude, nous pourrons nous entendre. Quand ma main pressera mon cœur, tu sauras qu'il est tout occupé de toi, et pour répondre, tu presseras ton bouquet contre toi! Aime-moi, ma gentille Marie, et que ta main ne quitte jamais ton bouquet!

N.

Lorsqu'elle était arrivée au dîner, l'Empereur était déjà là. On se pressait autour d'elle. Était-on au courant de son aventure de la veille? Il l'avait regardée, fronçant les sourcils, l'œil scrutateur et perçant, et s'était avancé vers elle. Craignant une scène publique, elle s'était empressée de mettre sa main où aurait dû être la broche de diamants. Soudain ses traits à lui s'étaient radoucis, sa main avait répondu par un signe analogue. Elle avait pris place, comme les soirs précédents, à côté de Duroc, presque en face de lui. À Duroc, qui lui avait reproché de ne pas porter le bouquet, Marie avait répondu que jamais elle n'accepterait de présents de ce genre. Ce qu'elle voulait, c'était une espérance pour l'avenir de son pays. «Cette espérance, disait Duroc, l'Empereur ne l'a-t-il pas donnée? Il y a déjà des actes qui valent mieux que des promesses.» Puis, Duroc avait rappelé à Marie sa promesse de la veille de venir retrouver l'Empereur ce soir.

Elle était venue. Il était là, sombre, soucieux. «Vous voilà enfin. Je n'espérais plus vous voir.» Il l'avait reçue, l'avait installée dans un fauteuil et, debout devant elle, sévèrement, il lui avait ordonné de se justifier. Pourquoi était-elle venue à Bronie? Pourquoi avait-elle cherché à lui inspirer un sentiment qu'elle ne partageait pas? Pourquoi avait-elle refusé ses diamants? Qu'en avait-elle fait? Ce soir, sa main à lui n'avait point quitté son cœur, conformément au code secret qu'il avait voulu établir avec elle, au milieu de la foule, tandis que la sienne était restée immobile ; une fois seulement avait-elle répondu par le geste convenu. Et, se frappant le front avec un geste de rage, il s'était écrié d'une voix forte, marquée d'un accent qui revenait chaque fois qu'il était secoué par l'émotion : « Voilà bien une Polonaise ! C'est vous qui m'affermissez dans l'opinion que j'ai de votre nation. » Troublée par cet accueil, elle avait répondu : « Ah ! Sire, de grâce, cette opinion, dites-la-moi. »

Il lui avait dit qu'il jugeait les Polonais passionnés, orgueilleux et légers. Tout se faisait chez eux par fantaisie et rien par système. Leur enthousiasme était impétueux, tumultueux, instantané, mais ils ne savaient ni le régler, ni le perpétuer. Et ce portrait des Polonais, c'était son portrait à elle !

Qu'elle le sache : toutes les fois qu'il avait cru une chose impossible, il l'avait désirée avec plus d'ardeur. Rien ne le décourageait pour l'obtenir. Cette idée de l'impossible l'aiguillonnait. Habitué qu'il était à ce que tout cède avec empressement aux désirs qu'il exprimait, la résistance qu'elle lui avait opposée lui tenait au cœur. Puis la colère, vraie ou feinte, avait surgi : « Je veux, entends-tu bien ce mot, je veux te forcer à m'aimer ! J'ai fait revivre le nom de ta patrie : sa souche existe encore grâce à moi. Je ferai plus encore. Mais songe que, comme cette montre que je tiens à la main et que je brise sous tes yeux, c'est ainsi que son nom périra et toutes tes espérances, si tu me pousses à bout en repoussant mon cœur et en me refusant le tien. »

Devant cette violence, et la montre qui avait volé en éclat, elle s'était évanouie. Il l'avait prise dans ses bras, l'avait embrassée, déposée sur le sofa, et, étreint depuis des jours d'un désir irrésistible qu'il n'arrivait plus à contrôler, il l'avait prise... Quand elle avait repris conscience, au visage anxieux de Napoléon et aux mots qu'il disait, elle avait compris... Il lui faisait horreur, les sanglots l'étouffaient. Près d'elle, anéanti, il parlait sans suite : « Marie, Marie, réponds-moi...

tes larmes me tuent… Regarde Napoléon, il est ton ami. Jamais tu ne lui fus plus chère… Marie, écoute-moi : je donnerais ma vie pour revenir à hier. Pardonne à l'excès de mon amour ; il est seul coupable. Hélas, il y a des moments où je ne me connais plus. Mon sang roule avec une ardeur sauvage. Mais je te jure, je ne ferai plus rien qui puisse te déplaire. Je me soumets à ta volonté… Je sais maintenant comment ton cœur est noble et pur… » Marie ne répondant rien, il avait poursuivi : « Pour l'amour de toi, Marie, j'aimerai ta nation, je soutiendrai ses droits, je lui rendrai sa gloire. Quand des millions d'hommes te devront leur liberté, sera-t-il juste encore de me repousser et de me haïr ? »

Tous les soirs de la semaine qui avait suivi, il avait attendu Marie en vain. Il ne l'avait pas davantage vue lors des dîners. Il lui devait le prix de son honneur. Il comprit alors que pour revoir Marie, il devait orienter sa politique vers une reconstitution graduelle de la Pologne[8]. Un gouvernement régulier avait donc été établi, ainsi qu'un conseil d'État, des ministres nommés, un noyau d'armée polonaise, formé sous le commandement du prince Poniatowski.

Marie, qui s'était maintenant séparée de son mari, apprenant ce qui n'était qu'une étape, s'était détendue. Elle acceptait maintenant de recevoir l'Empereur chez elle, tous les jours. Elle ne se refusait plus aux caresses de son amant, mais ne les subissait pas moins pour autant. Elle faisait son devoir de patriote. Tout le monde connaissait sa peine secrète. Au cours des deux semaines qui avaient précédé son départ pour l'armée, il s'était davantage montré occupé de Marie que de ses plans militaires. La tête dans ses mains, penché au-dessus d'une carte qu'il ne voyait pas, il ne songeait qu'à celle qui avait pénétré dans son cœur. Il lui avait demandé d'assister

8. Napoléon crée en 1807 le grand-duché de Varsovie avec des provinces reprises à la Russie, à la Prusse et à l'Autriche.

encore à quelques réceptions, à quoi elle avait consenti, mais avec répugnance.

Le temps du départ maintenant approchait. Les troupes russes se massaient en Prusse orientale. Il avait voulu, au milieu de l'hiver, frapper un coup imprévu, capable de terminer la campagne, et il avait donné l'ordre à l'armée de se mettre en marche. Le dernier entretien qu'il avait eu avec Marie avait été empreint de tendresse et d'affection. C'était pour elle qu'il allait combattre. C'était le sort de la Pologne qui allait se jouer. Il promit de lui envoyer un courrier tous les jours. Elle l'avait remercié avec émotion. Quand il l'avait serrée une dernière fois dans ses bras en quittant le grand palais, elle avait senti combien, malgré tout, elle s'était attachée à lui. Elle le recommanderait à Dieu dans ses prières[9].

« *Marie, ne doute jamais de moi. N.* » Ces mots, qu'il lui avait si souvent répétés au temps de leur liaison, pouvait-il encore les lui écrire ? Attendait-elle encore une lettre de lui ? Ou avait-elle décidé de l'oublier ? Voudrait-elle encore venir partager sa vie, ici, avec leur fils ? Aimerait-il qu'elle vienne, après avoir refusé qu'elle le suive en Amérique ?

Marchand vient de recevoir une lettre de sa mère, qui est toujours à Vienne avec le roi de Rome. Elle a joint à la lettre un portrait de l'enfant, et une mèche de ses cheveux blonds, que Marchand s'empresse de montrer à l'Empereur. Napoléon regarde le portrait de son fils.

– Pauvre petit chouchou ! s'exclame-t-il.

Il y a plus de deux ans qu'il l'a vu. Comme il a changé ! Il se remémore leur dernière journée. C'était en janvier 1814.

9. Marie Walewska a relaté sa rencontre avec l'Empereur dans ses *Mémoires*.

Il avait gardé son fils avec lui dans son cabinet tout l'après-midi, tandis qu'il classait ses papiers secrets et qu'il en brûlait d'autres, ne sachant quelle serait l'issue de la campagne de France. L'enfant jouait avec son cheval de bois et chantonnait. Trouvant le temps long, il avait tiré les basques de son père.

Oubliant tout, celui-ci l'avait saisi dans ses bras et l'avait dressé au-dessus de sa tête, le faisant retomber brusquement.

– Encore ! réclamait l'enfant.

La nuit tombée, avant de quitter les Tuileries pour aller à la rencontre des armées prussienne et russe, il avait traversé sa chambre et était venu le regarder dormir une dernière fois.

Des larmes coulent sur ses joues. Il demande à Marchand de mettre le portrait sur sa cheminée, et la mèche de cheveux à côté de celle de Joséphine, qu'on lui avait envoyée de Paris après sa mort.

– Que dit votre mère ?

– Elle dit que votre fils est très affectueux, qu'il est intelligent, et qu'il fait preuve d'une volonté précoce. Elle dit aussi qu'il est beau et que ses manières sont gracieuses.

Marchand n'a pas tout dit. Il en a été incapable. Il en informera l'Empereur plus tard : sa mère quittera Vienne le 28 février. L'enfant est trop français. Il doit être aussi le fils de Marie-Louise, lui a-t-on dit. D'ailleurs, il ne s'appellera plus Napoléon, mais Franz, du nom de son grand-père, l'Empereur d'Autriche. Enfin, Marie-Louise s'apprête à quitter Vienne pour prendre possession du duché de Parme, que lui a assuré le traité de Fontainebleau. Elle y viendra accompagnée du général Neipperg, mais sans son fils. Le chancelier Metternich veut garder la main haute sur la destinée de Franz.

Chapitre IX

Point Breeze

En ce début de février, Napoléon est tout à son nouveau projet. Il dessine lui-même les plans de sa future maison. Un architecte en finalisera le détail. Il aimerait quelque chose qui lui rappelle la Malmaison. Autant il avait détesté le palais des Tuileries, qu'il disait « triste comme la grandeur » en plus de sentir le renfermé, autant il garde la nostalgie de ce domaine de campagne, à échelle humaine, acheté par Joséphine lorsqu'il était en Égypte. Car c'est d'une vie à la campagne qu'il rêve maintenant, avec des animaux qu'il regardera naître et grandir, des vergers où il pourra observer le cycle des saisons, des potagers qu'il verra sortir de terre. Il ne cherche plus à éblouir, mais il ne veut pas déchoir. Il est fier et très orgueilleux, extrêmement soucieux de l'image qu'il projette en Amérique et de ce qu'on dira de sa retraite américaine dans la presse européenne.

Installé à sa table de travail, il tire des lignes, trace des volumes, dessine des perspectives. L'affaire prend des allures de plan de bataille. Tout est précis, calculé, annoté, chiffré, budgété. Et il connaît les prix. Des entrepreneurs ont déposé des soumissions. Pas question de payer plus cher parce qu'il a été Empereur des Français. Il a passé commande à des ébénistes qui lui fabriqueront des petits meubles à partir de ses esquisses. Il aime les petits meubles, les meubles pratiques. Le reste du mobilier sera importé.

L'un de ces ébénistes est un vétéran de Waterloo! Il se nomme Michel Bouvier[1]. Il a décidé de se recycler dans l'ébénisterie. Dans la famille, on est ébéniste de père en fils. Il a préféré l'exil à la France de Louis XVIII. Il est évidemment familier avec le style Empire, pour lequel, dit-il, l'élite américaine éprouve actuellement un véritable engouement.

Pour ce qui est des travaux, il veut superviser le chantier lui-même, et diriger les hommes. C'est ce qu'il a fait toute sa vie.

Le printemps est enfin là. Les rivières ont dégelé, et les routes boueuses se sont asséchées. Les deux frères, qui souhaitent habiter l'un près de l'autre, sont à la recherche d'une terre d'une centaine d'hectares, au bord de l'eau, entre Philadelphie et New York. Joseph a fait récemment la connaissance du banquier Étienne Girard, qui est aussi un gros promoteur immobilier. Bordelais d'origine, il a émigré à l'âge de vingt-trois ans. Stephen Girard, comme on l'appelle aujourd'hui, est l'un des hommes les plus riches d'Amérique. Il a proposé à Joseph de lui faire visiter le site de Point Breeze, à Bordentown, en bordure de la Delaware River, à environ quarante-cinq kilomètres au nord de Philadelphie.

À bord du luxueux yacht du riche homme d'affaires, accompagnés de son agent, les deux frères sont conduits à Bordentown. Chemin faisant, Joseph évoque les incertitudes de sa situation.

– Dois-je me faire construire une maison pour moi seul ou pour ma famille?

– Tu pourras toujours l'agrandir et la réaménager si Julie et tes filles te rejoignent.

1. Arrière-arrière-arrière-grand-père de Jacqueline Bouvier Kennedy.

– Les Alliés menacent d'interner Julie à Kiev si elle ne part pas pour l'Amérique ! Je ne crois pas qu'elle se décide à me rejoindre pour autant. Ses liens de famille avec la reine de Suède la protègent.

Son regard s'assombrit.

– Zénaïde a maintenant quinze ans, Charlotte, quatorze. Quand vais-je les revoir ?

– D'ici quelques années, elles pourront voyager seules et venir te rejoindre, du moins pour quelque temps.

– Si les Alliés les laissent partir !

Joseph décide du même coup de faire part à son frère de sa nouvelle liaison. Elle s'appelle Ann Savage. Joseph l'appelle Annette. Elle a dix-huit ans et parle français. Il l'a rencontrée dans la boutique de sa mère, à Philadelphie, où il était entré incognito pour s'acheter une paire de bretelles. Sa famille, originaire de Virginie, a été ruinée par une mauvaise affaire.

La nouvelle de cette liaison n'est pas étonnante ! Que Joseph ait été encore seul, neuf mois après son arrivée en terre américaine, l'eût été davantage ! pense Napoléon.

– Il est impensable qu'Annette puisse y habiter. Cela irait à l'encontre des mœurs de ce pays !

Debout sur le pont, les deux frères regardent défiler le paysage aux arbres encore dénudés en ce début de printemps. L'humidité et le vent les incitent à rentrer. Le commandant invite ses hôtes à passer à la salle à manger pour le déjeuner.

Après quelques heures de navigation, c'est bientôt l'arrivée à Bordentown. L'agent de Stephen Girard loue une voiture pour conduire ses clients depuis le port jusqu'à l'emplacement désigné.

Arrivé sur le site, Napoléon effectue une reconnaissance des lieux avec sa lorgnette de guerre.

– La terre fait deux cent quarante acres[2], dit l'agent. La propriété pourrait être portée à mille huit cents acres par l'achat des terres adjacentes.

Tel qu'il le ferait d'un champ de bataille, il en évalue tous les paramètres. Le site longe une falaise abrupte. À distance, on aperçoit la Delaware River qui s'éloigne en direction nord-ouest, tandis qu'au premier plan, en contrebas de la falaise, se trouvent de petites îles entourées par la Crosswick Creek, là où la rivière se déverse dans la Delaware River ; au sud, la terre est bordée par la ville de Bordentown ; à l'est, par la route menant à Trenton, la capitale du New Jersey ; au nord, par la forêt qui s'étend à perte de vue.

Déjà il en voit tout le potentiel : les îles peuvent être reliées à la terre ferme par des ponts ; il serait possible de créer un lac en construisant une digue sur la Crosswick Creek ; l'abaissement de la falaise au sud permet l'aménagement d'un embarcadère, lui offrant une liaison directe avec Philadelphie par bateau ; il voit déjà l'emplacement du belvédère au sommet de la falaise surplombant la Delaware ; quant à la forêt, il l'aménagera pour la promenade à pied et en calèche. Puis, il vérifie l'état du terrain, comme s'il s'agissait d'y élever des fortifications. Il faudra le niveler, abattre des arbres et dégager des perspectives. Il évalue le meilleur emplacement pour sa maison, en fonction du panorama, des zones ensoleillées et ombragées, et de la direction des vents dominants. Rien n'est laissé au hasard.

Joseph est aussi séduit par les avantages du site. L'un d'eux occuperait la partie sud, l'autre la partie nord.

Sur le chemin du retour, l'agent informe ses clients que l'État du New Jersey ne permet pas à des étrangers d'acheter des terres. Il faudrait que la vente soit conclue par l'intermé-

2. Quatre-vingt-seize hectares (deux acres et demi égalent un hectare, soit dix mille mètres carrés).

diaire d'un citoyen américain. Joseph ira à Trenton demander un amendement à la loi. Il est confiant de l'obtenir. En attendant, il proposera une entente à son interprète américain, James Carret. Quant au prix, il est nettement inférieur à ce que coûterait un terrain à Philadelphie, dont les prix sont déjà dérisoires par rapport à ceux de Paris. Les deux frères conviennent donc d'acheter Point Breeze.

Aussitôt de retour à Lansdowne House, Napoléon convoque son architecte et son ingénieur. Il veut les emmener à Point Breeze, plans en main. Tout comme Joseph, lui aussi veut savoir. Doit-il prévoir qu'il y vivra seul, ou pas ? Il se décide enfin à écrire à Marie.

« Ma douce Marie... » Il s'arrête. Comment lui expliquer ce long silence depuis son départ ? Comment lui dire qu'en dépit de la distance qui les sépare, du temps qui s'est écoulé et des événements, il ne l'a pas oubliée, qu'il pense à elle, à leur fils ? Il lui propose de venir le rejoindre en Amérique. « Marie, cette nouvelle maison sera trop grande pour moi seul. » L'aime-t-elle encore ? Est-elle dans l'attente d'un mot de lui ? Il n'ignore pas les sentiments qu'elle inspire au comte d'Ornano, l'un des plus brillants et des plus braves officiers de la Grande Armée. Peut-être l'a-t-il supplanté dans son cœur ?

Lui n'a jamais cessé d'aimer Marie. « *Ne doute jamais de moi, Marie. N.* » Il le lui avait écrit si souvent autrefois.

Contrairement à Joseph, lui ne s'est pas épanché. Il n'évoquera la venue de Marie que lorsqu'il en aura la confirmation.

Ce matin, il écrit à son architecte à Paris. Il veut lui confier l'aménagement intérieur de sa maison. Percier était l'un des deux architectes impériaux. C'est à lui qu'il avait confié l'agrandissement de la Malmaison. Il aime ce qu'il fait, et Percier connaît les goûts de l'Empereur.

Marchand vient le prévenir que le général Bertrand et le comte de Las Cases souhaitent être reçus.

Le général semble soucieux.

– J'ai reçu ce matin la visite du shérif, dit le général. La patrouille à cheval a arrêté hier soir un individu qui rôdait autour du parc de Lansdowne House. L'homme est Américain et habite Fairmount. Il ne portait pas d'arme au moment de son arrestation. Le shérif l'a longuement interrogé. L'homme a fini par avouer qu'il travaillait pour le consulat britannique à Philadelphie. Comme agent de renseignements !

– L'ambassadeur anglais a enfin reçu des instructions de Londres ! s'exclame Napoléon, l'air détendu.

– Il a pour mission, dit-il, de « surveiller les allées et venues du général Buonaparte puisque les Américains ne font rien », selon l'ambassade.

– Nous avons donc affaire à un espion plutôt qu'à un assassin ! constate Napoléon en esquissant un sourire. Voilà qui est plus rassurant !

Il demande néanmoins au général d'augmenter le nombre de gardes armés autour de la propriété.

Las Cases, à son tour, vient lui faire part de sa visite au consulat de France à Philadelphie. Comme il cherche un précepteur pour son fils, tout comme Bertrand d'ailleurs, il a pensé qu'on pourrait l'aider en cette matière. Il a été reçu très aimablement par le consul Petry, qui connaissait parfaitement l'identité de son interlocuteur.

– Il m'a demandé de vos nouvelles, dit le comte. Il voulait savoir si vous vous plaisiez aux États-Unis. Puis il a parlé de l'arrivée en juin du nouvel ambassadeur, Hyde de Neuville, qui saura modifier, m'a-t-il dit, la perception que l'opinion américaine a des Bourbons.

– Ce sera une grosse besogne ! rétorque Napoléon.

– Je suis persuadé que le consulat de France espionne aussi de son côté ! dit le comte.

– Tant mieux. On parlera encore de nous en Europe! rétorque Napoléon avec ironie.

Puis le général Bertrand lui demande:

– Vous avez lu à propos de l'évasion spectaculaire du comte de Lavalette[3] ?

Lavalette était venu lui faire ses adieux à la Malmaison. Napoléon l'avait invité à le suivre, mais le comte ne pouvait pas quitter sur-le-champ sa femme enceinte, et sa fille. « Mais, avait-il répondu, donnez-moi un peu de temps et j'irai vous rejoindre partout où vous serez. »

– Le comte s'est évadé? Comment avez-vous appris la nouvelle?

– En lisant les journaux ce matin. Il s'est évadé de prison la veille de son exécution!

Napoléon regarde Bertrand et Las Cases, stupéfait.

– Tous les soirs, sa femme venait, avec leur fille, partager son repas, explique le général. Ce soir-là, elle a décidé de changer de vêtements avec lui. Tandis qu'elle restait dans sa cellule, lui, déguisé de vêtements féminins, et l'obscurité aidant, a quitté rapidement la Conciergerie au bras de sa fille, sous les salutations respectueuses des gardiens. À sa sortie de prison, il est monté sur une chaise à porteurs pour une destination inconnue. Lavalette est demeuré introuvable pendant plusieurs semaines. Son évasion audacieuse a causé une véritable commotion dans le pays. Les ultras ont crié à la complicité.

– Et où est-il maintenant?

– Chez le prince Eugène en Bavière! confirme Bertrand.

– Comment a-t-il pu arriver là? demande Napoléon, interloqué.

– Après son échappée, il a trouvé refuge dans les combles de l'hôtel du ministère des Affaires étrangères, là où habite le ministre Richelieu!

3. Directeur des postes de l'Empire.

– Cela n'était possible qu'avec une complicité en haut lieu, rétorque Napoléon.

– Vous serez peut-être aussi étonné d'apprendre que ce sont trois Anglais qui lui ont fourni un déguisement et qui l'ont aidé à passer la frontière française vers la Belgique, d'où il a finalement gagné l'Allemagne.

– Des Anglais ? fait Napoléon, avec le sourire.

Puis, son regard s'assombrit.

– Lavalette était bon et estimé de tous, ajoute-t-il. Sa femme va devenir une héroïne dans toute l'Europe.

Le général reste silencieux. Napoléon le regarde.

– Qu'y a-t-il ?

– La comtesse de Lavalette est devenue folle. On l'a transférée de la prison à une maison de santé. Et le comte, maintenant en Bavière, ne peut rien pour elle !

Cette histoire, comme tant d'autres, le bouleverse. La vie de tant de gens a dépendu de la sienne !

– Il paraît, dit le général, qu'il compte maintenant venir vous rejoindre en Amérique.

Il y a aussi une autre nouvelle dont les journaux font état, mais le général préfère que l'Empereur l'apprenne de lui-même. Une loi votée le 12 janvier bannit la famille Bonaparte du territoire français à perpétuité, incluant ses descendants.

20 mars 1816. Il y aura un an déjà ce soir, il rentrait aux Tuileries après onze mois d'absence. Quel revers de fortune ! Il évoque avec le général Bertrand, qui en fut le témoin, ces heures historiques.

– À cette heure-ci, lui dit-il, je me mettais à table aux Tuileries. J'y étais parvenu avec difficulté. Je venais de courir, à coup sûr, les dangers d'une bataille !

À son arrivée, l'Empereur avait été entouré par des milliers d'officiers et de citoyens ; on voulait le voir de toute force ; il n'était pas monté aux Tuileries, on l'y avait porté dans un enthousiasme frôlant le délire.

Il est convaincu que ce soir, beaucoup comme lui, en France et en Europe, se souviennent de ces événements, et qu'en dépit de la surveillance dont ses partisans sont l'objet, ils ont vidé bien des bouteilles en son honneur.

Ses pensées se portent aussi à Vienne. Aujourd'hui son fils a cinq ans. Il avait tant voulu cet héritier, porteur des espoirs de la nouvelle dynastie. Que de rêves engloutis !

Bordentown en mai. Une trentaine d'hommes, sous la direction de l'ingénieur des travaux, sont à creuser les fondations des deux maisons. Napoléon a fait monter sa tente de campagne sur place, devenue son quartier général d'où il dirige les opérations. Souvent il met la main à la pâte, au grand étonnement des ouvriers. Pour gagner du temps, il lui arrive de déjeuner sur le chantier, se contentant d'un œuf à la coque et de deux tranches de pain, préparés par une petite équipe de cuisine qui a déménagé ses pénates de Fairmount à Bordentown.

Comme en campagne, quelques heures de sommeil lui suffisent. Levé souvent à trois heures, il inspecte les opérations de la veille, une lanterne à la main. Puis il revient à sa tente, s'installe à sa table, déploie les plans, effectue des corrections, modifie le calendrier des opérations. Vers cinq heures, il fait réveiller Bertrand, qui occupe la tente voisine, pour s'assurer que les matériaux seront livrés à temps, et les hommes en poste pour l'étape suivante. Puis il se fait apporter les factures et vérifie que les dépenses correspondent bien aux sommes prévues. Pour économiser sur la brique, il pense faire construire sur place un four à cuire. Parfois, il s'absente, le temps de faire un saut à l'atelier d'ébénisterie de Philadelphie pour vérifier l'état d'avancement des meubles.

Il voit tout, sait tout, contrôle tout, avec la même énergie qu'au temps où il commandait à l'Europe entière. Cette énergie hors du commun, il l'a transmise à tout le chantier, qui maintenant devance l'échéancier prévu. Les ouvriers pensent qu'il y a « du merveilleux » chez cet homme.

Le soir, après sa journée de travail, il dîne en compagnie du général Bertrand et de son frère Joseph, lorsque ce dernier est sur place, avec lesquels il échange ses impressions sur la main-d'œuvre d'ici, la culture du travail en Amérique, où les hiérarchies n'existent pas plus que la fidélité de l'employé à l'employeur.

Aujourd'hui, le comte de Las Cases est venu visiter le chantier. La tournée des lieux terminée, Napoléon lui propose une excursion à cheval. L'exercice au grand air lui manque. Dans ces cas, il devient souffrant et maussade. Archambault vient le prévenir que les chevaux sont prêts. Avant de mettre le pied à l'étrier, le comte lui dit :

– Une délégation de députés anglais de l'opposition ferait actuellement route vers les États-Unis pour vous rencontrer.

Napoléon le regarde, l'air étonné.

– Où avez-vous lu cette nouvelle ?

– Dans *The Morning Chronicle* que voici.

Le comte sort le journal de sa mallette.

– Que veulent-ils ?

– Vos partisans en Europe, qui se terraient depuis votre départ, refont surface. Il y règne là-bas, paraît-il, une ambiance d'état de siège. À Londres, l'opposition a déclaré en chambre qu'elle croyait possible d'avoir une conversation franche avec vous, et qu'une délégation partait pour Philadelphie vous rencontrer.

– Je ne suis plus de ce siècle ! rétorque-t-il.

– À cinq mille kilomètres, sire, vous continuez à perturber l'Europe. Elle vous voit partout. Je ne sais pas si les rapports du consulat anglais y sont pour quelque chose!

Las Cases sort un autre journal de sa mallette, français celui-là.

– Vous avez appris l'acquittement de Drouot[4] et de Cambronne[5]?

– Oui, j'ai lu cela dans le journal comme vous. Ce sont les seules bonnes nouvelles depuis que nous avons quitté la France.

Puis, l'air assombri, il ajoute:

– On ne pouvait pas condamner Drouot... Cet homme a forcé l'estime de tous, même celle du roi. C'est sa sagesse qui lui a évité le sort du maréchal Ney. Il était supérieur à un grand nombre de mes maréchaux. Il aurait pu commander cent mille hommes.

Le général Gourgaud et Planat de la Faye, anciens officiers d'ordonnance de l'Empereur, viennent se joindre à eux. Ils sont dorénavant de tous les déplacements de l'Empereur. Les circonstances commandent ces nouvelles mesures de sécurité.

Retenu à Point Breeze par le chantier, Napoléon a demandé au général Bertrand d'organiser une estafette qui assurera une liaison quotidienne entre Lansdowne House et Point Breeze. Dans le courrier apporté aujourd'hui, il y a une lettre de Rome. Il reconnaît l'écriture de sa mère.

4. Antoine, comte de Drouot (1774-1847). Il a accompagné l'Empereur à l'île d'Elbe et fut gouverneur de l'île. À Waterloo, il fut aide-major général de l'armée.

5. Pierre, vicomte de Cambronne (1770-1842). Il a accompagné l'Empereur à l'île d'Elbe et fut nommé commandant militaire de la place. Héros de la bataille de Waterloo.

Rome, 15 avril 1816

Mes chers fils,

Je lis de temps à autre dans les journaux de brefs entrefilets sur votre vie en Amérique. Ces informations, toujours de source française, émanent, j'imagine, du consulat français à Philadelphie et de l'ambassade de France à Washington. Ainsi j'ai appris, avant même que vous m'en informiez, que vous aviez acheté ensemble des terres dans le New Jersey pour vous y faire construire chacun une maison. Les journaux laissent entendre que vous vivez retirés et à l'abri du besoin.

J'ai toujours l'espoir de vous rejoindre, même si ma demande de passeport a été bien sûr refusée. J'en referai une nouvelle dans six mois. Qu'ont-ils à craindre d'une dame de mon âge ?

Depuis mon arrivée à Rome, je mène une vie recluse. Pauline et Lucien me rendent visite régulièrement. Mon chargé d'affaires à Paris a réussi à vendre, avant la date butoir fixée par la loi du 12 janvier, tous les biens que je possédais encore en France.

Les soucis de Pauline demeurent inchangés : les hommes, sa santé et sa situation financière, auxquels s'ajoute aujourd'hui la solitude. Elle a cherché à reprendre la vie commune avec le prince Borghèse, mais en vain. Ce n'est pas d'avoir été trompé tant et plus dont il se plaint. Ce sont ses sautes de caractère, ses fantaisies, sa tyrannie, ses jalousies qui l'ont irrémédiablement éloigné d'elle, après s'y être soumis durant douze ans. Il a introduit à Rome une demande de nullité de mariage, à laquelle Pauline a répondu par une demande de séparation. En juin, elle a finalement obtenu un jugement à son profit.

Sa situation financière maintenant rétablie, elle vient de faire l'acquisition d'un palazzino *à Frascati, où elle a séjourné une partie de l'année, et de la villa Sciarra près de Porta Pia, entourée d'un parc magnifique cerné par les anciennes murailles de Rome. Elle s'y est installée à l'anglaise, avec des meubles en acajou qu'elle a fait fabriquer à Londres, et a entr'ouvert ses salons aux étrangers, surtout aux Anglais, dont des membres éminents de l'opposition.*

Quant à votre frère Louis, il a décidé de refaire l'éducation de son fils aîné, dont il vient d'obtenir la garde. Il veut en faire un citoyen honnête et religieux, dit-il. Les précepteurs, qu'il fait venir de France, se succèdent à un tel rythme que la police de M. de Blacas, le nouvel ambassadeur de France auprès du pape, a renoncé à les espionner, après avoir cru qu'ils pouvaient servir d'agents ou de correspondants en France.

Pour ce qui est de Lucien, il est jugé par les Alliés comme un personnage redoutable, à cause de sa conduite durant les Cent Jours. C'est sur lui que se porte le regard des ambassadeurs des Alliés, surtout celui des Français. Ils ont la conviction que c'est à Rome que s'est tramé le complot de l'île d'Elbe, et constatent que notre famille a ici beaucoup de partisans qui entretiennent l'espoir de ton retour, Napoleone. Lucien ne peut s'éloigner de Rome sans autorisation. Il a été averti que tous ses biens seraient saisis s'il tentait de s'échapper. Mais comme Lucien a plus de dettes que de biens, la menace est illusoire. Il vit donc retiré dans sa propriété, sur les hauteurs de Rome. Il a délaissé la poésie pour se consacrer tout entier à l'astronomie. D'un belvédère sur le toit de son palais, il regarde les astres. N'empêche ! La rumeur court régulièrement que Lucien s'est échappé, qu'il a été vu en France, qu'il est sur un bateau en route pour l'Amérique. Un avis a été envoyé à tous les départements français, avec ordre d'arrêter Lucien s'il y paraissait, de le juger et de l'exécuter en vingt-quatre heures, conformément à la loi du 12 janvier !

Quant à Caroline, elle porte le deuil de Murat, en dépit de tout le mal qu'il lui a fait. Il l'a entraînée dans sa chute et l'a laissée à peu près dans la misère, elle et ses quatre enfants. Mais elle a assez de noblesse pour ne pas renier celui qui fut son partenaire dans la vie. Elle se tient solidaire de lui, et le défend lorsqu'on l'accuse. Elle paye avec ses dernières ressources les dettes qu'il a contractées. Murat mort, elle est consciente qu'elle n'est plus rien, qu'elle n'a plus de rôle à jouer. Elle croit qu'à trente-quatre ans sa vie est finie. Elle garde de son mari un souvenir affectueux, lui reconnaissant comme seul défaut d'avoir une tête vive et une imagination exaltée. Elle accepte son sort, mais ne se consolera jamais de son exécution. Elle vit maintenant à Hainberg, en Autriche. Elle a été autorisée à porter le nom de comtesse de Lipona, anagramme de Naples. Son ancien ministre de la Guerre à Naples et le secrétaire des commandements de la reine s'occupent comme ils peuvent de lui reconstituer une fortune.

Élisa a obtenu l'autorisation de s'établir à Trieste sous le nom de comtesse de Campignano et se dit parfaitement heureuse, grâce à sa philosophie de la vie. Elle ne regrette pas le train fastueux qu'elle menait au palais Pitti de Florence. Metternich lui a restitué sa fortune privée. Il l'a mise sur un pied supérieur à tous ses frères et sœurs. Elle applique à la gestion de ses biens personnels toute l'intelligence qu'elle avait mise dans l'administration de ses États. Elle projette maintenant d'acquérir un grand domaine en Istrie, ce qui devrait convaincre les Alliés qu'elle n'a nullement l'intention de quitter l'Autriche.

Jérôme et Catherine, qui ont reçu des Alliés l'autorisation d'habiter l'Autriche, ont rejoint Caroline à Hainberg, où leur train de vie continue d'être royal. Le roi du Wurtemberg, sachant bien qu'il ne pourrait garder sa fille et son gendre indéfiniment en résidence surveillée, n'était que trop heureux de les laisser partir. L'idée que le frère cadet de Napoléon Bonaparte puisse se promener librement dans ses États le faisait frémir ! Jérôme avait cru être accueilli à bras ouverts par son beau-père en quittant la France, l'année dernière. En fait, le roi ne l'a accueilli que parce que sa fille l'en suppliait. Les Alliés y avaient mis des conditions. Jérôme ne devait pas quitter le Wurtemberg et devait être sous étroite surveillance. Le roi avait mis à leur disposition le château d'Ellwangen. Bien que le train de vie fût royal, Ellwangen s'est vite révélé une prison.

Les Alliés, soupçonnant Jérôme d'avoir un trésor, demandèrent au roi que son gendre fasse état de sa fortune. Jérôme, qui scellait encore en janvier ses lettres aux armes de Westphalie[6]*, qui, à trente-deux ans, vit avec de « grands souvenirs », trouvait l'exercice humiliant. Il le fut davantage lorsque l'évaluation des biens de Jérôme s'avéra nettement inférieure à celle qui avait été faite à Paris. Du même coup, le roi s'inquiéta. Le faste du couple allait épuiser en quelques mois la fortune de Jérôme. Il demanda à l'un de ses hommes de confiance de rétablir la situation financière de son gendre et de sa fille. Puis l'Autriche souhaitait que le roi « donne à son gendre un nom et un titre quelconques, qui ne rappellent pas une époque dont on désirerait effacer jusqu'au souvenir ». Jérôme et Catherine prirent donc le titre de comte et comtesse de Montfort.*

Le cardinal, lui, a mis de l'ordre dans ses affaires. Il a passé à des prête-noms tous les biens qu'il possédait en Corse. Son hôtel de Paris était déjà sous le nom de son libraire. Il a fait une vente simulée d'objets d'art et de meubles qu'il avait déposés à Marseille, et a « cédé » d'autres de ses biens au

6. Fut roi de Westphalie de 1806 à 1813.

diocèse de Lyon, dont il se considère toujours comme l'archevêque, bien que destitué par Louis XVIII. Le pape, n'ayant pas été consulté pour la nomination de son remplaçant, ne reconnaît pas le nouvel archevêque. Le cardinal a décidé de résister, avec l'appui du pape qui a de l'estime pour votre oncle.

Sur une carte des États-Unis, je tente de situer les villes et les régions que vous évoquez. Êtes-vous déjà installés à Bordentown ? Décrivez-moi les lieux que vous habitez, pour que je puisse imaginer votre vie là-bas. Quelles sont vos occupations ? Votre frère Lucien m'a demandé si enfin vous aviez été reçus par le président des États-Unis. Avez-vous noué des relations avec les Américains ? Beaucoup en Europe redoutent la publication de vos mémoires.

Je vous embrasse de tout mon cœur, mes chers fils, heureuse de constater que vous vous adaptez progressivement à votre nouvelle vie, et que le destin vous a rapprochés l'un de l'autre. Je ne désespère pas de vous retrouver avant longtemps.

Je vous embrasse tendrement.

Votre mère qui vous aime.

Napoléon dépose la lettre sur le guéridon et dit à Joseph :

– J'ai la certitude que nos frères et sœurs se sont tournés vers elle pour lui emprunter de l'argent. Je ne sais pas de combien est sa fortune, car ses placements étaient secrets, mais je crois qu'elle est considérable.

– Elle a passé sa vie à économiser, se rappelle Joseph. Pour ses enfants, disait-elle. Je l'entends encore répéter : « Je suis obligée de *coumouler* pour l'avenir. » La famille est toute sa vie.

– Elle me demandait régulièrement des hausses de traitement, dit Napoléon, mais je ne la voyais jamais dépenser.

Je me suis rendu compte que c'était pour pouvoir économiser davantage. Les dépenses somptueuses des aristocrates la scandalisaient. Elle n'a jamais pu comprendre que le cardinal et toi puissiez payer de telles sommes pour des peintures.

– Je me souviens que le personnel de sa maison d'honneur s'ennuyait chez elle. Il n'y avait jamais de fêtes, parce qu'elle ne voulait pas dépenser. Après un certain temps, ils la quittaient pour aller là où on s'amusait davantage, chez Pauline, par exemple.

– En 1814, après mon abdication, elle est venue m'offrir un million de francs, que j'ai refusés.

L'appui de Mère n'avait pas été que financier. Alors que tout s'écroulait autour de l'Empereur, que les défections commençaient, que ses frères même ajoutaient à ses soucis, il y avait Mère, forte et admirable, l'encourageant, lui offrant son soutien moral. Il sait tout ce qu'il doit à sa mère. Bien que leurs rapports aient été parfois houleux, leurs divergences n'ont jamais porté que sur sa politique des mariages, qu'il voulait au service de son système fédératif. Letizia avait fini par comprendre, et plier. Elle avait une double attitude avec lui. En public, elle était sa sujette et le traitait avec tout le respect qu'elle devait à l'Empereur. Mais en privé, elle était sa mère, et il était son fils. « Quand vous dites : je veux, moi je vous réponds : je ne veux pas. »

Un sentiment de tendresse soudain l'envahit. Il repense à ces moments d'intimité qu'il partagea avec elle à l'île d'Elbe, les premiers depuis tant d'années. À Paris, toujours il venait rue Dominique en coup de vent. Là, elle était heureuse, parce qu'enfin, pensait-elle, son fils avait pris sa retraite. Il voudrait que l'histoire se répète. Il pense, comme Joseph, que les Alliés, après quelques refus, l'autoriseront à venir en Amérique. Puis, il repense à ses frères et sœurs.

– Je suis heureux que les membres de notre famille aient pu s'établir là où chacun le souhaitait. C'est grâce à l'Autriche.

Comme si l'empereur François s'était soudain souvenu que la famille Bonaparte était celle de son petit-fils.

– Il n'y a que la France qui ne désarme pas, ajoute Joseph.

Début août. Le général espagnol Francisco Javier Mina, accompagné d'une députation d'insurgés espagnols du Mexique, est en ce moment à Philadelphie. Il demande à être reçu par l'ex-roi d'Espagne. Joseph connaît bien le général Mina.

Celui-ci était étudiant à l'université de Saragosse lorsqu'il monta sur le trône d'Espagne en 1808. Il s'était joint aux libéraux espagnols qui combattaient l'occupation française, puis il devint chef de guérilla. Lorsqu'en 1814 Ferdinand VII, despote féodal, reprit son trône après le départ des Français et du roi Joseph, Mina s'opposa à lui. Il dut finalement s'exiler en Angleterre, où il rencontra des Mexicains libéraux, qui l'encouragèrent à frapper un grand coup contre Ferdinand VII en envahissant le Mexique. Des Américains l'assurèrent qu'il aurait le soutien du gouvernement des États-Unis.

Joseph accueille la délégation dans le grand salon de Lansdowne House. Que lui veulent-ils ? Il sait que Mina jouit d'une sympathie évidente aux États-Unis, et qu'il bénéficie d'appuis matériels considérables – bateaux, armes, troupes – pour la préparation de son expédition contre le gouvernement colonial du Mexique.

Joseph écoute en silence le général Mina, faisant état des préparatifs en cours et de ses appuis politiques, puis il demande :

– Qu'attendez-vous de moi ?

– Que vous preniez le commandement de l'expédition et acceptiez la couronne du Mexique, déclare le général en français sur un ton solennel.

Joseph le regarde, incrédule. Quel retournement de situation !

Flatté, il décline néanmoins l'offre. Mina lui demande de réfléchir.

Quelques jours plus tard, l'ex-roi d'Espagne écrit au général Mina : « J'ai porté deux couronnes, je ne ferais un pas pour en porter une troisième. Rien n'est plus flatteur pour moi que de voir des hommes, qui, lorsque j'étais à Madrid, ne voulurent pas reconnaître mon autorité, venir aujourd'hui dans l'exil me chercher pour me mettre à leur tête. Mais je ne crois pas que le trône que vous voulez élever de nouveau puisse faire votre bonheur. Chaque jour que je passe sur la terre hospitalière des États-Unis me démontre davantage l'excellence des institutions républicaines pour l'Amérique : gardez-les donc comme un don précieux de la Providence ; apaisez vos querelles intestines ; imitez les États-Unis, et cherchez au milieu de vos citoyens un homme plus capable que moi de jouer le grand rôle de Washington. »

Nullement découragé par le refus de Joseph, le général Mina, accompagné de ses hommes, rend visite à Napoléon sur le chantier de Point Breeze deux semaines plus tard. L'accueil est fort rustique. Napoléon les invite dans sa tente, et leur désigne quelques troncs d'arbres sciés en guise de sièges. Napoléon, déjà informé de la visite du général à Joseph, lui dit :

– Vous venez me proposer ce que mon frère a refusé !

Sur un ton grave, le général rétorque :

– Majesté, c'est plus que la couronne du Mexique que nous sommes venus vous offrir. Le Mexique ne serait qu'un tremplin. C'est un empire qui s'offre à vous ! Ces peuples opprimés, que vous libéreriez du joug colonial espagnol, vous voueraient une reconnaissance sans bornes. Ils attendent que vous leur montriez la voie du progrès et de la prospérité.

Vous êtes celui qui peut apporter l'égalité et la liberté à l'Amérique hispanique en y introduisant votre Code civil, comme vous l'avez fait en Europe, dans les territoires annexés à l'Empire.

Resté debout, les mains derrière le dos, Napoléon écoute, impassible, la plaidoirie animée du général Mina.

– Un grand nombre de vos officiers combattent déjà aux côtés des insurgés, au Chili, en Nouvelle-Grenade, au Pérou, poursuit Mina. Sous vos ordres, ces officiers constitueraient l'armature de l'armée de libération du Continent.

Puis, le général se tait. Il attend le verdict.

– Mon général, répond Napoléon, j'ai la certitude qu'un jour les colonies espagnoles seront indépendantes de Madrid, tout comme les colonies anglaises se sont libérées de l'Angleterre. Mais ce sont les insurgés eux-mêmes qui doivent se libérer du joug de Madrid, ce qui n'exclut pas une aide extérieure. Si vous souhaitez néanmoins aller à la conquête du Mexique, je tiens à vous dire que les forces dont vous disposez actuellement sont insuffisantes. De plus, quelle connaissance avez-vous du terrain? De quels appuis bénéficiez-vous à l'intérieur même du pays? En ce qui concerne la couronne impériale que vous m'offrez, elle ne vaut rien si elle n'émane pas d'une volonté populaire. Prenez les États-Unis d'Amérique comme modèle, créez une, deux ou trois républiques, et mettez à leur tête des chefs qui auront combattu pour leur indépendance.

Puis il ajoute:

– Il y a aussi un âge pour faire la guerre, et j'ai passé cet âge.

Francisco Javier Mina repart bredouille, mais non découragé. Il pense que s'il peut faire la preuve qu'il bénéficie d'importants moyens, de solides appuis à l'intérieur du pays, et qu'il y a une forte volonté populaire en faveur de l'Empereur des Français, il pourra fléchir la volonté de celui-ci.

À son tour, la délégation de parlementaires britanniques vient d'arriver à Philadelphie. Prévenu, Napoléon décide de l'accueillir à Lansdowne House. Habillé avec élégance, portant la médaille de la Légion d'honneur, Napoléon conduit les parlementaires dans le grand salon. Ces trois émissaires ne sont pas ses ennemis, et il le sait.

Parfaitement conscient de la fascination qu'il exerce sur ses interlocuteurs, il est là, assis face à eux, et les écoute. L'un des membres de la délégation, après quelques propos d'usage, amorce l'entretien en abordant la situation générale qui prévaut en Europe, et particulièrement en France, depuis son départ : la Terreur blanche[7], l'état convulsif de la France, l'amorce d'un culte de sa personne parmi le peuple et au sein de l'armée, les idées libérales qui naissent partout en Europe, l'extrême nervosité des chancelleries qui redoutent un nouveau putsch contre les Bourbons… qui ouvrirait la voie à son retour. Ils veulent donc connaître ses vues face à l'état actuel de la situation.

– Je suis heureux d'apprendre qu'il se dessine actuellement en France un mouvement en ma faveur. Mais il ne suffit pas que le peuple et l'armée me réclament pour que je revienne. Il faudrait encore que les Alliés ne s'y opposent pas. Sinon ce sera encore la guerre, et les Français n'en veulent plus. Moi non plus. Je ne veux pas être tenu encore responsable des malheurs de la France. Ceux qui veulent protéger les acquis de la Révolution doivent aujourd'hui se regrouper sous la bannière de Napoléon II, mon fils, en faveur de qui j'ai abdiqué.

– Seriez-vous prêt à faire une déclaration publique en ce sens, que nous pourrions lire en chambre à notre retour ? demande alors l'un des représentants. Une telle déclaration serait de nature à calmer le jeu en Europe, et à dissuader vos partisans de se mobiliser en votre faveur.

7. « Terreur » orchestrée par les royalistes.

– On ne m'a pas cru à mon retour de l'île d'Elbe, lorsque j'ai déclaré que j'avais renoncé à toute idée d'empire, que j'acceptais les nouvelles frontières imposées à la France, que je voulais la paix à tout prix, et que je ne souhaitais plus que travailler au bonheur et à la prospérité de la France. Pourquoi l'Europe ajouterait-elle foi à une nouvelle déclaration de ma part ?

Les trois délégués soupèsent chacune des paroles de cet homme dont il a toujours été difficile de sonder les intentions réelles.

– Je vais vous dire autre chose, ajoute-t-il. Pour faire la guerre, il faut une santé de fer, qui ne peut être remplacée par rien d'autre. À quarante-six ans, je n'ai plus la résistance du général Bonaparte. Je l'ai dit et je le répète, ma carrière politique et militaire est terminée.

Mais il n'y a pas que son éventuel retour en Europe qui préoccupe les parlementaires.

– Plusieurs de vos généraux, qui ont trouvé refuge en Amérique, ont rejoint les rangs des insurgés dans les colonies hispaniques. En Europe, on craint qu'ils ne pavent la voie à votre venue. L'idée seule que vous soyez aux commandes d'un empire, s'étendant de la frontière sud des États-Unis jusqu'à la Terre de Feu, fait frémir toute l'Europe !

– Pour vous rassurer, leur dit-il, je vous conseille de contacter le général Mina, qui est encore dans la région.

– Il y a aussi la question du Canada ! poursuit le chef de la délégation.

Napoléon le regarde fixement.

– Plusieurs de vos généraux ont acheté des terres le long du fleuve Saint-Laurent, à proximité de la frontière. Certains y ont formé des colonies… Des va-et-vient entre les deux rives, américaine et canadienne, ont aussi été remarqués depuis leur présence dans la région… Mon gouvernement soupçonne la préparation d'un complot… avec la complicité de Canadiens restés attachés à la France !

– Vous êtes mieux informés que moi ! répond Napoléon.

Celui-ci se lève, fait quelques pas, puis se tourne vers ses hôtes.

– Croyez-vous vraiment qu'une dizaine de généraux munis de simples pistolets et aidés d'une poignée de sympathisants puissent s'emparer du Canada ? Ce serait, de votre part, leur faire un grand honneur que de le croire ! Il est vrai que les généraux français étaient les meilleurs d'Europe, mais il leur faudrait au moins quelques régiments !

Les délégués repartent satisfaits. Du moins en ce qui concerne l'avenir immédiat.

Napoléon, qui est à Point Breeze depuis deux semaines, est rentré à Fairmount pour célébrer ses quarante-sept ans, et sa première année de vie américaine. En ce 15 août, il croit qu'en Europe bien des verres se sont levés aujourd'hui à sa santé. Pour marquer ce double anniversaire, il a convié ses compagnons d'exil à dîner, ce soir, à bord de son voilier.

Pour l'heure, il n'a pas quitté sa chambre de la matinée. Il s'est reposé, a lu, a répondu à son courrier, puis il a longuement bavardé avec Joseph qui est venu déjeuner avec lui. Il l'interroge à nouveau sur les résultats de ses démarches pour retrouver la correspondance que les souverains lui avaient adressée au temps de sa gloire. Il veut toujours la publier en Amérique.

– J'ai reçu la réponse de mon secrétaire, M. Presle, dit Joseph. Les copies de ces lettres que tu m'avais remises ont disparu des caisses où il les avait placées lui-même ! Et les originaux ont disparu des Archives ! D'après toi, qui a donc pu subtiliser cette correspondance ?

– Quelqu'un qui n'a pas intérêt à ce qu'elle soit publiée, ou qui souhaite la monnayer. Il faut croire qu'un agent du tsar s'est immiscé dans l'entourage de M. Presle! soupçonne Napoléon.

– Il fait présentement enquête.

Puis Joseph évoque la visite du général Mina.

– L'offre du général était plutôt inattendue! dit-il.

– Il n'est pas le seul Espagnol à avoir fait volte-face! J'étais à peine de retour de l'île d'Elbe que les résistants qui s'étaient montrés le plus acharnés contre mon invasion s'adressaient maintenant à moi. Ils m'avaient combattu, disaient-ils, comme leur tyran; ils venaient maintenant m'implorer comme un éventuel libérateur! Ils ne me demandaient qu'une légère somme, disaient-ils, pour s'affranchir eux-mêmes et produire dans la péninsule ibérique une révolution comme celle que j'ai effectuée en France dès mon arrivée au pouvoir.

– Et alors? demande Joseph, étonné par cette histoire dont il n'a jamais eu vent.

– Si j'avais vaincu à Waterloo, j'allais les secourir!

– En France aussi, il y a un véritable retournement de l'opinion en ta faveur.

– C'est que les Français viennent de comprendre ce que signifie Waterloo: le retour des privilèges, et la fin de l'égalité pour tous devant la loi. Seule la présence des Alliés sur le territoire maintient actuellement les Bourbons sur le trône. Ils ont partie liée avec nos ennemis. Cela aussi, les Français viennent de le comprendre.

– Tu as lu à propos des milliers d'insurgés de Grenoble? demande Joseph. Les condamnés criaient sur l'échafaud «Vive l'Empereur»! On ne parle que de complots bonapartistes. Les déportations et les exécutions n'y changent rien. Il paraît aussi que le peuple inonde le tsar de pétitions demandant qu'il ramène Napoléon II en France!

– Des millions d'hommes nous pleurent, la patrie soupire, et la gloire de la France est en deuil!

Napoléon a été informé que le nouvel ambassadeur de France, Hyde de Neuville, est enfin arrivé à Washington.

Il connaît bien Jean-Guillaume, baron Hyde de Neuville. Il avait été accusé, à tort, d'avoir comploté pour l'assassiner, peu de temps après son arrivée au pouvoir. Il lui avait finalement accordé l'exil aux États-Unis. Bien que royaliste de conviction, le baron s'est opposé à la loi du 12 janvier 1816 qui bannissait la famille Bonaparte de France, se souvenant sans doute de ses années d'exil. Grand, l'allure noble, le geste martial, le baron est une figure emblématique de la monarchie. À deux reprises, le Premier Consul l'avait convoqué, à l'époque, pour tenter de le rallier à son régime. Réciproquement, Hyde de Neuville avait voulu convaincre Bonaparte de rétablir Louis XVIII sur le trône!

L'ambassadeur a communiqué, il y a peu, avec le général Bertrand pour savoir s'il souhaitait recevoir le portrait officiel de Napoléon, peint par Gros, qui se trouvait à l'ambassade, maintenant remplacé par celui du roi. Le général a demandé de le faire expédier à ses soins.

Depuis son arrivée, l'ambassadeur fait les manchettes des journaux. Il se plaint de l'attitude des Américains qui font du despote Buonaparte l'homme de la Révolution, et des réfugiés de l'Empire des martyrs, et même des héros. Il s'indigne des injures proférées par la presse contre la famille royale. Il a été particulièrement ulcéré des toasts offerts lors d'un dîner public à Baltimore le 4 juillet dernier, le jour de la fête nationale américaine, en présence de généraux de l'armée de Napoléon. Il avait prévu s'y rendre jusqu'à ce que le secrétaire d'État, James Monroe, l'informe diplomatiquement qu'il risquait de ne pas apprécier les toasts en question. Puis, la rage le prit lorsqu'il lut la déclaration du directeur de la poste de Baltimore, Skinner, à l'effet que Louis XVIII était « un tyran imbécile ». L'ambassadeur a demandé non seulement la destitution de Skinner, et mais aussi le rappel de

William Lee, consul qui est toujours à Bordeaux, celui-là même qui avait mis le *Pike* à la disposition de Napoléon pour qu'il se rende en Amérique. L'ambassadeur lui reproche ses activités antimonarchiques. Monroe lui a rappelé qu'en Amérique, personne ne peut être destitué pour avoir exprimé sa pensée. Quant à Lee, son mandat étant terminé, il doit rentrer au pays incessamment. Pour calmer l'ambassadeur, le président Madison s'est empressé, lors de la réception offerte pour la remise de ses lettres de créance, de suspendre côte à côte les portraits de Washington et de Louis XVIII. Napoléon aimerait savoir lesquels de ses généraux étaient présents à Baltimore. L'incident l'intéresse. Mais surtout, il veut savoir à quel moment William Lee rentre de mission. Il désire accueillir son bienfaiteur à Lansdowne House.

Ce matin, Napoléon est reparti tôt pour Point Breeze, accompagné de Joseph et de l'architecte.

Les deux chantiers fonctionnent en parallèle et prennent forme. Les ouvriers s'affairent présentement à la pose du stuc. La maison de Joseph, qui occupe la partie sud du terrain, fait cinquante mètres de façade par dix-huit mètres de profondeur. Elle comporte à ses extrémités deux ailes perpendiculaires qui rappellent son château de Prangins. Celle de Napoléon, construite sur la partie nord, fait soixante mètres de façade par quinze mètres de profondeur. Elle évoque effectivement la Malmaison, avec ses deux tours carrées aux extrémités, légèrement en avancée par rapport au corps principal. Un boisé de cent mètres de largeur sépare les deux maisons, reliées entre elles par un passage souterrain qui protège des intempéries et, en surface, par une allée dont l'aménagement est prévu pour le printemps.

À chaque visite, Napoléon parcourt le chantier, échange quelques propos avec des ouvriers intimidés, discute avec l'ingénieur. Puis il se fait montrer le calendrier des travaux à venir. Il est satisfait. La gestion est rigoureuse et les coûts, sous contrôle.

Aujourd'hui encore, des curieux, tenus à distance, espèrent apercevoir l'Homme du siècle.

Au retour, les deux frères s'arrêteront chez l'ébéniste Michel Bouvier, comme à chaque déplacement, pour vérifier la progression de la commande de meubles. Joseph, en plus, a fait venir d'Europe le contenu de ses châteaux de Prangins et de Mortefontaine : meubles, tableaux, sculptures, tapis, tapisseries, lustres, porcelaines, argenterie.

Assis dans le jardin à Lansdowne House, Napoléon parcourt le nouveau journal bonapartiste de Philadelphie, *L'Abeille américaine*, édité par un réfugié, Simon Chaudron. Un long article du maréchal Grouchy fait la manchette en première page. Las d'être tenu responsable de la défaite de Waterloo par les autres réfugiés, le maréchal a décidé de répondre à ses détracteurs en donnant sa version des faits. Napoléon lui donne raison quant aux faits, mais il persiste à penser qu'il est un mauvais exécutant.

Et c'est en parcourant le journal qu'il apprend aussi l'exécution du général Mouton-Duvernet. Il est bouleversé. Il avait cru le général en sûreté. Et surtout, qu'on avait mis un terme aux exécutions.

Louis XVIII l'avait fait gouverneur de Valence à la première Restauration. Apprenant le retour de l'Empereur, le général était allé à sa rencontre. Napoléon l'avait nommé gouverneur de Lyon. Frappé par l'ordonnance du 24 juillet, il avait trouvé refuge à Meaux, chez un ami royaliste. Las de la clandestinité, et jugeant les esprits calmés, il s'était livré. Il a été jugé, condamné à mort et exécuté le 27 juillet.

Début septembre. L'architecte Percier est arrivé de Paris. Il vient de soumettre plusieurs esquisses. Point Breeze ne sera pas un palais impérial, mais à coup sûr la maison d'un homme de fortune. Échantillons en main, Percier et son illustre client parcourent ensemble chacune des pièces, arrêtant le choix des couleurs, tissus, accessoires, l'emplacement des miroirs et panneaux muraux en acajou. Pour ce qui est du mobilier, l'architecte, muni de catalogues d'importateurs, indique les pièces qu'il conviendrait de faire venir de Paris, et l'emplacement choisi pour chacune d'elles.

Avant de quitter Percier pour rentrer à Lansdowne House, Napoléon jette un coup d'œil à la maison de Joseph : des ouvriers s'affairent à poser les dalles de marbre du hall d'entrée.

En cette fin d'été, Point Breeze est le plus gros employeur de la région. Pour gagner du temps, les travaux de construction se font concurremment avec les aménagements du parc. Tout devrait être complété au printemps prochain.

Chapitre x

Vies d'exilés

Napoléon reconnaît l'écriture de l'adresse sur l'enveloppe cachetée. Voilà enfin une lettre d'Hortense. Il l'ouvre.

Constance, 27 août 1816

Mon cher père,

J'ai bien reçu votre lettre de février dernier, mais j'ai attendu pour y répondre de pouvoir remettre la mienne à une personne de confiance se rendant aux États-Unis.

Je suis toujours à Constance, où j'ai eu la permission de séjourner provisoirement. J'ai loué une petite maison au bord du lac. C'est en fait une bicoque, percée de tant de fenêtres qu'on dirait une lanterne. Un escalier de bois mène à une mezzanine, sur laquelle donnent les chambres de la maison, qui compte en tout six pièces, mal closes et blanchies à la chaux. Je l'ai meublée avec mes meubles de l'hôtel de la rue Cerutti, à Paris, que Louis a vendu l'année dernière.

Je vis recluse avec le fils qu'il me reste et quelques personnes de ma maison de Paris qui m'ont accompagnée jusqu'ici.

Le train que je mène n'a plus rien à voir avec celui de jadis. Mais je m'y fais, n'ayant jamais cultivé un goût pour le luxe. Étrangement, ce sont mes domestiques qui souffrent davantage de notre nouvelle situation. Lorsqu'en 1814 mes revenus annuels sont passés de deux millions à quatre cent mille francs, suite aux différents traités, je me demandais ce que j'allais faire, moi qui n'ai jamais connu le prix de l'argent. Eh bien, je me suis ajustée en conséquence. À présent, je n'ai plus de revenus, mes seules ressources étant mes tableaux et mes diamants, que j'aurais dû vendre avant de quitter Paris afin de me faire une fortune. Mais la fortune est ce qui me préoccupe le moins, comme s'il n'en fallait pas pour vivre! Le produit de mes premières ventes a servi à pallier aux besoins de ceux qui m'accompagnent. Rendus indépendants, j'aime à penser qu'ils ne sont restés à mes côtés que par dévouement.

Mais pour tous les gouvernements je demeure une personne redoutable. Les persécutions m'ont rejointe, et l'espionnage m'environne de tous côtés et sous toutes les formes. Les ambassadeurs de France, qui tous veulent se mériter l'estime et la confiance de leur nouveau souverain, en particulier celui en Suisse, M. Auguste de Talleyrand[1]*, que vous aviez fait chambellan, rapportent régulièrement avoir déjoué un complot dont j'aurais été l'instigatrice.*

Dans ma profonde retraite, j'ai tout le temps de lire les calomnies répandues contre vous. Auparavant, je l'avoue, je n'avais pu concevoir jusqu'à quel point les passions sont capables de renier ce qu'elles ont encensé. Votre famille s'est montrée digne dans le malheur. Sans appui, sans fortune, en butte à toutes les vexations, elle a su encore mériter de la considération partout où le sort l'a jetée.

1. Frère de l'ancien ministre des Affaires étrangères de Napoléon.

En plus de lire, je me suis remise à la musique. Comme autrefois je compose des romances, mais que maintenant je suis seule à chanter.

Souvent mon fils cadet[2] *m'interroge sur la France. Il demande : « Comment, maman ? Est-ce que nous ne verrons plus la France ? » Je ne puis prononcer le non fatal sans montrer une vive émotion, mais je m'efforce toujours de lui montrer des motifs de consolation. Je lui dis qu'éduqué loin de la médiocrité et des flatteries, il deviendra meilleur, et qu'élevé plus près des misères humaines, il apprendra à y compatir.*

J'ai vu arriver à Constance des exilés français, d'anciens Conventionnels[3]*, presque tous accablés de vieillesse et d'infirmités. Chassés impitoyablement de la Suisse, ils étaient venus mourir près de moi. Une pauvre femme, atteinte d'une fluxion de poitrine, n'a pas eu la permission de s'arrêter à Berne et a péri une heure après son arrivée à Constance. Face à un tel malheur, on se met à croire que Mme Krüdener, l'égérie du tsar, était inspirée lorsqu'elle s'écriait : « Ceux qui embrassent la cause de l'Empereur Napoléon seront persécutés, poursuivis. Ils ne trouveront pas un asile où reposer leur tête. »*

En avril, j'ai eu le bonheur d'accueillir mon frère Eugène qui avait laissé sa femme et ses enfants à Munich. Que de choses à raconter. Je n'étais plus seule sur cette terre, quelqu'un me gardait un véritable intérêt. Il me parla de la haine des Allemands pour tout ce qui est français, l'ayant lui-même ressentie, et des libelles qui circulaient à mon sujet. Eugène n'a pas changé. Il est resté bon, généreux, brave,

2. Louis Napoléon, le futur empereur Napoléon III.
3. Députés élus à l'Assemblée constituante de 1792 ; bannis de France par l'Ordonnance du 24 juillet 1815 pour avoir voté la mort de Louis XVI.

loyal, préférant l'honneur à l'éclat du rang. Après une semaine, il est reparti pour Munich et il fut convenu qu'en juin j'irais voir sa petite famille, qu'il était impatient de me faire connaître.

Je reçois souvent des lettres de M. de Flahaut qui, après avoir obtenu un congé de l'armée, s'est rendu en Angleterre. Il dit ne penser qu'au moyen de se rapprocher de moi. Vivre ici avec l'homme que j'ai le plus aimé dans ma vie, et au cœur de cette belle nature, voilà maintenant mon unique ambition. Mais quel bonheur offrir à celui qui attacherait son sort à mon malheur ? M. de Flahaut est fait pour la société, il l'aime et y obtient du succès. Me suivre maintenant serait y renoncer pour se vouer à l'infortune.

J'étais plongée dans ces sombres pensées lorsque j'ai reçu une lettre de Louis m'apprenant qu'il voulait obtenir l'annulation de notre mariage. À cette fin, il me demandait d'intervenir auprès du pape en affirmant que notre union avait été « forcée » et, de ce fait, n'était pas valide. Mes enfants et ma conscience m'ont contrainte à dissuader Louis d'un tel projet. Le mariage n'est-il pas sacré et indissoluble ? Puis il me parlait de notre fils aîné, qui vit maintenant avec lui à Rome, dont il a décidé de refaire l'éducation, dit-il. Il a élaboré des règles de conduite qu'il charge ses précepteurs d'appliquer : le jeudi il doit écrire à sa mère ; la liqueur et le café lui sont interdits, seul le bordeaux est autorisé ; il doit se laver les pieds au moins une fois par semaine, se nettoyer les ongles avec du citron, les mains avec du son, jamais de savon, et se nettoyer la tête avec une éponge sèche sans eau ; l'eau de Cologne lui est interdite ; les taches de cire de ses habits doivent être enlevées avec une lame chauffée ; un quart de tablette de chocolat au plus chaque jour lui est alloué ; quand il va au théâtre, il doit toujours mettre sa capote avant de sortir de sa loge ; il doit porter des souliers suffisamment larges pour que chacun puisse chausser indifféremment les deux pieds, le gauche ou le droit, et faire état régulièrement de sa garde-robe et de son argent ; il doit obéir à un ordre même injuste.

Ses précepteurs se succèdent à un tel rythme que je ne connais jamais le nom de celui du moment. L'état mental de Louis m'inquiète, et l'avenir de mon fils encore davantage.

J'ai reçu au mois de septembre une lettre du chancelier Metternich, avec un passeport du gouvernement autrichien, m'invitant de la part de son souverain à venir m'installer dans ses États où je serais traitée avec tous les égards que je méritais. C'était sans doute le gouvernement sur lequel je pouvais le plus compter. Mes enfants étaient cousins du petit-fils de l'empereur d'Autriche, peut-être s'en souvenait-il encore ? J'ai pris le parti de refuser pour le moment, ajoutant qu'à Constance, comme dans ses États, j'espérais toujours trouver son appui. Je préfère, je l'avoue, une liberté inquiète à une prison protectrice. Ma retraite solitaire n'est pas sans charmes pour moi. Le pays est magnifique, avec ces hautes montagnes couvertes de neige qui se reflètent dans le lac. Plus on a à se plaindre des hommes, plus on jouit de la nature.

Je cherche actuellement un petit coin de terre où je pourrais me faire construire une maison selon mes goûts. Mais ce ne pourra pas être à Constance, la cour de Bade ayant défendu aux autorités de la ville de me laisser acheter quoi que ce soit dans le pays. C'est donc du côté de la Suisse où je regarde maintenant.

J'aimerais bien, lorsque votre maison sera terminée, que vous m'en envoyiez un croquis, afin que je puisse imaginer plus facilement votre vie dans ce coin reculé du Nouveau

Monde, qu'un jour, peut-être, j'aurai le plaisir de visiter. La presse européenne fait état du grand nombre de généraux et de dignitaires de l'Empire qui se sont réfugiés aux États-Unis. J'imagine que vous êtes en contact avec des officiers supérieurs de l'armée et d'anciens collaborateurs. Que de souvenirs à évoquer ! Comment tous ces gens, qui sont l'honneur de la France, ont-ils été accueillis là-bas ? La Révolution avait exporté des oisifs, des parasites de la société. La Restauration a exporté des savants, des artistes, des ingénieurs, les plus grands d'Europe. Quelle manne pour un pays d'accueil ! La société américaine saura-t-elle profiter des connaissances et des compétences de ces réfugiés ? Comment tous ces gens vivent-ils ?

C'est toujours avec beaucoup d'impatience que j'attends chacune de vos lettres, hélas trop espacées.

Très affectueusement,

HORTENSE

La première lettre d'Hortense l'avait bouleversé. Celle-ci le rassure un peu. Que peut-il pour elle ? Rien, sinon des conseils. Elle devrait se rapprocher d'Eugène, s'établir en Bavière, pense-t-il, ou encore accepter l'offre de Metternich de résider dans les États de l'empereur d'Autriche. Elle y serait à l'abri des persécutions. Il est convaincu qu'à moins d'un changement politique majeur en France, jamais Hortense n'obtiendra de passeport pour l'Amérique, tout comme Lucien d'ailleurs. Pour ce qui est de Louis, il ne croit pas utile d'intervenir. Depuis l'abdication de celui-ci du trône de Hollande en 1810, les ponts sont rompus entre eux.

Enfin une nouvelle qui le réjouit ! Le général Savary, duc de Rovigo, son ancien ministre de la Police, l'a informé que le gouvernement américain lui a confié la création d'un service de renseignements, dont l'absence s'était cruellement fait sentir lors de la guerre de 1812-14. Avant qu'il ne quitte Philadelphie pour Washington, Napoléon a voulu souligner l'événement en conviant plusieurs des siens, tous vétérans de Waterloo, à un déjeuner champêtre au milieu du paysage flamboyant de l'été indien. Le maréchal Grouchy a accepté l'invitation, au grand étonnement de tous. L'article qu'il a publié dans *L'Abeille américaine,* en réponse aux accusations mettant en cause sa responsabilité dans la défaite de Waterloo, semble avoir amélioré sa position parmi les autres réfugiés.

Avant de passer au jardin, Napoléon souhaite montrer les plans de son futur domaine, qu'il étale sur la longue table de la salle à manger. Outre la maison, les plans comportent des esquisses de bâtiments annexes, et d'aménagements pour un parc d'une centaine d'hectares, avec vergers, potagers, massifs de fleurs, boisés, nappes d'eau, embarcadère, belvédère, ainsi que des sentiers de promenade à cheval en forêt.

Il y a longtemps que ses compagnons d'exil n'avaient vu l'Empereur dans une telle forme, car les terribles nouvelles des derniers mois l'avaient fort éprouvé. Face à l'adversité, il avait fait preuve d'un formidable courage moral et d'une extraordinaire maîtrise de lui-même. Mais il avait beau dire que les événements lui glissaient dessus tel le plomb fondu sur le marbre, et que le ressort pouvait se comprimer, mais qu'il se redressait toujours avec toute sa flexibilité, son entourage savait que la réalité devait être plus nuancée. Tous le félicitent pour ses talents d'architecte et de paysagiste.

Le maître d'hôtel vient prévenir que le service est prêt.

Napoléon, assis à côté de la belle duchesse de Rovigo, se tourne vers elle.

– Vous allez trouver à Washington la vie sociale qui vous manque tant à Philadelphie !

Le général Savary regarde sa femme qui n'a pas l'air très enthousiaste.

– Déjà, pour s'adapter à Philadelphie après Paris, il fallait de l'héroïsme, de dire la duchesse. Mais alors, Washington !

– Vous jugez trop vite, réplique Napoléon.

– Mais cette ville est un désert ! poursuit-elle. Il y a quinze ans, c'était un champ sur les bords du Potomac ! Et ce qu'ils ont construit depuis a été rasé par les Anglais il y a deux ans.

Dans un grand éclat de rire, la duchesse ajoute :

– Depuis ce temps, il paraît que le président Madison dirige le pays depuis son cottage !

La duchesse avait fait partie de la maison de l'impératrice Joséphine, puis de celle de l'impératrice Marie-Louise, à titre de dame du palais. Elle y avait été une femme d'influence, riche, élégante, mais aussi généreuse. Aujourd'hui, dans l'adversité, elle a choisi de partager le sort de son mari.

Le général Savary veut rassurer sa femme.

– J'ai plutôt entendu dire que, grâce à la *first lady* Dolly Madison, Washington a maintenant une vie sociale très animée.

– Dans quelques mois elle n'y sera plus ! Le mandat de Madison arrive à terme en novembre, dit la duchesse.

Napoléon lève néanmoins son verre au général Savary, disant se réjouir de la nomination de l'un des siens auprès du gouvernement américain, et lui souhaite tout le succès qu'il mérite.

Puis il se tourne vers le général Simon Bernard.

– J'ai appris que vos services avaient aussi été retenus par les Américains !

– J'ai été chargé de construire un système de défenses côtières, depuis le Maine jusqu'en Louisiane. C'est un pays à construire, et il y a peu d'expertise.

Diplômé de l'École polytechnique de Paris, Bernard, âgé aujourd'hui de trente-huit ans, a participé à presque toutes les guerres de l'Empire. Napoléon se souvient de sa première entrevue avec le général Bernard, en 1805. Elle avait été orageuse. Il cherchait alors « un jeune homme, brave, prudent et instruit, propre à pousser une reconnaissance sur Vienne ». Bernard fut choisi. Lorsqu'il était venu rendre compte de sa mission en suggérant la meilleure tactique pour atteindre Vienne, il avait provoqué sa colère. « Comment ! Un petit officier qui se permet de me tracer des plans de campagne ! » avait dit Napoléon. Bernard, alors âgé de vingt-six ans, avait tourné les talons sans mot dire, à la grande stupéfaction des témoins. Mais l'Empereur avait discerné les compétences de Bernard. Il l'avait employé aux travaux de fortifications. « Voilà un jeune homme de mérite, avait-il dit, je ne veux pas l'exposer... J'en aurai besoin plus tard. » En 1813, il en avait fait son aide de camp. En 1814, il lui donnait le grade de général de brigade et le titre de baron d'Empire. Bernard se ralliait à l'Empereur à son retour d'exil et combattait à Waterloo. Ayant décidé de suivre Napoléon en Amérique, il l'avait accompagné jusqu'à Rochefort. Les circonstances ont fait en sorte qu'il n'a pu le rejoindre qu'un an plus tard.

– Votre feuille de route a dû impressionner le gouvernement américain ! s'enquiert Napoléon.

– Lorsque je suis débarqué à Washington l'année dernière, j'ai demandé à être reçu par le président Madison. J'étais muni d'une lettre de recommandation du général La Fayette. Deux mois plus tard, j'étais nommé général de brigade dans l'armée des États-Unis.

– C'est que le président Madison a lui aussi vite perçu vos compétences ! dit Napoléon.

– Il m'a alors chargé d'inspecter les fortifications déjà existantes le long de l'Atlantique, et d'en créer de nouvelles, là où je jugerais bon. Il leur faut une ligne défensive, avec des forts, des routes, des tunnels. C'est ce que la guerre leur a appris.

– Il me plairait un jour de vous y accompagner, dit Napoléon.

– Cela est tout à fait possible, assure le général Bernard.

– Vous avez fait ce travail en Europe, dit le général Bertrand qui est aussi ingénieur militaire. En quoi votre travail actuel diffère-t-il ?

– Par rapport à l'Europe, le plus grand défi, vous l'imaginez, c'est de domestiquer la nature sauvage.

– Quel travail éprouvant ce doit être ! s'exclame la comtesse Bertrand.

Le général Bernard sourit, puis regarde le maréchal Grouchy.

– Vous qui travaillez en ce moment au tracé de la route qui reliera Washington à la Nouvelle-Orléans, vous serez sûrement d'accord avec moi ?

– Il est certain que le travail de reconnaissance géodésique d'un terrain en Amérique ne s'effectue pas dans les mêmes conditions qu'en Europe !

Les regards se tournent vers le maréchal, mais sans animosité. Certains ne l'ont pas revu depuis Waterloo.

– Les régions que nous traversons sont incultes, ajoute-t-il. Plusieurs sont habitées par des tribus indiennes, dont certaines demeurent redoutables. Nous sommes constamment à la merci d'attaques, déclare encore le maréchal.

– Comment vous déplacez-vous ? demande Napoléon.

– À pied, à cheval, sur des radeaux de fortune que nous confectionnons nous-mêmes, ou encore sur des pirogues. Nous évaluons, parmi différents itinéraires, celui qui convient le mieux au plan politique, militaire et commercial. Nous avons parcouru la distance Washington – Nouvelle-Orléans quatre fois, à travers ravins et marécages, en franchissant des fleuves…

Le général Bernard, qui a travaillé un moment avec le maréchal, confirme les conditions de travail extrêmement difficiles qui prévalent dans ces régions.

– Je suis tombé gravement malade il y a quelques mois, ajoute le maréchal. Par chance, nous nous trouvions sur un territoire où les Indiens se montraient hospitaliers. Ils m'ont soigné avec des herbes et des invocations au Grand Esprit par les sachems !

Grand éclat de rire autour de la table. Et l'atmosphère se détend.

– Voilà enfin une médecine qui donne confiance ! s'exclame Napoléon, qui n'a jamais cru à l'effet salutaire des médicaments.

– Comment arrivez-vous à vous orienter dans ces territoires incultes ? demande le général Gourgaud.

– Les Indiens nous y guident très souvent, répond Bernard. Nous utilisons aussi leurs sentiers et la boussole. Un jour, sur un radeau couvert de peaux de cerfs, ils nous ont emmenés à l'embouchure d'une rivière que nous ne trouvions pas.

– Combien pensez-vous qu'il y a d'officiers français qui travaillent actuellement pour le gouvernement américain ? demande Napoléon.

– Nous sommes peu nombreux, en dépit de la supériorité technique reconnue des officiers français sur leurs collègues américains.

– À quoi attribuez-vous cela ?

– Il semblerait que leur prétention, leurs exigences, la gloire tapageuse de leurs conquêtes passées, provoquent la méfiance du gouvernement américain.

– Les Américains sont susceptibles ! dit Poussin, qui travaille maintenant pour la Topographical Engineer Corps.

Le moment du dessert arrivé, Napoléon se lève et porte un toast aux jeunes mariés, le lieutenant-colonel Michel

Combe et Elisa Walker. Le lieutenant-colonel était à l'île d'Elbe avec lui, puis à Waterloo; Elisa Walker est une riche Américaine de West Point qui possède de vastes domaines près de New York.

– J'étais au mariage! Ce fut un grand mariage, déclare le colonel Crozet, qui enseigne maintenant à l'Académie militaire de West Point.

Napoléon se rassoit, puis se tourne vers le colonel Crozet.

– Vous êtes entré à West Point! Qu'enseignez-vous?

– Le génie civil et militaire: ponts, tunnels, routes et forteresses, selon la méthode de Vauban et de Cormontaigne.

Diplômé de l'École polytechnique, le colonel Crozet, âgé de vingt-sept ans, est un expert en construction de ponts, tout comme le général Bertrand. À Waterloo, il avait été chargé d'acheminer les munitions pour l'artillerie. Mais, retardé par les pluies torrentielles, il était arrivé après la défaite de l'Empereur.

– Comment avez-vous été approché? demande le général Bertrand, qui envisage peut-être d'y solliciter un poste, lui aussi.

– Comme le général Bernard, j'étais muni d'une lettre du général La Fayette. Ce nom, ici, a un effet magique. Mais c'est ma formation en génie à l'École polytechnique de Paris, jumelée à l'expérience que j'ai acquise dans la Grande Armée, qui m'a ouvert les portes de cette institution.

– Et comment trouvez-vous West Point? demande Napoléon.

– J'y enseigne depuis un mois seulement.

Le colonel Crozet esquisse un sourire.

– Je leur ai fait acheter des tableaux noirs d'ardoise. Ils ne connaissaient pas cela!

– Au début du Consulat, dit Napoléon, des officiers américains étaient venus à Paris s'enquérir de la formation militaire qu'on y donnait. Je leur ai fait visiter l'École polytechnique, comme à tous les savants étrangers qui visitaient la France. Ils en revinrent impressionnés et décidèrent de fonder, sur son modèle, une école militaire qui est devenue West Point. L'excellence de l'École polytechnique de Paris a largement servi la politique étrangère de la France.

Si Napoléon est intéressé à connaître les impressions de Crozet sur l'Académie militaire de West Point, ce n'est pas seulement à cause de son historique. C'est que lui-même a reçu une invitation du conseil d'administration de l'institution pour y donner une série de conférences en octobre prochain, à l'intention des cadres et du personnel enseignant. L'Académie souhaite également intégrer les campagnes du général Bonaparte et celles de l'Empire dans les cours d'histoire militaire, et demande la collaboration de Napoléon à cette fin.

Cette invitation inattendue l'a évidemment flatté, mais devrait-il l'accepter ? Il juge sa connaissance de l'anglais insuffisante. Pour converser au quotidien, il s'exprime convenablement. Mais de là à prendre la parole en public, et sur des sujets aussi pointus que l'artillerie, la tactique, la stratégie ! Lui, si fier, à qui le roi de Prusse a déjà dit qu'il parlait comme un homme de lettres, trouverait mortifiant d'être incapable de nuancer ses idées, de trouver le terme juste devant un auditoire.

Quant à sa collaboration pour intégrer ses campagnes dans les cours d'histoire militaire, il n'y voit pas d'objection a priori. D'autant plus qu'il s'apprête à en faire le récit dans ses mémoires.

Mais, n'ayant encore rien décidé, il préfère n'en rien dire à ceux qu'il accueille aujourd'hui.

– Vive la France ! se contente-t-il de lancer, tout souriant, en levant son verre.

– Vive la France ! répondent en chœur ses officiers en se levant debout, verre à la main.

Ce soir, il est heureux. Ces vivats ont une résonance particulière. Que les hautes instances américaines recourent aux services de ses officiers pour les seconder dans la construction de la jeune république est une reconnaissance de la valeur des hommes qui ont servi la France consulaire et impériale, et certainement l'une des plus douces consolations de l'Empereur dans son exil.

Le temps se rafraîchit. Napoléon invite ses officiers à rentrer. Le café sera servi dans le grand salon. Le passé resurgit. On évoque des souvenirs communs. Napoléon rappelle les fortifications qu'il avait fait construire, lui aussi, sur l'autre rive de l'Atlantique, pour se protéger du même ennemi, l'Angleterre ! La France semblait alors invincible. Cette conversation se prolongera tard en soirée.

La lettre qu'il a reçue ce matin du comte Regnault de Saint-Jean d'Angély lui rappelle que tous ses anciens collaborateurs n'ont pas la même capacité d'intégration. La dernière fois qu'il a vu le comte, c'était à Noël. Il était venu avec son fils, qui était chef d'escadron à Waterloo. Le comte lui avait semblé déprimé. Il était sans projet.

Il vit toujours à New York, écrit-il, avec son fils et quelques domestiques, dans une modeste maison. Il dit accepter toutes les invitations pour tromper son ennui.

Une lettre de son fils, arrivée sous pli séparé, se fait plus précise. La santé mentale de son père se dégrade. Il souffre périodiquement de crises de démence, erre dans les rues de New York et effectue des achats de façon inconsidérée. Sa femme, qui est demeurée à Paris, a déjà fait trois semaines de prison pour être entrée en contact avec lui en Amérique.

« Mon père pense sans cesse à la France et brûle d'y retourner », écrit-il. Puis il ajoute : « Ma mère m'écrit : "Il n'est question à Paris que des mémoires de l'Empereur qui seront imprimés en Amérique... Il paraît si grand, si supérieur à tout ce qu'on a vu dans l'Histoire qu'on n'ose plus prononcer son nom qu'avec respect...", me dit-elle encore. »

« Les soins du docteur Anderson, que vous lui aviez recommandé, ont été sans effet. Son mal se nomme l'exil, écrit encore le fils de Regnault. Il veut rentrer en Europe à la fin du mois. Il attendra en Belgique l'amnistie demandée. Il veut s'embarquer à Philadelphie plutôt qu'à New York, pour vous faire ses adieux. »

Combien sont-ils comme lui à languir en terre étrangère pour l'avoir servi ? Comment pourrait-il venir en aide à ce vieux compagnon de route, que le malheur aujourd'hui afflige ? Un sentiment particulier l'unit au comte Regnault, car c'est lui qui avait su le convaincre d'abdiquer en faveur de son fils. Il souhaite que l'activité déployée par la comtesse à Paris pour obtenir l'amnistie de son mari porte fruit.

Comme les malheurs ne viennent apparemment jamais seuls, la petite colonie d'exilés de Fairmount vient d'apprendre avec effroi le naufrage de la *Méduse* le long des côtes de l'Afrique occidentale, le 5 juillet dernier, avec trois cent quatre-vingt-quinze passagers à bord. La *Méduse* était l'une des deux frégates devant conduire Napoléon et ses compagnons de Rochefort à New York. Le choc est d'autant plus grand que la frégate venait de l'île d'Aix ! Sur les quelque cent cinquante passagers qui ont réussi à se hisser sur un radeau, seuls quinze d'entre eux ont survécu à la faim, à la soif, au soleil et au cannibalisme, les secours n'étant venus que treize jours plus tard. Ce naufrage rappelle à quel point les voyages en mer sont toujours périlleux.

Joseph, qui a passé plusieurs jours avec Annette à son hôtel particulier de Philadelphie, est rentré aujourd'hui à Lansdowne House. Napoléon lui fait part de la lettre qu'il a reçue de son ancien secrétaire, le baron de Ménéval.

– M. de Mauvière, son beau-père, est prêt à m'amener Léon. Mais je ne sais plus si je dois souhaiter qu'il vienne, dit Napoléon, indécis. Il sera déraciné une fois de plus. On dit qu'il est un garçon difficile. C'est un mal-aimé. S'habituera-t-il à moi ? Il faudrait que M. de Mauvière demeure ici plusieurs mois, le temps que l'enfant se familiarise avec son nouvel environnement et s'attache à moi.

Puis il s'arrête et regarde par la fenêtre.

– Aujourd'hui, son père, c'est M. de Mauvière, son tuteur.

– Qu'il vienne tout de même, dit Joseph. Après six mois ou un an, tu décideras de ce qui est préférable pour Léon.

– C'est ce que j'envisage effectivement.

Changeant de sujet, il tend à Joseph le livre que Ménéval a joint à sa lettre.

– *La Bataille de Waterloo* de Casimir DeLavigne ! lit Joseph en couverture.

– On me dit que c'est le premier ouvrage à paraître sur le sujet. J'hésite à le lire. J'avais commencé à me distancer de tout cela, ajoute-t-il, la voix éteinte.

Joseph feuillette le livre pendant que son frère continue à parler.

– Ménéval écrit que, malgré la censure, on voit partout les lettres « V N[4] » !

Puis il retire une lettre de sa poche et la tend à Joseph.

– Elle est de David[5]. Il s'est exilé à Bruxelles, bien que Louis XVIII l'ait autorisé à demeurer en France. Peut-être le

4. « Vive Napoléon. »

5. Jacques Louis David (1748-1825). Peintre officiel de l'Empire.

jugeait-il utile à la gloire des Bourbons. Le gouvernement français lui a cependant interdit de sortir trois de ses toiles du pays, dont *Le Sacre*[6]. Elles ont été reléguées dans les entrepôts du Louvre.

– Dans l'état actuel des esprits, je comprends que le roi ne souhaite pas la diffusion de tableaux à la gloire de son ennemi, dit Joseph.

Napoléon regarde son frère en souriant.

– David m'écrit qu'il est résolu à peindre un double du *Sacre* à Bruxelles, et à le faire circuler !

6. Tableau de 9 x 6 mètres, représentant deux cents personnages assistant au sacre de Napoléon, à la cathédrale Notre-Dame, le 2 décembre 1804.

Chapitre XI

Voyage dans le New Jersey

Toujours à l'affût des nouvelles en provenance d'Europe et retenu par le chantier de Point Breeze, Napoléon a sans cesse remis les voyages qu'il projetait depuis son arrivée en terre américaine. Croyant être parvenu au-delà de la tempête, et le chantier étant entre bonnes mains, il croit pouvoir enfin s'éloigner un peu. Il fait part à Joseph de son projet de voyage dans la péninsule du New Jersey, et l'invite à l'accompagner. Tous deux ont besoin de se changer les idées.

Compte tenu de l'état des routes, il leur a été conseillé de prendre une voiture à quatre chevaux, et de demander les services d'un cocher et d'un guide expérimentés, car les distances sont grandes, les relais rares, les auberges peu nombreuses, et les routes souvent mal identifiées. Plusieurs villages n'ont pas de nom, ou en ont changé si souvent que plus personne ne s'y retrouve. Les deux frères ont retenu les services du guide Henry Ellis, qui accompagne généralement le gouverneur du New Jersey dans ses tournées. Ils feront le voyage avec deux voitures, la seconde transportant le valet de chambre et la garde, soit le général Gourgaud et le colonel Planat de la Faye.

Les voitures roulent en direction de la mer. Les arrêts sont fréquents. Napoléon veut tout voir, tout comprendre.

Pour l'heure, le parcours est jalonné de maisons abandonnées, cernées d'arbustes, de hautes herbes. Une telle désolation est inattendue.

– Pourquoi toutes ces maisons abandonnées? demande Napoléon.

– L'économie américaine va mal, répond Ellis. Depuis que la paix est revenue en Europe, l'Angleterre a recommencé à exporter. Nous sommes inondés de produits anglais. Comme leurs entrepôts sont pleins, ils cassent les prix, ce qui entraîne la faillite des entreprises américaines, moins compétitives. Cette région est durement touchée.

Napoléon mesure soudain l'impact de ses politiques sur l'Amérique. Le blocus continental, dirigé contre l'Angleterre, aurait-il davantage nui aux entrepreneurs américains qu'aux manufacturiers anglais?

– Il y a aussi beaucoup d'entrepreneurs qui voient trop grand, ajoute le guide. Ils contractent de grosses hypothèques, qui les conduisent à la faillite. Ils vont alors vers l'ouest et recommencent à nouveau. Dans l'Ohio, le plus souvent!

– On voit aussi beaucoup de maisons incendiées, remarque Joseph.

– Les gens construisent leurs maisons trop près de la forêt. Lorsqu'un incendie s'y déclenche, leur maison flambe.

La forêt est partout. De temps à autre, surgissent des clairières au milieu desquelles ont été construits des hameaux, que les Américains appellent des villages. Une église, quelques maisons, toujours un bureau de poste, seul lien avec la civilisation, quelquefois un vieux cimetière. Au bout d'une heure, les voyageurs demandent au cocher de s'arrêter.

Les visiteurs pénètrent dans le cimetière. Des herbes hautes entourent les stèles vermoulues. Certaines inscriptions sont difficiles à lire. Ellis vient à leur secours.

– Il y a ici quelques héros de la guerre d'Indépendance, et de celle de 1812-14.

Certaines épitaphes comportent des fautes d'orthographe que les Français n'avaient pas remarquées. Ellis leur signale ce fait.

– Les gens avaient peu d'instruction, dit Ellis. Et souvent l'anglais n'était pas leur langue maternelle.

– Voilà un couple décédé à dix ans d'écart, dont les noms sont écrits différemment ! constate Napoléon.

Joseph lit les lieux de naissance inscrits sur les stèles : England, Scotland, Ireland… Sur l'une d'elles, presque lisse, il parvient à lire Sweden.

– Ce sont les Suédois et les Finnois qui ont colonisé le sud du New Jersey au milieu du XVIIe siècle, dit encore le guide.

– Les cimetières sont des grands livres d'histoire, dit Napoléon, absorbé par la lecture des différentes épitaphes.

Les voyageurs décident de profiter de la quiétude du lieu pour déjeuner.

Le repas terminé, le groupe reprend la route. À quelques kilomètres de la cité des morts, il y a celle des vivants, qui, elle, ne fait relâche que le dimanche. Les voyageurs décident d'y faire un arrêt. Ici, un oisif serait confiné à la solitude. Tout le monde est à l'œuvre : on construit, répare, repeint, récolte… Aujourd'hui samedi, jour de courrier, hommes et femmes se pressent au bureau de poste. On se connaît, on s'interpelle, toujours par son prénom, en parlant fort, souvent par monosyllabes, et toujours avec le sourire.

– Les Américains sourient beaucoup, remarque Napoléon.

– Parce qu'ils sont heureux ! réplique Henry Ellis.

Napoléon regarde son guide, un peu étonné.

– Je sais que, pour un Européen, c'est difficile à comprendre, ajoute Ellis.

Les voyageurs remontent en voiture.

Ellis propose de faire halte pour la nuit à Mount Holly.

Fondée par les quakers en 1700, cette petite ville respire la quiétude. La rue principale est jalonnée de petites maisons de brique alignées, construites dans le style fédéral, et ombragées par de grands arbres. En son centre, la ville comporte plusieurs beaux bâtiments publics de style colonial.

Le Mount Holly Inn n'est pas un hôtel luxueux, mais il est confortable, de style anglais. C'est le meilleur des environs, selon Ellis. Les voyageurs prennent possession de leur chambre, puis sortent un peu plus tard se promener en ville avant le dîner. Napoléon invite Ellis à se joindre à eux.

Parcourant les rues qui ne sont pas sans charme, les visiteurs rendent au passage les salutations qui leur sont adressées. Car ici, tout le monde salue tout le monde, toujours avec le sourire, et à chaque passage, quel que soit le nombre de fois que l'on se croise. C'est l'usage, précise Ellis.

– Il n'y a pas d'écarts de fortune ici, observe Joseph.

– C'est ce qu'ont noté tous les voyageurs européens venus avant nous, réplique Napoléon.

Ellis fait voir le palais de justice, de style géorgien, construit il y a une vingtaine d'années. L'immeuble est sobre et élégant, comme plusieurs autres bâtiments de la même époque. Mais le terrain est jonché de meubles.

– Qu'est-ce que tout cela ? demande Napoléon.

– Ici, c'est la coutume de laver l'intérieur des bâtiments publics deux fois l'an.

Un homme s'avance vers eux. Ellis l'éconduit poliment. Il est ivre. Il n'est pas le seul d'ailleurs. Sur la rue principale, les tavernes sont bondées. On ne fait pas qu'y boire, on y joue aussi. Des hommes, assis autour de tables de jeu, misent en silence. Plus loin, des citoyens en grand nombre convergent vers le *meeting hall.* Napoléon et Joseph y entrent à leur tour. La salle est comble, la discussion enflammée. Napoléon, qui a du mal à suivre à cause de l'accent, demande à Ellis de traduire.

– Un groupe de citoyens veut une nouvelle école. Il a demandé à ses élus de convoquer cette assemblée générale pour en adopter le principe. En ce moment, l'assemblée discute de l'emplacement de l'école, puis elle votera l'impôt, et remettra le projet aux élus pour son exécution.

– Ce ne sont pas les élus qui décident ? demande Napoléon.

– Non, *Sir*. C'est le peuple. Dans une république, les élus doivent exécuter la volonté du peuple. Il n'y a que les lois générales de l'État qui sont soustraites à la volonté populaire, répond Ellis, qui est visiblement un fervent républicain.

Le groupe quitte les lieux et poursuit sa promenade, tandis que la nuit tombe lentement. Les tavernes se vident progressivement.

– Pourquoi aussi tôt ? demande Joseph.

– Parce que demain, c'est dimanche. Il faut s'y préparer. Et puis, c'est le jour du bain, lui répond aussitôt le guide.

– Du bain ? s'exclame Joseph.

– Ici, c'est l'habitude de prendre son bain le samedi, affirme le guide.

L'obscurité contraint les visiteurs à rentrer à l'hôtel. Une table pour six personnes a été réservée au nom du colonel Duroc, car l'identité réelle du colonel Muiron s'est ébruitée. Une dame affable, d'une soixantaine d'années, la propriétaire des lieux sans doute, les accueille. La place est vide.

– Sommes-nous trop tôt ou trop tard ? demande Napoléon.

– Juste à l'heure ! répond la dame avec le sourire. C'est que demain, c'est dimanche. Les gens se lèvent tôt à cause de l'office religieux.

La dame dit le menu du jour, puis les boissons. Il n'y a pas de vin, mais un grand choix de bières. Après avoir porté la commande en cuisine, elle revient vers ses clients.

– Vous êtes des militaires ? leur demande-t-elle.

– Oui, autrefois, lui répond Napoléon.

– Vous êtes des Français ?

– Oui, nous sommes des Français, répond Napoléon.

– Je le reconnais à votre accent. Depuis la fin des guerres en Europe, nous avons accueilli beaucoup de Français ici. Mon mari était milicien durant la guerre d'Indépendance. Il est mort quelques mois avant la fin des hostilités.

La conversation est interrompue par le serveur qui apporte les bières.

– Vous savez, la guerre, ici, ce n'est pas comme en Europe. Lorsqu'il y avait accalmie, le général Washington donnait la permission aux troupes de rentrer chez elles, mais avec l'engagement de revenir lorsque les Anglais réapparaîtraient.

– Revenaient-ils tous ? demande Napoléon, à la fois étonné et amusé.

– La grande majorité revenait, avec leurs femmes, car elles aussi s'étaient mobilisées.

L'Américaine, le regard nostalgique, évoque cette grande époque.

– Nous faisions la cuisine pour les troupes, nous réparions leurs vêtements, leur apportions à manger et à boire dans les campements près des champs de bataille, surtout à boire, car il peut faire très chaud l'été dans le New Jersey. C'était des années difficiles, mais nous avons chassé les Anglais !

Les plats arrivent de la cuisine. Un poulet aux courgettes pour le colonel Duroc, un canard aux airelles pour le comte de Survilliers, des pot-au-feu pour le général Gourgaud, le colonel Planat et Ali, du *corned-beef* pour Ellis.

La conversation reprend, cette fois entre Français. Le sujet est toujours le même : cette déroutante Amérique.

Aujourd'hui, c'est dimanche. Difficile de ne pas le deviner. On dirait un couvre-feu ! Les volets des maisons sont mi-clos. Tous les commerces sont fermés. Des chaînes ont été installées en travers des rues qui avoisinent les églises, afin d'assurer la quiétude des croyants. Ellis était parmi eux, ce matin, à l'église.

Les voyageurs s'apprêtent à reprendre la route.

– Si nous étions à Boston, dit Ellis, nous ne pourrions même pas reprendre la route aujourd'hui. La circulation en voiture y est interdite le dimanche.

La route s'enfonce progressivement dans la forêt. Des kilomètres de forêt de chênes, de cèdres, de pins, sillonnée de nombreux ruisseaux, le plus souvent sans pont. Parfois, les voitures s'embourbent lors des passages à gué. Les chevaux s'épuisent.

– Comment faites-vous pour franchir ces cours d'eau au printemps ? demande Napoléon.

– Certaines routes ferment. Mais il y a des gens qui s'y risquent. Chaque printemps, des voitures sont emportées par le courant et des gens se noient.

Napoléon demande à Ellis de s'arrêter. C'est ici qu'il veut bivouaquer, en bordure de la rivière. Le guide a emporté des provisions pour le voyage, qui ont été préparées par l'hôtel.

– Même dans les steppes de Russie, je n'ai pas connu un isolement aussi total, dit Napoléon à Joseph.

Il se tourne vers Ellis.

– Que se passe-t-il lorsqu'une voiture se brise ? D'où viennent les secours ?

– Les gens s'entraident. Il finit toujours par passer quelqu'un. Et puis, il y a la poste qui fait quotidiennement la navette entre l'Atlantique et Philadelphie.

Avant de reprendre la route, le groupe fait quelques pas en forêt. Des bruissements de feuilles séchées attirent l'attention des promeneurs qui s'arrêtent pour observer les lieux. À une dizaine de mètres du sentier, surgissent à travers le feuillage deux têtes immobiles, aux longues oreilles dressées, dont une pourvue de bois impressionnants, leur regard fixé sur les hommes. Après un moment d'hésitation, les deux cerfs, effrayés, disparaissent dans la végétation.

Les voyageurs remontent en voiture. Le sol est devenu sablonneux, et le paysage s'est progressivement transformé en une pinède qui s'étend à perte de vue.

– Voilà le village industriel de Batsto ! C'est ici, dit Ellis, qu'ont été fondus les boulets qui ont libéré l'Amérique.

Napoléon demande d'arrêter la voiture devant l'entrée de la fonderie historique, qui est toujours en opération. On y entend le bruit de marteaux frappant des enclumes. Il veut visiter les lieux.

Le contremaître de la fonderie s'avance vers les voyageurs. Napoléon lui tend la main et le salue chaleureusement. Comme au temps où il faisait la tournée de ses manufactures !

– Nous aimerions visiter votre fonderie ! dit Napoléon.

L'homme le regarde, l'air étonné, puis jette un coup d'œil sur ceux qui l'accompagnent. Après un moment d'hésitation, il invite le groupe à une tournée du site, puis à une visite de la fonderie. Des chargements de minerai de fer y sont transportés depuis le lac voisin. Des hommes s'affairent autour de la fournaise.

Aujourd'hui, les honneurs et les hommages ne sont plus à l'ordre du jour, mais l'Empereur a gardé les réflexes de l'emploi.

– Que fabriquez-vous ici ? demande-t-il au chef de la fonderie.

– Des pièces de bateaux, *Sir*, des lingots, de l'équipement de cuisine comme des poêles, des bouilloires, des casseroles, etc.

– Combien d'employés avez-vous ?

– Deux cents, environ. Avec les familles, près de mille personnes habitent le village que vous voyez.

– Où écoulez-vous cette production ? demande à son tour Joseph, impressionné par les installations.

– À New York, en Virginie, dans le Connecticut, le Delaware.

Napoléon s'approche de ceux qui travaillent autour des cuves. La chaleur est intense. Le questionnement reprend.

Le contremaître le regarde fixement. L'a-t-il enfin reconnu ? Probablement, mais il n'en laisse rien voir. Peu de gens, si peu informés soient-ils, ignorent encore que l'Empereur des Français vit maintenant dans le New Jersey.

Avant de quitter, le groupe jette un coup d'œil sur les maisons construites par l'entreprise de fonderie, et louées à ses ouvriers. Situées au milieu de la végétation, distantes les unes des autres de quelques mètres et alignées le long d'un chemin qui mène au lac, elles se ressemblent toutes. Construites en planches de cèdre laissées à l'état brut, coiffées d'un toit en bardeaux et assises sur des fondations en pierre, elles comptent deux pièces au rez-de-chaussée, dont un petit séjour sur lequel donne directement la porte d'entrée. L'autre pièce est utilisée comme chambre ou salle de travail. L'étage peut compter deux ou trois chambres.

Des femmes et des enfants saluent les étrangers au passage, qui les saluent à leur tour.

Les voyageurs retournent à leur voiture et reprennent la route.

– Quel peut être le salaire de ces ouvriers ? demande Napoléon à Ellis.

– Je ne connais pas leur salaire à eux, mais je sais que, de manière générale, les salaires aux États-Unis sont le double de ceux payés en Angleterre, et le quadruple de ceux payés en France. Et puis, dans ce pays, si vous n'êtes pas propriétaire, vous ne payez pas d'impôts, et vous êtes libre de travailler pour qui vous voulez.

– Il y a aussi le coût de la vie en général, dit Joseph, qui est beaucoup moindre qu'en Europe.

– La viande coûte moitié moins cher qu'en Angleterre, le pain, un tiers de moins, les fruits, un dixième du prix, précise encore Ellis.

– Il doit être difficile dans ces conditions de garder ses employés ! remarque Napoléon.

– *Yes, Sir.* C'est un fait. Plusieurs dirigeants d'entreprises se plaignent de l'insubordination de leurs employés, qui se considèrent comme leurs égaux. C'est vrai pour les domestiques, les travailleurs agricoles, les ouvriers dans les manufactures. Un jeune qui travaille sur une ferme n'appartient pas à une classe sociale. Il juge ce travail transitoire en attendant d'avoir sa propre ferme. Ou alors, c'est quelqu'un qui a choisi de vivre au jour le jour, œuvrant comme travailleur itinérant, passant d'une ferme à l'autre.

La pinède s'éclaircit au fur et à mesure que les berlines progressent. Une vaste plaine s'étend à l'horizon. L'air marin indique qu'on se rapproche de la mer. De petites maisons égrainées tout au long de la côte sont inondées par la lumière du soleil couchant. Ellis propose de faire escale au Eli Collin's Inn à Barnegat.

Les voitures s'arrêtent devant une auberge campagnarde, plutôt rustique, sur le chemin qui mène à la mer. Cette fois, Napoléon demande à Ellis de révéler son identité. Les lieux sont si déserts qu'il ne risque pas d'être incommodé. Ellis va prévenir la direction de l'auberge de l'arrivée des illustres voyageurs.

Le Christ lui-même serait apparu au Eli Collin's Inn qu'il n'aurait pas créé un plus grand émoi. Le maître des lieux, accompagné d'un domestique, se précipite vers la voiture, souhaite la bienvenue à ses célèbres clients, fait transporter leurs bagages, puis les conduit à l'étage qui compte deux suites et quelques chambres. En cette saison, le Eli Collin's Inn est presque désert.

Il est tard, et la route a été longue et fatigante. Napoléon et Joseph demandent que le dîner leur soit servi dans la suite de Joseph.

– Arriver dans un lieu que je ne connais pas, de nuit, a toujours été pour moi lié aux plaisirs de voyager, dit Joseph.

– C'est vrai. On se retrouve un peu au milieu de nulle part. On attend le lever du jour avec impatience pour se situer.

Napoléon jette un coup d'œil autour de lui.

– Voyager incognito, sans but précis, n'être attendu nulle part, sera sûrement un des plaisirs de ma nouvelle vie!

La conversation est décousue. Le repas à peine terminé, chacun se retire.

Le soleil vient de poindre à l'horizon que déjà Napoléon déambule seul le long du petit sentier de la côte, formée d'une succession de criques et de baies, de terres humides et de marais salants, de forêts, de marécages et d'embouchures de rivières. Au large, à quelques kilomètres de la côte, se trouve une barrière d'îles qui assure la protection des sites de nidification et d'escale des oiseaux migrateurs de la côte contre les fortes marées de l'Atlantique. C'est la saison des grandes migrations. Avec sa lunette, Napoléon observe les milliers d'oiseaux qui, depuis le lever du soleil, par vagues successives, reprennent leur envol vers le sud. Des milliers d'autres, épuisés, prolongent leur escale, nichés dans les hautes herbes qui entourent les marais salants. Au nombre s'ajoute la diversité. Comment faire le décompte de toutes ces espèces? La majorité lui est inconnue. Où a-t-il vu en Europe pareil spectacle?

Il reprend la route de l'auberge. Joseph bavarde sur la terrasse avec Collin. Celui-ci, désireux de faire découvrir la région à ses clients, propose une excursion en bateau jusqu'aux îles, où l'on pourrait pique-niquer.

Le lendemain, après s'être embarqués à bord d'un petit voilier, les voyageurs contemplent cette barrière d'îles parfois large de moins d'un kilomètre. Côté mer, la plage de sable, qui s'étend sur plusieurs dizaines de kilomètres, se fond avec les dunes formées par le vent, retenues par l'herbe et la bruyère. Au large, c'est la route des baleines. Comme chaque automne, les rorquals à bosse sont là, naviguant vers les Antilles, leur quartier d'hiver, pour revenir au printemps en prenant la direction des eaux glacées de l'Atlantique Nord.

L'aubergiste attire l'attention des visiteurs sur les tortues qui se déplacent parallèlement au rivage. C'est dans ces dunes qu'elles nichent au printemps. Une fois qu'elles ont enfoui leurs œufs dans le sable, elles reprennent la mer. D'une île à l'autre, Collin guide ses visiteurs à travers une nature demeurée intacte. Ils poursuivront leur excursion jusqu'au coucher du soleil.

Aujourd'hui, Napoléon a exprimé le désir de visiter Barnegat. Construit autour de la baie, le village compte plus d'une cinquantaine de maisons de bois où vivent quelques centaines de personnes.

– L'époque de la Révolution a été l'âge d'or de Barnegat, dit Collin. On y construisait des bateaux sur lesquels on exportait du sel, du bois de cèdre et de pin vers New York. À la fin du siècle dernier, l'approvisionnement en bois est venu à manquer. Avec l'arrivée des bateaux à vapeur, de nouvelles sources d'approvisionnement en bois ont été trouvées pour les alimenter en combustible. Comme ils effectuent des voyages de plus en plus longs, ils consomment davantage. L'économie a alors repris.

Au moment même où Collin rappelait ces faits, une file d'attelages, longue de plusieurs centaines de mètres, émergeait de la forêt, transportant des billots de pin.

Le groupe déambule alors sur les routes de terre qui quadrillent le village. Il s'arrête devant la maison d'assemblée des quakers, entourée d'un cimetière qui veille sur la mémoire de nombreux naufrages.

– Il n'y a que quelques stèles, dit Collin, mais des centaines de personnes, qui ont péri en mer près de la côte, ont été inhumées ici. Il y avait une époque où les naufrages étaient fréquents. Les cadavres étaient amenés sur les plages par le courant. On se pressait de les enterrer dans le cimetière le plus près. Le terrain que vous voyez là-bas est en fait une vaste nécropole.

– À quoi attribuez-vous tant de naufrages sur cette côte en particulier? demande Napoléon.

– Il y a beaucoup de hauts-fonds autour d'ici, lui répond Collin. Et puis, il y a aussi eu la guerre de 1812-1814, qui a surtout été une guerre navale. Maintenant on parle d'installer un phare sur les îles que nous avons visitées hier, afin de guider les bateaux et de les soustraire aux récifs. En attendant, pour suppléer, nous allumons des feux à divers endroits sur la côte la nuit.

Les promeneurs empruntent le chemin principal qui mène aux docks. Tout près, une femme derrière un comptoir de bois rustique vend des palourdes, « les plus grosses et les plus fraîches du village », crie-t-elle inlassablement. Quatre petites églises de différentes confessions protestantes, une école, quelques maisons du siècle dernier, qui ont survécu, longent le chemin. À proximité des docks, des cordes de bois sont empilées, attendant d'être chargées sur des bateaux en partance pour New York et la Virginie. Un peu plus loin, à côté du marais salant, se trouve une raffinerie de sel à l'abandon.

– On dirait qu'elle est désaffectée ! remarque le général Gourgaud.

– Son propriétaire a fait faillite. Vous savez, les faillites sont fréquentes dans ce pays.

La promenade se poursuit. Un ramoneur, sa longue brosse à l'épaule, arpente les rues du village, proposant ses services à voix haute.

À la périphérie, se trouve le champ de course.

– Les gens ici raffolent des courses de chevaux. Il y en a trois par semaine. Ils aiment surtout les paris.

Napoléon demande à se rendre en forêt, là où on coupe le bois. Les attelages aperçus en début de promenade ont piqué son intérêt. Ellis proposera d'y conduire ses clients en après-midi. Le chantier est à deux kilomètres du village.

Ils y passeront le reste de la journée.

Ce matin, Collin a amené ses clients en goélette voir les baleines au large. Napoléon, avec sa lunette, admire bientôt les immenses cétacés qui évoluent à une dizaine de mètres du navire, expulsant l'eau de leurs évents.

– Quel spectacle ! s'exclame Napoléon.

– On dirait qu'ils veulent entrer en contact avec nous, dit Joseph.

Collin fait ensuite revenir la goélette plus près de la côte pour la mettre à l'ancre. Le groupe observe des phoques en chasse.

C'est l'heure du déjeuner. Collin a fait préparer par la cuisine de l'auberge un assortiment de viandes froides, des pommes de terre en salade, une terrine de lapin, du pain, des boissons froides et des pâtisseries. Une table a été dressée sur le pont, recouverte d'une nappe de toile cirée. L'aubergiste invite ensuite chacun à se servir.

Le repas terminé, Collin fait diriger le navire vers la zone fréquentée par les dauphins. Ils sont là en effet, nombreux. Des dizaines semblent accompagner la goélette. Leur rapidité et leur aisance sont impressionnantes. Après avoir parcouru quelques centaines de mètres dans le secteur en leur compagnie, le pilote fait faire demi-tour au navire.

– Pour voir les phoques, il faut se rapprocher de la côte, dit-il.

Le voilier pénètre dans la baie en direction d'une crique.

Une colonie de phoques y loge en effet.

– Ils seront plus nombreux encore cet hiver, dit Collin.

Napoléon demande à s'approcher du rivage, et de mettre le canot à la mer afin d'observer les phoques de plus près.

Sur le chemin du retour, Collin signale l'épave d'un navire anglais, coulé durant la dernière guerre. Celle-ci se trouve à une dizaine de mètres de profondeur.

Les voyageurs se déclarent enchantés de leur excursion. Cette journée en nature alimentera la conversation du dîner, et restera gravée dans leur mémoire.

Au matin suivant, les visiteurs reprennent la route. Ali recharge les voitures avec les bagages, tandis qu'Ellis finit d'atteler les chevaux. Napoléon va remercier chaleureusement l'hôte des lieux pour son accueil.

– Nous reviendrons certainement ! dit-il, ravi de son séjour.

Ayant quitté Barnegat depuis presque une heure, les voitures longent bientôt la mer en direction sud, avec de fréquents arrêts pour contempler les plages sablonneuses qui s'étendent à perte de vue. Puis les voitures s'engagent à l'intérieur des terres, au milieu de champs fertiles. Le paysage est bucolique.

– La région ressemble à un immense jardin, dit Joseph, qui a toujours aimé les jardins.

Des fermiers s'activent aux dernières cueillettes de la saison. Comme toujours, on salue les voyageurs d'un signe de la main.

Prochaine étape : Salem.

– La ville a été fondée en 1675 par un quaker, dit Ellis. C'est le premier établissement de langue anglaise sur la rivière Delaware.

Les voitures s'immobilisent au Swedish Inn. Comme à Barnegat, Ellis va prévenir la direction de l'auberge de l'arrivée de ses illustres clients. Le propriétaire, incrédule, regarde son interlocuteur amusé.

– Vous plaisantez ?

– Non !

L'aubergiste devient nerveux. Il savait que l'Empereur et son frère habitaient le New Jersey. Mais de là à penser qu'il les aurait un jour comme clients !

Il jette un coup d'œil par la fenêtre et aperçoit la luxueuse berline. Il commence à penser que son interlocuteur dit vrai.

– L'auberge n'est pas à la hauteur, assure-t-il.

Ellis le rassure. Leurs exigences sont minimes. L'Empereur est aussi un militaire qui a connu les logements de fortune. Ils se déplacent incognito. C'est un voyage de découverte. Le propriétaire acquiesce enfin. Il leur assigne tout le premier étage qui compte plusieurs chambres, modestes mais non sans charme.

Ce matin, le groupe parcourt les rues de Salem, petite ville prospère dont le nom en hébreu signifie « paix ».

Une foule encercle l'église. Le shérif discute avec des individus qui sortent de l'office religieux. Certains, en colère, crient vengeance. D'autres sont pris de panique et cherchent à fuir les lieux.

Ellis s'approche et s'enquiert.

– Un Noir a poignardé un autre Noir durant l'office, répond un témoin, encore sous l'effet du choc.

Ellis a compris et revient vers le groupe.

– Ce genre d'incident malheureusement n'a rien d'exceptionnel, avoue-t-il. Beaucoup d'esclaves fuient les plantations du Sud chaque année. Leurs propriétaires publient alors des avis de recherche dans les journaux et placardent des affiches sur les places publiques, offrant des récompenses à ceux qui rattrapent les fugitifs et les leur ramènent. Malheureusement, ce sont souvent d'autres Noirs, des Noirs esclaves dans la même plantation, très liés à leur maître, ou encore des Blancs qui gagnent ainsi leur vie !

Secoués par ce récit, les Français se rapprochent de la scène et observent la foule en colère.

– Où vont ces Noirs en fuite ? demande Napoléon.

– Vers les États libres du nord. Mais leur sécurité y est relative. L'asile le plus sûr, c'est le Canada. Il peut cependant arriver qu'ils soient rattrapés là aussi !

– Et comment atteignent-ils le Canada ? demande Napoléon.

– Comme vous le savez, les quakers sont de fervents abolitionnistes. Ils sont nombreux dans la région. Les Noirs savent qu'ils peuvent compter sur eux, et aussi sur d'autres organisations religieuses. Un réseau clandestin[1] de routes et de maisons sûres a été créé dans les États libres du nord, depuis la frontière avec les États esclavagistes jusqu'à la frontière canadienne. Les adresses de ces caches leur sont communiquées oralement afin qu'elles ne tombent pas dans des mains ennemies.

– Mais ce sont d'énormes distances à parcourir ! Comment ces esclaves en fuite voyagent-ils ? demande Joseph.

1. Ce réseau portera plus tard le nom de Underground Railroad (Chemin de fer souterrain).

– Ils voyagent de nuit, le plus souvent à pied, parfois en voiture, accompagnés de leur protecteur, jusqu'à l'adresse suivante, généralement distante d'environ quarante-cinq kilomètres. À pied, le voyage peut durer plusieurs semaines, et même des mois. Lorsque la nuit est claire, ils suivent l'étoile polaire. Par temps couvert, ils se guident par la mousse sur les troncs d'arbres qui est toujours du côté nord. Les périls sont nombreux. Certains n'arrivent jamais à destination.

– Comment savoir si un Noir est un fugitif ou s'il est libre ? demande Joseph.

– Les Noirs libérés détiennent un papier notarié, répond Ellis. Il arrive cependant qu'ils le perdent, ou qu'on le leur vole. Ne pouvant plus prouver leur statut d'hommes libres à un employeur, il peut arriver que celui-ci les détienne, pour ensuite les vendre à un propriétaire d'esclaves.

Le sort réservé aux esclaves, en fuite ou affranchis, est devenu l'unique sujet de conversation. L'esclavage a cessé d'être une idée abstraite pour ces Français.

Le lendemain, les voyageurs reprennent la route. Ce voyage de quelques jours autour de la péninsule du New Jersey s'achève déjà. Ellis les informe qu'ils seront rentrés à Bordentown avant la tombée de la nuit.

Chapitre XII

Les colonies bonapartistes d'Alabama

Une lettre du général Lefebvre-Desnouettes attendait Napoléon à son retour de voyage. Bien qu'il ne l'ait pas revu depuis l'automne dernier, le général lui avait néanmoins brièvement écrit pour lui offrir ses vœux au Nouvel An et à l'occasion de son anniversaire, le 15 août.

Il se dit remis des blessures qu'il a reçues à Waterloo. Il peut enfin entreprendre son grand projet.

Il vient de créer la Société pour la culture de la vigne et de l'olivier, dont le vice-président est nul autre que William Lee, l'ancien consul américain à Bordeaux. Avec d'autres réfugiés, dont les généraux Clausel et Lallemand, ainsi que le maréchal Grouchy, il veut fonder une colonie agricole française, spécialisée dans la culture de la vigne et de l'olive. Il a fait une demande auprès du gouvernement fédéral pour obtenir une concession au confluent de l'Ohio et du Mississippi. La ville qu'il entend créer portera le nom de Demopolis, « la ville du peuple ». Ce projet est plus qu'un simple projet agricole, écrit le général. Il veut innover, créer un nouveau « pacte social », comme le préconisait Jean-Jacques Rousseau. William Lee, écrit-il, a demandé à l'ancien président Jefferson, qui a rédigé la Déclaration d'indépendance américaine, de déterminer les bases de ce « pacte social » qui inspirera les règlements de l'Association. Ils attendent maintenant la réponse du gouvernement américain, et celle de Jefferson.

– Un nouveau pacte social ? Jean-Jacques ? William Lee ? Qu'est-ce que cette affaire ?

Napoléon, qui a rejoint son frère pour le déjeuner, lui fait part de la lettre du général.

– Je suis assuré que la concession leur sera octroyée ! affirme Joseph. Le gouvernement américain est inquiété par les rapports alarmistes de l'ambassade de France, mais aussi d'Angleterre, sur les activités des réfugiés bonapartistes. Il pense que la meilleure manière de prévenir ce que ces ambassades appellent des « complots », c'est de favoriser leur intégration à la vie civile américaine, en leur accordant, par exemple, des concessions. Questionne William Lee, lorsqu'il viendra.

– On me dit qu'il y a aussi le général Lallemand qui s'agite à la Nouvelle-Orléans.

– Pour ce qui est de Lallemand, vois avec Savary. C'est lui qui dirige les Renseignements à Washington ! rétorque Joseph.

Fin janvier. Napoléon reçoit une lettre en provenance de la Belgique. Il l'ouvre. L'écriture lui est familière. Elle est signée de Marie ! Il éprouve soudain une vive émotion. Il hésite à la lire. Puis, il en commence la lecture…

Sa lettre l'a rejointe en Belgique, écrit-elle. Car c'est là qu'elle s'est réfugiée quelques mois après son départ, ne se sentant plus en sécurité en France. Puisqu'il avait d'abord refusé qu'elle l'accompagne aux États-Unis, elle avait décidé de l'oublier. Elle partage aujourd'hui la vie du comte d'Ornano… Elle est profondément troublée… Elle l'aime toujours… Elle viendra !

Il est sous le choc ! C'est pourtant la réponse qu'il souhaitait.

Combien de fois depuis le début des travaux de Point Breeze n'a-t-il pas imaginé sa vie avec elle et leur fils Alexandre, dans cette maison qu'il a lui-même dessinée et fait construire au milieu de cette nature généreuse, loin des tumultes de l'Europe ? Il se rappelle leur séjour au château de Finckenstein en Autriche. C'était en 1807.

En quittant Varsovie pour rejoindre l'Armée, près d'un mois après leur rencontre, Napoléon avait fait promettre à Marie de l'y rejoindre. Après tout, c'est pour elle qu'il allait combattre. Pour reconstituer la Pologne. Les premiers engagements avec l'armée russe avaient donné l'avantage aux Français. Puis il y avait eu la grande bataille d'Eylau. Malgré la retraite des Russes, l'issue avait été incertaine. Cette bataille n'avait pas mis fin à la guerre. Il s'était installé au château de Finckenstein en attendant de pouvoir reprendre les opérations, irritable et souffrant. Duroc, qui parlait toujours franchement à son ami, avait dit à Napoléon qu'Eylau était, somme toute, un échec. De plus, il était loin de ses bases de ravitaillement, et se trouvait face à l'impénétrable Russie où se rassemblaient des forces inconnues pour fondre sur lui au printemps. Pour la première fois de sa carrière, il avait été saisi d'inquiétude. Il avait besoin de Marie. Il avait envoyé Duroc à Varsovie la chercher. Émue par le récit du grand maréchal, elle était repartie avec lui dès le lendemain, ce qu'elle n'eût peut-être pas fait si la situation militaire eût été plus heureuse, car quitter Varsovie, c'était abandonner son foyer et afficher son déshonneur.

Lorsqu'il la vit arriver, après un mois d'absence, il savait que son désir s'était mué en passion véritable. Cette jeune Polonaise l'avait profondément ému, troublé. Sa résistance, sa modestie, son désintéressement, et cet amour profond de son pays, où Napoléon voyait la première vertu, l'avaient atteint au plus profond de lui-même. Avec Marie, il avait cessé d'être Empereur, il ne voulait plus être qu'un ami, un amant, simple, facile, empressé à lui faire oublier tout ce qu'elle avait abandonné pour lui et qu'à certains moments, sans doute, elle regrettait.

Dans ce château délabré de Finckenstein, les jours s'étaient écoulés lentement, et toujours de la même manière. Le matin, il quittait Marie pour aller rejoindre Berthier, son chef d'état-major, Maret, son ministre des Relations extérieures, ou le général Savary.

Il revenait déjeuner avec elle. Constant, son valet de chambre, les servait sur une petite table de dînette. Après le repas, Duroc arrivait pour trier le courrier arrivant de France, afin qu'il puisse demeurer plus longtemps avec elle. Pendant ce temps, Marie lisait, brodait, tandis que, lui, il annotait les rapports de ses ministres, puis jetait les dossiers par terre, près de lui. Un grand feu de bûches flambait dans la haute cheminée. Dehors, la campagne était ensevelie sous la neige. De temps à autre il se levait pour jeter un coup d'œil à la fenêtre, puis revenait à sa table de travail après avoir embrassé Marie.

Il savait qu'elle était sensible à ses témoignages de tendresse. Elle n'était pas encore amoureuse de lui, mais il savait qu'à vivre dans une intimité si étroite, elle apprendrait à le connaître et finirait par l'aimer vraiment. Il savait qu'elle l'admirait. Ces instants de mélancolie, fréquents, où il se plaignait de la solitude des hommes tels que lui, dont le besoin de se confier et de recevoir des marques d'affection sûres était si rarement comblé, l'avaient rapprochée de lui.

Il avait ainsi passé près de deux mois avec elle, coupés par quelques absences pour aller aux avant-postes. L'issue heureuse de quelques combats lui avait redonné confiance. La vraie campagne allait recommencer. Le 6 juin, il était reparti rejoindre l'Armée. Une fois de plus, il avait frappé avec la foudre. Le 14, il écrasait les Russes à Friedland. Sa garde détruite, sans artillerie, sans drapeaux, le tsar Alexandre s'était enfui derrière la frontière russe du fleuve Niémen. Le soir de la victoire, il se souvient, il avait écrit à Marie ce court billet: «*Nous avons battu l'ennemi. La paix est en vue. Je pense à toi. Je t'aime. N.*»

Le tsar, ébloui par son ennemi, lui avait demandé une entrevue. Elle eut lieu à Tilsit. Il était alors au pinacle de sa carrière. En quelques jours, un traité avait été rédigé et l'Europe, partagée. Mais par égard pour la Russie, la Pologne n'était que partiellement rétablie, la moitié de ses anciennes provinces restaient autrichiennes ou russes.

À cette nouvelle, Marie avait été atterrée. Friedland avait suscité tant d'espoir! Il l'avait trompée, pensait-elle. Elle était résolue à rompre, et était venue le rejoindre à Königsberg pour le lui signifier.

Durant les trois jours qu'ils passèrent ensemble, il avait multiplié les gestes de tendresse, s'était montré plus attentif que jamais. Surtout, il avait consenti à faire pour elle ce qu'il n'avait encore jamais fait pour aucune autre: s'expliquer. Il était vainqueur, il est vrai, mais la Russie restait redoutable, et il avait besoin de la paix à l'est afin d'avoir les coudées franches pour affronter l'Angleterre ailleurs. Et puis, jamais Alexandre n'aurait consenti à une reconstitution de la Pologne sous son ancien nom, et dans ses frontières historiques. La création du grand-duché de Varsovie était un premier pas. Progressivement, lui avait-il dit, d'autres provinces captives se grefferaient au grand-duché. Il fallait procéder par étapes, habituer l'Europe à voir la Pologne entrer dans le cercle des nations. Pour cela, elle pouvait compter sur lui, la sécurité de l'Empire et le désir de la contenter s'accordaient pour une renaissance de la Pologne à son ancienne image.

Elle s'était apaisée, puis résignée à attendre. Où attendrait-elle? En Pologne, lui avait-elle dit. Alors que lui allait rentrer en France? Il n'en était pas question. Elle s'était débattue, voulant retourner vivre retirée dans sa ville d'origine, Walewice. Emporté par la colère, il lui avait saisi les poignets et lui avait crié d'une voix forte : « Tu viendras, tu viendras, je l'exige… » Puis, les larmes dans les yeux, il avait ajouté : « Ne sais-tu pas que je ne peux plus vivre sans toi ? »

Une fois de plus, elle avait cédé. Elle irait d'abord passer quelques semaines chez sa mère, pendant que lui visiterait l'Italie du Nord où il était attendu, puis elle viendrait en France, lui avait-elle promis. Il lui avait fait jurer sur la croix. C'était inutile, car Marie était maintenant amoureuse de lui. Passionnément, exclusivement et à jamais. Caresses, paroles enflammées, patience l'avaient finalement conquise. Cette femme, jeune et tendre, fière et fidèle, était à lui désormais de plein gré, sans calcul, sans ambition, ne voulant voir que lui, ne dépendre que de ses désirs. C'était sa plus belle conquête, lui qui avait tout eu, sauf cela, doutant même peut-être de pouvoir l'obtenir. « Je n'ai jamais vu l'Empereur aussi amoureux », avait dit Constant, son premier valet de chambre à Finckenstein.

Marie va donc venir avec Alexandre ! À quarante-sept ans, il entrevoit enfin la possibilité de mener la vie qu'il a tant souhaitée, qu'il n'a connue que si brièvement avec Marie-Louise, une vie de famille. « Marie va venir ! » Il se répète ces trois mots comme pour mieux s'en convaincre. Il se rend chez Joseph lui annoncer la nouvelle.

Déjà, il songe à modifier les plans de sa maison. Demain il retournera à Point Breeze discuter avec Percier de l'aménagement des étages. Il faut prévoir deux chambres à coucher pour les enfants et les décorer en conséquence, l'une pour Alexandre, une autre pour Léon, une suite pour le précepteur, M. de Mauvière, une seconde suite pour la gouvernante des enfants, une salle de jeux, une bibliothèque pour les études. Quant à Marie, elle partagera sa suite et son lit. Comme des bourgeois !

Mai. Il fait déjà chaud, mais ce n'est pas encore la chaleur humide et suffocante de l'été. L'air est si délicieux qu'il a été décidé que le dîner, offert en l'honneur de William Lee, serait servi à l'extérieur, dans le jardin des iris. Napoléon, qui a son humeur des grands jours, se promène dans le parc en attendant l'arrivée de son bienfaiteur et des autres passagers du *Pike*. De temps à autre, il s'arrête pour jeter un coup d'œil sur la toile que Marchand est en train de peindre pour sa mère. Jamais le parc n'a été aussi beau qu'à ce temps de l'année, avec ses arbres en fleurs qui exhalent des parfums, ceux de l'exil. Marchand peint Lansdowne House. Celui-ci voudrait envoyer à sa mère quelques toiles montrant le lieu où il a vécu les premiers dix-huit mois de sa vie américaine, car bientôt il emménagera à Point Breeze lui aussi. Napoléon complimente Marchand pour avoir si bien rendu l'ambiance de ces lieux auxquels il a fini par s'attacher. La perspective de quitter Lansdowne House le rend mélancolique. Il connaît maintenant le nom des fleurs composant chacune des plates-bandes, leur période de floraison. Il en est de même des oiseaux, qu'il parvient à identifier à leur chant, grâce à James Carret, l'interprète de Joseph, qui est aussi ornithologue amateur.

Tous les passagers du *Pike* sont maintenant arrivés, incluant les enfants Bertrand, le jeune Las Cases et Ali. Le général Savary est venu de Washington spécialement pour l'occasion. Seul le général Lallemand est absent. Il est toujours à la Nouvelle-Orléans. Il n'avait sans doute pas les moyens de faire le voyage.

Napoléon n'a pas oublié que c'est à William Lee qu'il doit d'être en Amérique, et libre. Il ne l'a jamais rencontré, mais il a lu ses déclarations contre les Bourbons. Il sait qu'il s'est associé au général Lefebvre-Desnouettes, à son retour de Bordeaux, pour créer la Société pour la culture de la vigne et de l'olive, dont il est le vice-président.

Napoléon s'avance vers la berline, accompagné du général Bertrand et du comte de Las Cases. L'ex-consul descend de voiture et fait quelques pas en direction de Napoléon qui lui donne l'accolade. Après avoir échangé quelques phrases avec chaleur, les deux hommes, enfin réunis, se tournent vers les compagnons d'exil que Napoléon présente à tour de rôle. Puis le groupe se dirige vers le jardin des iris.

William Lee est un homme de convictions, affable, aux manières raffinées, qui s'exprime dans un excellent français. Napoléon porte un toast en son honneur.

– Tous ceux qui sont ici aujourd'hui vous le doivent. Tout avait été prévu pour leur assurer une traversée rapide et sécuritaire. Ils sont venus vous remercier en personne.

Chacun lève son verre à William Lee, ému par cet hommage. La conversation s'engage, évidemment, sur des souvenirs et des anecdotes de la traversée. Puis les adultes prennent place à table, tandis que les enfants partent se promener en poney.

Napoléon est curieux d'entendre ce témoin rentré de France depuis peu.

– Quel était le climat à votre départ ? demande Napoléon à Lee.

– La situation était et demeure explosive, déclare Lee sur un ton grave. C'est l'anarchie. Il y règne une psychose de complots. Plus personne ne sait s'ils sont réels ou fictifs. Si l'armée d'occupation se retirait demain, les Bourbons tomberaient sur-le-champ. Comme ils sont liés par le sang aux autres familles régnantes d'Europe, les Alliés ne peuvent les contraindre à abdiquer.

– À combien jugez-vous le nombre d'arrestations à ce jour ?

– Lorsque j'ai quitté, à l'automne 1816, on parlait de soixante-dix mille arrestations. La justice est expéditive et on exécute beaucoup. Ce dont ils ne se rendent pas compte, c'est que plus ils sévissent, plus ils exaltent votre souvenir, et plus ils fabriquent des bonapartistes.

William Lee parle encore des troupes d'occupation qui vivent sur le pays et le ruinent, de l'énorme dette de guerre que le ministre des Affaires étrangères, le duc de Richelieu, tente de renégocier.

Napoléon aborde l'autre sujet qui le préoccupe.

– Les généraux Lefebvre-Desnouettes et Clausel viennent de créer une société agricole dont vous êtes le vice-président. Qu'est-ce que cette société agricole ?

– Le gouvernement américain concède des terres à des conditions extrêmement avantageuses à des colons qui souhaitent les mettre en valeur. J'essaie de leur être utile avec mes contacts à Washington.

– Où se situe exactement ce projet de colonisation ?

– En Alabama. À ce jour, ils sont près de deux cents concessionnaires à vouloir s'y établir.

Puis Lee ajoute :

– Ce sont tous des vétérans de l'armée impériale !

Napoléon se demande si certaines rumeurs colportées par l'ambassade de France n'auraient pas un fond de vérité.

– Comme vous le devinez, beaucoup de ces réfugiés sont sans travail, d'ajouter Lee. Et même souvent sans argent, ce qui d'ailleurs étonne beaucoup les Américains.

– Mais leur projet n'est pas qu'économique, m'a dit Desnouettes, il est aussi sociopolitique ! Ils veulent être des soldats-laboureurs, comme les vétérans de la Rome antique, et établir de nouveaux rapports sociaux à la Jean-Jacques Rousseau ! La vigne et l'olivier sont d'ailleurs des cultures romaines. De quoi s'agit-il au juste ? demande Napoléon, méfiant.

William Lee explique le projet à son interlocuteur, puis ajoute :

– Pour un colon américain, cette idéologie est des plus étrange, car lui ne travaille que pour gagner toujours plus d'argent.

Comment des gens aussi lucides et pragmatiques que les généraux Clausel et Lefebvre-Desnouettes ont-ils pu sombrer ainsi en plein romantisme? L'exil transforme-t-il les hommes à ce point?

Le repas terminé, Napoléon propose une promenade en bateau sur la rivière Schuylkill. William Lee passera la nuit à Lansdowne House.

Le lendemain, au moment de repartir, Napoléon offre à son bienfaiteur ému l'épée qu'il portait lors de certaines cérémonies, une épée à lame d'acier étroite et fine, ornée à sa partie supérieure d'incrustations d'or ciselées, dont les principaux motifs sont une couronne impériale, la lettre N, l'aigle impérial et, plus bas, les lettres: I.R. (Imperator Rex).

Si le projet de colonie bonapartiste en Alabama s'avère finalement peu préoccupant, Napoléon étant convaincu que le principe de réalité rattrapera ces rêveurs romantiques, les rumeurs concernant les activités du général Lallemand à la Nouvelle-Orléans ont cependant de quoi inquiéter. Entier, fougueux, remuant, d'une fidélité indéfectible à l'égard de Napoléon, le général est dans la mire de l'ambassade de France.

Mais aujourd'hui, l'ambassade est en émoi pour une autre raison. Un de ses espions vient d'intercepter un paquet adressé «À monsieur le comte de Survilliers, pour lui seul», contenant six lettres adressées à Joseph. Le cachet du paquet reproduit les insignes de la Convention: un bonnet phrygien sur la pointe d'un pic, entouré de ces mots: «Lakanal, député à la Convention nationale.» Hyde de Neuville a fait immédiatement parvenir une copie de ces lettres à Paris, au duc de Richelieu, ministre des Affaires étrangères, ainsi qu'au président Monroe. Ses agents, depuis quelque temps, avaient relevé des indices. La thèse du complot est maintenant confirmée. En voilà la preuve irréfutable. De quoi s'agit-il? Lakanal veut convaincre «Sa Majesté» d'affirmer ses droits au trône d'Espagne et, par conséquent, sur ses colonies du continent américain : « Vous êtes le chef légitime des insurgés mexicains », écrit-il à Joseph. Il lui fait part de son projet de créer une confédération dont les effectifs, selon l'article 1 des statuts, pourraient compter neuf cents membres, « armés et équipés comme flanqueurs des troupes indépendantes du Mexique !... Cent cinquante membres seront nommés immédiatement commissaires, et se rendront sans délai aux différents points des territoires du Missouri et de l'Illinois, du district de Colombie, des territoires de Michigan, de Tennessee, du Kentucky et de l'Ohio », pour y effectuer une « prompte levée ».

« Votre Majesté voudra donc bien former un fonds de cent mille francs, s'il lui plaît d'accueillir favorablement nos dernières et définitives résolutions. La certitude est ainsi offerte à Votre Majesté de reconquérir l'un des premiers trônes de l'univers et de rétablir votre illustre dynastie. » Le succès de cette levée ne peut être douteux, ajoute-t-il, car les Américains de l'Ouest s'adonnent presque exclusivement à la culture du maïs, et, cette céréale ne réclamant du travail qu'au printemps et en été, ils accepteront, à n'en pas douter, d'occuper leurs loisirs à conquérir le trône du Mexique pour Sa Majesté !

À l'ambassade de France, c'est l'affolement. On imagine déjà Joseph sur le trône du Mexique, et Napoléon aux commandes de l'empire de l'Amérique hispanique.

L'ambassadeur Hyde de Neuville écrit au secrétaire d'État américain : « Qu'arriverait-il si cet homme prodigieux arrivait au Mexique déjà conquis ? » Il espère que le gouvernement américain publiera ces lettres, et que son auteur sera arrêté.

Le secrétaire d'État américain, John Quincy Adams, lui répond : « D'après les institutions et lois de ce pays, Votre Excellence ne doit pas ignorer que les pouvoirs répressifs du gouvernement ne peuvent avoir d'application à l'égard de la liberté individuelle, et qu'ils sont limités et ne s'étendent pas aux projets qui n'ont pas eu un commencement d'exécution. »

Le président Monroe mandate néanmoins William Lee pour enquêter sur « l'affaire Lakanal ».

Napoléon est atterré. Joseph Lakanal! Homme de sciences, pédagogue, membre de l'Académie des sciences morales et politiques, et de l'Institut de France! Il l'avait accueilli l'année dernière à Lansdowne House alors qu'il rentrait d'un séjour de quelques mois dans le Kentucky. Après avoir songé à acheter une plantation sur les bords de la rivière Ohio, il y avait finalement renoncé. Comme il ne parlait pas anglais, il prévoyait s'établir à la Nouvelle-Orléans, et offrir ses services à une maison d'enseignement. Durant ses années de règne, Napoléon avait toujours eu une grande estime pour lui. À l'époque, il lui avait écrit: « Les services importants que vous avez rendus à tant d'hommes distingués vous mériteront dans tous les temps des droits à l'estime des hommes. Vous pouvez compter sur le désir que j'ai de vous en donner la preuve. » Napoléon était toujours dans les mêmes dispositions lors de leur rencontre. Il savait Lakanal sans fortune. Il était prêt à lui apporter le soutien nécessaire, le temps qu'il aurait fallu.

Il n'est pas qu'atterré, il est aussi en colère. Les documents saisis mettent en cause son honneur et celui de son frère auprès du gouvernement américain. Après avoir tant de fois déclaré il n'était pas à la recherche d'un nouveau destin politique, voilà que des lettres interceptées par ses ennemis prouveraient le contraire!

Il lance la lettre de William Lee sur la table et dit à Marchand, sur un ton que son entourage n'avait plus entendu depuis longtemps:

– Allez me chercher Las Cases!

Puis, sans attendre l'arrivée du comte, Napoléon décide de se rendre chez Joseph. Lui aussi a reçu une lettre de Lee.

Plus calme, il est néanmoins abasourdi par le geste de Lakanal. Ce régicide, cet ancien prêtre, qui a changé le « c » de son nom pour un « k » afin de se démarquer de sa famille, dont il ne partageait pas les opinions royalistes, veut aujourd'hui le convaincre d'affirmer son droit au trône d'Espagne !

– Lui aussi a sombré ! dit Napoléon. Comment cet homme, qui, plutôt que de se rallier à moi lorsque je suis arrivé au pouvoir, a choisi la pauvreté et l'indépendance pour rester fidèle à ses convictions républicaines, peut-il aujourd'hui vouloir créer une monarchie au Mexique ? Avec sa stature et une feuille de route aussi impressionnante que la sienne, comment peut-il ainsi s'embarquer dans un coup aussi fumeux que de recruter des volontaires américains pour amener sur le trône du Mexique un roi français !

– Il me connaît suffisamment, dit Joseph, pour savoir qu'il n'y avait aucune chance que je donne suite à sa requête. J'ai été roi d'Espagne malgré moi, parce que tu le voulais. Comment a-t-il pu penser que je commanditerais des guérilleros pour prendre le trône du Mexique ?

– Ce sont tous des enfants ! s'écrie Napoléon, fulminant. Il faut constamment les surveiller. Quand ils ne fantasment pas, ils complotent ! C'est ce qu'ils savent faire de mieux.

– Ce qui me rassure cependant, dit Joseph, c'est que le gouvernement américain n'a pas l'intention de publier les lettres.

Marchand vient avertir Napoléon que le comte est arrivé.

De retour dans ses appartements, Napoléon apostrophe le comte, déjà prévenu de l'humeur de l'Empereur.

– Monsieur le comte, asseyez-vous et écrivez, dit-il en lui présentant une feuille vierge sur un pupitre, avec plume et encrier.

La lettre s'adresse au président Monroe. Le comte n'arrive pas à suivre la dictée, tant le débit a l'allure d'un torrent.

La lettre terminée, Napoléon dit au comte :

– Trouvez-moi Lakanal !

Las Cases, un peu surpris et déstabilisé, va s'enquérir chez le général Bertrand. Peut-être saurait-il, lui, où se trouve Lakanal !

Ce matin, à Bertrand venu chez l'Empereur régler quelques affaires administratives, Napoléon demande à celui-ci :

– Avez-vous des nouvelles du général Lallemand ?

– J'ai su par Savary qu'il a rendu visite dernièrement au secrétaire d'État, John Quincy Adams. Il a longuement expliqué ses vues et ses intentions, en niant fortement avoir jamais envisagé un projet contraire aux lois des États-Unis. Mais il semblerait que Adams n'a pas été convaincu.

– Où est-il maintenant ?

– Il est retourné à la Nouvelle-Orléans, où il est toujours d'ailleurs, car il n'ira pas en Alabama. Il s'est dissocié du général Lefebvre-Desnouettes. Il a même tout fait pour détourner plusieurs officiers de ce projet au profit du sien. Il a dit qu'il avait plus d'ambition que ne pouvait satisfaire cette colonie sur les bords du Tombigbee.

– De quel nouveau projet s'agit-il ? demande Napoléon, inquiet.

– Avec Lallemand, vous le savez, tout est mystérieux. Même ceux qui ont décidé de le suivre ne savent pas de quoi il s'agit. L'emprise de Lallemand sur ses hommes est telle qu'ils le suivent aveuglément.

Marchand vient annoncer l'arrivée inopinée de Joseph.

– Faites-le entrer.

Joseph s'assoit dans un fauteuil face à son frère.

– Avez-vous des nouvelles du général Lallemand ?

– J'en ai eu indirectement, dit Joseph, par un voyageur français, M. de Montulé, qui est passé par la Nouvelle-Orléans avant de me rendre visite et de s'embarquer pour l'Europe. Il a vu Lallemand à plusieurs reprises. Il paraît qu'il parcourt la levée du port, interroge les capitaines de frégates, inspecte les marchandises déchargées, et fait des achats.

– Des achats ? Qu'achète-t-il ? demande Napoléon.

– Des fusils, des Bibles écrites dans le langage des indigènes du Texas, des babioles ! Mais aussi des canons, s'il pouvait en trouver, au dire de M. de Montulé. Il est aussi un habitué des tavernes, où il est souvent vu en compagnie de marins.

Interloqué, Napoléon regarde son frère.

– Savez-vous si Lakanal est avec lui ?

– Je ne le sais pas.

– Où prend-il l'argent pour tout cela ? Il est sans le sou !

– Son adjoint a rendu visite à l'ambassadeur d'Espagne en janvier, dit Joseph.

Napoléon se lève, fait quelques pas dans la bibliothèque, regarde par la fenêtre, puis se tourne vers ses interlocuteurs.

– Lallemand prépare un coup, et jouit d'appuis financiers pour l'exécuter !

– S'il prépare une opération contre les Espagnols au Mexique, je ne comprends pas pourquoi il a envoyé son adjoint chez l'ambassadeur d'Espagne, déclare Joseph.

– Les affaires de Lallemand sont souvent brumeuses, vous le savez bien, dit Napoléon.

– La rumeur court à l'effet que l'ambassadeur d'Espagne serait prêt à acheter la non-intervention des officiers français dans les affaires de la Nouvelle-Espagne, dit Bertrand.

Après un moment d'hésitation, Bertrand décide de dire tout ce qu'il sait au sujet de Lallemand.

– Le général Savary m'a informé qu'il y avait actuellement des contacts secrets entre des officiers français et certains agents britanniques envoyés de Londres pour favoriser des soulèvements en Amérique espagnole, afin de prendre à l'Espagne le commerce de ses colonies[1].

– Qui sont ces officiers français ? demande Napoléon.

– Ce pourrait être Lallemand… le général Rigau… le colonel Galabert…

Napoléon se tourne vers Bertrand.

– Écrivez au général Savary. Je veux connaître l'identité de ces officiers français. Et trouvez-moi Lakanal !

Plus tard, resté seul avec son frère, Joseph lui fait part de la raison de sa visite. Il lui remet une invitation à dîner d'Étienne Girard, où sera également présent le secrétaire d'État américain, John Quincy Adams et madame. Girard croit qu'un contact direct entre Adams, l'Empereur et le comte de Survilliers aidera à clarifier une situation actuellement fort embrouillée.

Une dizaine de généraux et de colonels, que Napoléon appelle son « état-major d'Amérique », sont venus saluer l'Empereur avant de s'embarquer pour l'Alabama. C'est la grande aventure. L'excitation, l'enthousiasme sont chez eux palpables. Ils vont enfin prendre possession des terres que leur a concédées le gouvernement américain, pour cultiver la vigne et l'olive. Les termes négociés sont durs, exigeants. Pour éviter la spéculation.

Qu'importe ! La vie militaire avait aussi ses contraintes.

Au premier rang se trouvent évidemment les généraux Lefebvre-Desnouettes et Clausel, les deux chefs de l'expédition. Pour Napoléon, cette visite des vétérans de Waterloo est un moment de profonde émotion. Pour eux aussi. Si ces hommes ont été contraints à l'exil, c'est par fidélité à sa personne. Ils lui ouvriraient encore la route s'il décidait de

1. Les colonies espagnoles n'étaient autorisées à commercer qu'avec la métropole.

rentrer en France une seconde fois. Tous ces hommes portent dans leur chair des stigmates de la guerre. Napoléon porte aussi des cicatrices. Mais ses blessures à l'époque étaient gardées secrètes afin de ne pas inquiéter. Que de souvenirs !

Il règne ce soir une ambiance de bivouac, une fraternité d'armes comme Napoléon savait si bien la créer. On mange, on boit. Certains préfèrent l'eau-de-vie au vin, parce que c'était ainsi durant les campagnes. Cela ajoute à l'ambiance joyeuse et à la chaleur humaine. On se remémore des faits d'armes. Les histoires fusent. Le langage est parfois cru, mais on est entre hommes.

Le général Lefebvre-Desnouettes rappelle l'histoire du grenadier de Lyon. Tout le monde la connaît, mais elle fait encore rire, en particulier l'Empereur. Au moment où la rumeur du débarquement de Napoléon, en mars 1815, se répandait, une revue des troupes avait lieu à Lyon. Le chef royaliste rappela à ses soldats qu'ils étaient mieux traités sous la Restauration que sous l'Empire :

– Vous êtes bien vêtus ?

– Oui, assurément, répondit le grenadier auquel il s'adressait.

– Vous êtes bien nourris ?

– Oui, assurément.

– Votre solde est à jour ?

– Oui, assurément.

– Eh bien ! conclut le chef, d'un air confiant, vous n'étiez pas de la sorte avec Bonaparte ! Il y avait de l'arriéré, on vous devait.

– Eh ! Qu'est-ce que ça fait, répondit vivement le grenadier, s'il nous plaisait de lui faire crédit ?

Après l'anecdote, on recommence à parler métier.

– Le sort d'une bataille, dit Napoléon, est le résultat d'un instant, d'une pensée. On s'approche avec des combinaisons diverses, on se bat un certain temps, et soudain le moment décisif se présente. Il en fut ainsi à Lützen et Bautzen. Toutes les deux heures, une armée est dans une position différente. Ce qui était sage et habile à cinq heures est une folie à dix heures… La guerre est un art singulier. Bien que j'aie livré soixante batailles, eh bien, je vous assure que je n'ai rien appris que je ne savais dès la première… Une bonne armée est celle où chaque officier sait ce qu'il doit faire suivant les circonstances ; la meilleure armée est celle qui se rapproche de cela. Je ne me mets que pour moitié dans les batailles que j'ai gagnées… C'est l'armée qui gagne la bataille.

Puis, changeant de sujet, Napoléon parle des dangers courus par les généraux.

– De nos jours, les positions des officiers supérieurs sur le champ de bataille ne peuvent se comparer à celles des temps anciens. Il n'y a pas aujourd'hui une position où un général ne peut pas être atteint par l'artillerie. Jadis, les généraux ne couraient de risques que lorsqu'ils chargeaient eux-mêmes, ce qui n'était arrivé à César que deux ou trois fois.

– Quelles sont les qualités d'un grand général ? demande le général Gourgaud.

– Il est rare et difficile de réunir toutes les qualités nécessaires à un grand général, répond Napoléon. Un général sort du rang lorsque l'esprit ou le talent est en équilibre avec le courage et le caractère. C'est ce que j'appelle un général « carré ». Autant de base que de hauteur.

Puis il ajoute :

– On ne soupçonne pas la force d'âme nécessaire pour livrer une de ces grandes batailles dont va dépendre le sort d'une armée, d'un pays, la possession d'un trône. Et pour un général en chef, j'ajouterai qu'il ne doit pas dormir. Car c'est la nuit qu'un commandant en chef doit travailler. À Vitoria, nous avons été battus parce que Joseph dormait trop. Si j'avais dormi la nuit d'Eckmühl, je n'aurais jamais exécuté cette superbe manœuvre… Avec cinquante mille hommes, j'en ai battu cent vingt mille. Un général en chef, je vous le répète, ne doit pas dormir!

Il est vrai que l'issue des batailles était généralement scellée en quelques jours. Et lorsqu'il y avait accalmie, ou qu'on était en attente d'informations sur l'issue d'une bataille, il n'était pas rare que le général en chef s'affaisse sur sa monture, récupérant de ses nuits blanches.

Son «état-major» avait rarement entendu l'Empereur causer aussi librement. Il n'était pas dans sa nature de s'épancher.

Il s'interroge maintenant sur les armées des Anciens.

– Je me demande si l'on doit croire aux capacités réelles des grandes armées dont il est question dans l'Histoire! Pourquoi aurait-il fallu aux Carthaginois tant de troupes pour conquérir un aussi petit territoire que la Sicile?

La guerre entre la Perse de Darius le Grand[2] et la Grèce lui inspirait les mêmes doutes.

– Je ne crois pas aux millions d'hommes de Darius qui auraient couvert toute la Grèce, déclare Napoléon. Je doute fort même de toute cette partie brillante de l'histoire de la Grèce. Il n'y avait là que des actions indécises, chacun s'octroyant la victoire.

Parlant des guerres d'Alexandre le Grand, il dit:

– On ne comprend pas trop ce que furent en fait ces guerres: avec une armée de trente mille hommes, Alexandre bat Darius III[3] qui en avait huit cent mille. Qu'étaient donc ces soldats?

2. Darius le Grand (552-486 av. J.-C.). Roi de Perse. Il fut vaincu par les Grecs à Marathon (490 av. J.-C.).

3. Darius III Codoman (380-330 av. J.-C.). Roi de Perse qui fut vaincu par Alexandre le Grand à la bataille d'Issos, où il trouva la mort.

– Que pensez-vous des grandes armées que conduisirent jadis Gengis Khān[4] et Tamerlan[5] ? demande Clausel.

– Je crois à leur nombre. Elles traînaient à leur suite des peuples nomades qui grossissaient considérablement leurs rangs.

Il s'arrête, puis ajoute :

– Il n'est pas impossible que l'Europe finisse un jour submergée par les hordes de l'empire de Russie. La Russie, qui a inféodé les populations du Caucase, est admirablement située pour amener une telle catastrophe. La France vient d'en être la victime. Les Cosaques ont occupé Paris.

Changeant de sujet, l'Empereur évoque les Autrichiens qui sont passés maîtres dans la désinformation de guerre, notamment en répandant des rumeurs sur les champs de bataille.

– Durant la campagne d'Allemagne[6], les Autrichiens ont utilisé jusqu'à six mille hommes pour créer des bruits sur les arrières. Qu'on veuille lancer de fausses rumeurs pour induire l'ennemi en erreur, d'accord. Mais alors, on le fait avec des lettres fictives, de faux documents, et non en affectant six mille combattants à cette fin. Cela a été une grande faute de leur part.

Lefebvre-Desnouettes évoque à son tour des souvenirs de la campagne d'Italie, alors qu'il était l'aide de camp du général Bonaparte.

– Vous aviez conçu une nouvelle manière de faire la guerre qui déconcertait tout le monde !

– Oui, c'est vrai ! admet Napoléon. Près de Pizzighitone, je me souviens de ce gros capitaine allemand que nous venions de faire prisonnier. Sans qu'il m'ait reconnu, je lui ai

4. Gengis Khān (1167-1227). Fondateur de l'ancien empire mongol.

5. Tamerlan (Timur Lang) (1336-1405). Émir qui créa un éphémère empire turc largement inspiré par l'empire mongol fondé par Khān.

6. La campagne de 1813.

demandé : « Comment vont les affaires ? » – « Oh ! très mal. Je ne sais pas comment cela finira ; mais on n'y comprend plus rien. On nous a envoyés pour combattre un jeune étourneau qui nous attaque à droite, à gauche, par-devant, par-derrière ; on ne sait plus que faire. Cette manière est insupportable ; aussi, pour ma part, je suis tout heureux d'en avoir fini. »

Tout l'« état-major » esquisse un sourire, bien au fait du style en question ! Ils y ont contribué !

– Y a-t-il un événement de la campagne d'Italie qui vous a profondément marqué ? demande le général Clausel.

Après un moment de réflexion, le visage de Napoléon s'assombrit.

– C'était après l'une de ces grandes batailles que nous venions de livrer. Je traversais le champ de bataille, accompagné de deux officiers subalternes. Nous n'avions pu encore enlever les morts. C'était par un beau clair de lune et dans la solitude profonde de la nuit ; tout à coup, un chien, sortant de sous les vêtements d'un cadavre, s'élança sur nous et retourna presque aussitôt à son gîte, en poussant des jappements douloureux ; tour à tour, il léchait le visage de son maître et se lançait de nouveau sur nous ; c'était tout à la fois demander du secours et rechercher la vengeance... Jamais rien, sur aucun de mes champs de bataille, ne me causa une impression pareille. Je me suis arrêté involontairement à contempler ce spectacle. Cet homme, me disais-je, a peut-être des amis ; il en a peut-être dans le camp, dans sa compagnie, et il gît ici abandonné de tous, excepté de son chien ! Quelle leçon la nature nous donnait par l'intermédiaire d'un animal !...

Un lourd silence accueille le récit de l'Empereur.

– Ce qu'est l'homme !... J'avais sans émotion ordonné des batailles qui devaient décider du sort de l'armée ; j'avais vu d'un œil sec exécuter des mouvements qui amenaient la perte d'un grand nombre d'entre nous ; et ici, je me sentais ému, j'étais remué par les cris et la douleur d'un chien!... Ce qu'il y a de bien certain, c'est qu'en ce moment j'aurais été plus traitable pour un ennemi suppliant...

Le repas terminé, Napoléon invite son « état-major » au salon pour le café.

– Quand partez-vous pour l'Alabama? demande Napoléon.

– Dans quelques jours, répond le général Clausel, qui manifestement a hâte d'entreprendre le voyage. Nous prenons un *schooner* de Philadelphie jusqu'à Mobile, en Alabama, puis de là nous remonterons le fleuve Tombigbee sur des barges jusqu'à l'emplacement de la concession, soit à environ deux cents kilomètres au nord de Mobile.

– Combien de colons serez-vous?

– Trois cent quarante colons français en tout. Un contingent de cent cinquante d'entre eux a déjà quitté Philadelphie il y a quelques mois, précise Clausel.

– La nomination de William Lee au poste de gouverneur de l'Alabama a été pour nous une excellente nouvelle, dit le général Lefebvre-Desnouettes.

– Eh bien, messieurs, il me fera plaisir d'aller goûter vos olives et le vin de vos vignes l'an prochain! assure Napoléon à ses anciens généraux.

Après les colons de l'Alabama, c'est au tour du général Brayer à venir faire ses adieux à l'Empereur. À peine débarqué à Baltimore, le voilà qu'il repart pour l'Argentine et le Chili. Il a fait toutes les guerres de l'Empire. Il a décidé de continuer le combat ailleurs. Il vient d'être condamné à mort par contumace pour s'être rallié Napoléon à son retour de l'île d'Elbe. Le général de quarante-six ans est de forte carrure, avec le teint brun, les traits énergiques, et un caractère décidé.

– Le général Carrera m'a offert la direction des armées indépendantes du Chili, sous le haut commandement du général argentin San Martin, dit-il.

Napoléon connaît la détermination du général Brayer dans l'exécution de ses projets. Il est inutile d'essayer de l'en dissuader.

– Je ne peux pas retourner à la vie civile, assure Brayer. Ce que je connais encore le mieux, ce sont les combats, ce que j'aime avant tout, c'est la fraternité d'armes, la fièvre des veilles de batailles.

– L'indiscipline des insurgés et leurs querelles intestines minent leur cause. Après avoir connu l'ordre et la discipline des armées européennes, je crains que vous n'ayez du mal à vous y faire.

– Nous défendons la même cause, ajoute Brayer, la liberté, l'égalité.

Le général Brayer a été l'un de ses plus brillants généraux. Blessé à de multiples reprises, il a néanmoins réussi à gravir tous les échelons de l'armée impériale. Il a été de toutes les grandes batailles.

Napoléon comprend que Brayer soit incapable de retourner à la vie civile.

– Je ne sais pas, cependant, si vous pourrez vous entendre avec San Martin!

Chapitre XIII

La jeune République

Printemps 1817. Napoléon vient de recevoir une lettre de Paris qui lui annonce la mort du comte Regnault de Saint-Jean d'Angély. Elle est signée de son fils. Sa femme, qui s'était démenée, depuis sa condamnation à mort, pour qu'il soit amnistié, avait finalement réussi à faire fléchir Louis XVIII. Le comte a succombé le jour même de son arrivée à Paris. L'émotion avait-elle été trop forte ? L'exil l'avait condamné à la démence, puis à la mort. Napoléon est bouleversé. Mais il n'en laissera rien voir aux invités venus passer les fêtes de Pâques à Lansdowne House.

Arrivés de Washington hier, le général Savary et la duchesse de Rovigo seront, comme à chacune de leurs visites, les hôtes d'un « dîner de famille ». Le général Simon Bernard, qui travaille toujours à l'édification de la ligne de défense des côtes de l'Atlantique, s'est joint au groupe. Compte tenu du temps magnifique qu'il fait, Napoléon a demandé que le dîner soit servi sur la terrasse, face à la Schuylkill River.

Les invités ont pris place autour de la table ovale. Napoléon, qui commence à adopter les usages américains, a demandé au maître d'hôtel de mettre tous les plats sur la table, et chacun se servira.

La douceur du printemps américain où toute la nature reprend vie, après avoir été ensevelie trop longtemps sous la neige et la pluie, le replonge dans sa Corse natale. Faute de pouvoir y aller, il aime en parler. Cette île, avec ses parfums qui ne ressemblent à nul autre, ses vallées profondes, ses précipices, ses hautes cimes et ses gorges étroites, était toute sa jeunesse.

– Lors de ma seconde abdication, dit-il, j'aurais pu me réserver la souveraineté de la Corse, avec quelques millions de la liste civile. La population eût été ma famille. Mais je ne voulais pas que l'on puisse dire que, dans le naufrage du peuple français, moi seul avais l'art de gagner le port.

– Les Français qui l'apprendront, sire, vous sauront gré, dit la comtesse Bertrand, mais quand même, nous nous serions mieux trouvés en Corse qu'ici. Nous étions bien à l'île d'Elbe !

– Je ne sais pas cependant si vous vous seriez fait au caractère de ces insulaires montagnards ! rétorque Napoléon. La civilisation européenne n'a pas encore atteint la Corse. Les soldats français qui y ont séjourné ne sont jamais repartis tièdes. Certains ont été enthousiasmés, mais d'autres n'y ont vu que des brigands. En fait, les Corses sont de bonnes gens, mais ils peuvent être féroces quand ils se sentent menacés.

– Ce sont des insoumis, dit Las Cases.

– Saviez-vous que jamais les Romains n'achetaient d'esclaves corses ? déclare Napoléon. Ils savaient qu'on n'en pouvait rien tirer. Il était impossible de les plier à la servitude. Gênes a mis cinq siècles à s'en rendre compte. De guerre lasse, elle a cédé la Corse à Louis XV !

– Les Corses ont cependant le sens de l'honneur et de l'hospitalité, dit Joseph. Mais il est vrai qu'ils sont aussi vindicatifs. Leurs querelles et leurs vengeances peuvent s'étendre sur sept générations !

– Lorsque le nouveau gouverneur français arriva dans l'île après la cession, dit Napoléon, il avait beaucoup de mal à faire enquête pour élucider les crimes perpétrés dans l'île. Pourtant, tout le monde à Ajaccio connaissait le criminel, sauf le gouverneur et ses gens. Des brigands, poursuivis par les Français, étaient estimés et honorés dans l'île comme des défenseurs de la liberté. On leur envoyait à manger tous les jours ! Les habitants savaient où ils étaient, mais jamais le gouverneur français ! La résistance corse m'a beaucoup appris sur la résistance des peuples à l'occupation.

– Il y a en Corse la solidarité clanique des cousins, dit le général Savary.

– Le gouverneur n'a jamais compris qu'un Corse ne dénonce jamais son cousin, dit Napoléon. Une fille voyait entrer dans la valeur de sa dot le nombre de ses cousins.

– Dans le village de Bocognano seulement, dit Joseph en regardant son frère, nous avons cinquante cousins. Dans toute l'île, nous en avons environ quatre-vingt !

Napoléon confirme.

– Lorsque je me suis établi en France, je les ai empêchés de venir, dit-il en riant. Les Français n'auraient pas aimé me voir entouré de tant de Corses.

– Quand avez-vous pensé que la Corse devait être intégrée à la France ? demande Las Cases.

– Quelques années après la cession de l'île à la France. Mon opinion a été que la Corse devait tenir à la France comme l'Auvergne ou la Champagne, qu'elle ne pouvait être indépendante à cause du contexte géopolitique. Rattachée à la France, elle en tirerait de grands avantages de toutes espèces. La France y verserait beaucoup d'argent et y construirait de grands établissements. La nouvelle constitution républicaine de la France assurait aux Corses les mêmes droits qu'à tous les autres citoyens, et serait en mesure de cimenter l'union de la Corse à la France. Je fus donc inflexible.

– Et dire que vos ennemis persistent à vous appeler « le Corse » ! s'exclame la comtesse de Montholon.

– En fait, je suis plus Champenois que Corse, car dès l'âge de neuf ans j'ai été élevé à Brienne. Je voulais être absolument Français. J'ai été élevé en France, je suis donc Français, mes frères aussi. Lorsque je suis né, en 1769, la Corse était déjà réunie au royaume de France.

Le personnel arrive avec l'entremets : filets de saumon avec sauce au vin blanc.

Changeant de sujet, Napoléon se tourne vers le duc de Rovigo.

– Alors, Savary, comment est le travail à Washington ?

– Bien. En ce moment j'interroge les responsables de la conduite de la guerre de 1812-14 sur ce qui n'a pas fonctionné durant le conflit, dû à l'absence d'un service de renseignements, comme vous le savez.

– Comment trouvez-vous l'ambiance de travail ?

– Évidemment, bien différente de celle que nous connaissons en Europe !

Le général cherche ses mots.

– D'abord, dit-il, il n'y a pas de hiérarchie dans le travail. De plus, vous pouvez être reçu sans rendez-vous. Et les gens entrent dans les bureaux officiels sans être annoncés !

– C'est détendu ! dit la duchesse de Rovigo.

– Ce qui ajoute au caractère informel de cette administration, ajoute le général Savary, c'est que le président travaille de son cottage, depuis que la President's House[1] a été brûlée par les Anglais. Et comme il veut être accessible à tous, il consacre ses matinées à recevoir des gens venant de partout dans l'Union, sans rendez-vous évidemment. Vous les voyez tous assis dans le couloir, attendant leur tour pour présenter leurs doléances, une pétition, ou une demande d'emploi !

1. Aussi parfois appelée White House.

Les regards se tournent vers le général, certains incrédules.

– Il n'a pas de personnel pour le seconder, il fait tout lui-même. C'est son secrétaire particulier qui paye aussi bien les factures de sa plantation en Virginie que celles de la présidence ! ajoute Savary.

Le vin aidant, la duchesse de Rovigo ne peut réprimer un grand éclat de rire.

La comtesse Bertrand s'exclame à son tour.

– J'ai du mal à gérer ma maisonnée avec seulement trois domestiques !

– Quelle opinion avez-vous du président Madison ? demande Napoléon.

– C'est un homme effacé, terne, qui ne paie pas de mine, mais c'est un grand esprit, un homme de vision, de culture, avec des principes moraux. C'est un incorruptible. Mais il s'est avéré faible dans la conduite de la guerre.

– Quand travaille-t-il aux affaires de l'État ? s'enquiert Napoléon.

– Les après-midi. Car ses soirées sont généralement réservées à la vie sociale, très importante à Washington.

Tous connaissent la quantité phénoménale de travail que l'Empereur abattait chaque jour. Il épuisait son personnel à la tâche.

– Vous connaissez Dolly Madison ? demande Napoléon. On dit que son mari lui doit ses deux élections.

– Oui, elle a beaucoup de charisme. Le président aime être un pas derrière sa femme, dit le général.

Tous les regards se tournent vers Napoléon qui esquisse un sourire. Lui qui n'a jamais supporté que les femmes se mêlent de politique, les siennes surtout !

– Dolly Madison est une véritable icône à Washington, ajoute la duchesse de Rovigo, surtout depuis qu'elle a sauvé des flammes le portrait de Washington et les archives de la présidence. Elle est élégante, intelligente, aimable, ses manières sont gracieuses et raffinées. En Europe, on parlerait d'elle dans les mêmes termes, j'en suis sûre.

– À Washington, dit le général Savary, ce sont les femmes qui mènent la campagne électorale de leur mari à travers leur réseau de relations. Elles ont ce pouvoir. Mais elles-mêmes ne postulent pas.

La conversation sur les mœurs politiques du Nouveau Monde se poursuivra encore un moment avant que la fatigue du voyage, jumelée à la bonne chère, ne fasse son œuvre. Après le dessert chacun se retire dans ses quartiers. Demain, Napoléon a prévu de faire visiter le chantier de Point Breeze à ses hôtes.

Contrairement aux invités, il n'a pas sommeil. Monté à ses appartements avec une pile de journaux américains sous le bras, il s'est allongé sur le canapé du salon pour lire. Les journaux ne parlent que de Dewitt Clinton, l'ancien candidat défait à l'élection présidentielle de 1809. Son grand projet, qui consiste à relier l'Atlantique aux Grands Lacs par un canal de cinq cent quatre-vingts kilomètres de long, se réalise enfin ! Les travaux viennent de débuter aux deux extrémités simultanément. La jonction devrait se faire dans huit ans. Napoléon se souvient de leur conversation après le dîner à sa maison de New York. Avec quelle passion et quelle détermination Clinton avait défendu « son » canal qui, disait-il, aurait un impact décisif sur l'avenir économique de « sa » ville. Peu de gens y croyaient. Ses détracteurs le ridiculisaient. Le président Jefferson lui-même avait répondu à Clinton, qui sollicitait son appui financier : « Le projet est splendide, mais ne pourra être exécuté avant un siècle. »

Le pays n'avait pas les moyens financiers d'une telle entreprise ? Clinton le financerait en émettant des actions. Les États-Unis d'Amérique n'avaient pas les connaissances techniques pour une entreprise aussi complexe ? Des ingénieurs américains seraient formés en Angleterre. Le terrain présentait trop d'obstacles ? Il les surmonterait tous.

Cet homme l'avait fort impressionné. Il incarnait l'idée qu'il s'était faite des hommes d'ici. Un homme de foi, de vision, d'action. Il songe à acheter des actions du canal Érié, pour lui et ses trois fils. Mais il veut d'abord obtenir l'avis d'une personne de confiance. Stephen Girard pourra le conseiller.

Demain, il écrira à Clinton pour le féliciter de sa réussite et de son élection au poste de gouverneur de l'État de New York. Il réitérera son invitation à lui rendre visite à Point Breeze dès qu'il y sera installé.

Le sommeil le gagne. Il jette les journaux par terre et rentre se coucher dans sa chambre, puis éteint le flambeau.

Le temps est frais et ensoleillé. Tous les invités de la veille font voile vers Point Breeze. En ce début de saison, les grands arbres qui bordent les rives de la Delaware River offrent tous les verts de la palette. Des fermes, de vastes pâturages, des villages, avec leurs maisons de brique et de bois peint, défilent au gré du vent. Une table a été dressée sur le pont pour le déjeuner. Penchés sur la rambarde, les voyageurs contemplent le paysage.

– Le secrétaire à la Défense nous a invités l'autre jour à prendre part à une excursion sur le Potomac, dit le général Savary. Là, comme ici, les paysages sont luxuriants et bucoliques.

– Vous ne m'avez pas encore parlé de la ville de Washington, dit Napoléon.

Le général réfléchit. Comment décrire Washington ?

– Une telle ville en Europe est inimaginable. Comme vous savez, après l'Indépendance, le Nord et le Sud se disputaient pour obtenir la nouvelle capitale. Washington trancha en en créant une de toutes pièces au centre du pays. La ville fut érigée sur un terrain de dix milles carrés, au milieu d'un champ en bordure du Potomac. Ce sera peut-être un jour une capitale, mais pour le moment c'est un champ.

– Il faudrait d'abord parler de notre arrivée à Washington, dit la duchesse de Rovigo dans un grand éclat de rire.

– Quelques heures de route après Baltimore, raconte le général, notre voiture s'arrête au milieu de nulle part. Je demande au cocher : « Pourquoi vous arrêtez-vous ? » – « C'est que vous êtes arrivés, *Sir.* » – « Mais où est la ville ? » lui demandai-je encore. « Mais vous êtes dans la ville, *Sir* ! »

– Nous regardions autour de nous, dit la duchesse, et ne voyions que des maisons éparpillées au milieu de grands espaces vides, des immeubles gouvernementaux en chantier, le Capitole en ruine, et la President's House entourée d'échafaudages.

– La ville a beaucoup souffert de l'invasion britannique, dit le général Bernard. Mais elle renaît peu à peu de ses cendres. Le président Monroe pense pouvoir s'installer à la President's House avant la fin de l'année.

– Les rues sont dans un état pitoyable, poursuit la duchesse, poussiéreuses et pleines d'ornières. Quelques-unes seulement sont pavées, celles qui mènent du Congrès à certains hôtels et pensions. Les abords du Potomac sont marécageux. Les distances sont si grandes d'un immeuble à l'autre qu'il vaut mieux se déplacer en voiture.

– Il paraît cependant que le site est romantique, dit le colonel Planat.

– C'est vrai, répond le général Bernard. Je dirais que le meilleur point de vue est celui depuis la colline du Capitole. De là, rien n'obstrue la vue qui donne sur une vaste plaine traversée par le Potomac et cernée de collines. Le coup d'œil est spectaculaire. Vous êtes d'accord avec moi, Savary ?

Les voyageurs sont invités à passer à table pour le déjeuner.

– Combien y a-t-il d'habitants ? demande Napoléon au général Savary.

– Un peu plus de douze mille. C'est une ville de passage. Elle s'anime l'hiver lorsque siège le Congrès.

– Cela me fait penser à la Russie, dit Napoléon. Le tsar Pierre le Grand décida un jour de déménager sa capitale de Moscou, où il y avait tout, à Saint-Pétersbourg où il n'y avait rien. La capitale d'un pays ne doit pas être que politique. Elle doit être aussi économique et culturelle, comme Paris et Londres.

– Vous saviez que Philadelphie a failli redevenir la capitale après la guerre, tant Washington était dévastée ? demande Savary. Face à cette éventualité, toute la population de Washington s'est alors mobilisée. Les plus riches ont choisi de s'y faire construire une maison plutôt qu'à la campagne, d'autres ont prêté de l'argent au gouvernement pour l'aider à reconstruire les immeubles publics. C'est ainsi que Washington a survécu en tant que capitale des États-Unis.

– J'ai toujours été admiratif de cette solidarité civique et de ces élans patriotiques des Américains, dit Napoléon. Les Français, eux, en éprouvent sur les champs de bataille. Mais quand ils reviennent à la vie civile, c'est la discorde.

Au-delà de Bordentown apparaît soudain, à l'arrière-plan, la falaise de Point Breeze, spectaculaire, bordée au nord comme au sud par la forêt. Aux pieds de celle-ci s'étendent des berges marécageuses, baignées par la marée, où font escale les oiseaux migrateurs. Pour certains, c'est la fin du voyage. Ils nicheront ici.

Debout sur le pont, les voyageurs contemplent le paysage, séduits par la beauté du site. Arrivés au débarcadère, les passagers mettent pied à terre et commencent à escalader péniblement la falaise, couverte à cette période de l'année de lauriers et de rhododendrons en fleurs. Des ouvriers y aménagent le chemin qui reliera les berges au belvédère. Arrivé au sommet, le général Savary se retourne pour admirer la perspective qui s'étend à perte de vue vers l'ouest.

– Vous devez avoir des couchers de soleil magnifiques ! dit-il.

– Oui, surtout l'été, répond Napoléon.

À quelque cinquante mètres de la falaise se dresse l'imposante maison en crépi blanc de Joseph.

– C'est immense pour un homme seul ! s'exclame la comtesse Bertrand, qui n'était pas venue sur le domaine depuis un bon moment.

– Un jour, mes filles viendront y habiter ! se contente de répliquer Joseph, qui propose d'abord une visite rapide de sa maison toujours en chantier.

Des menuisiers sont là sur le porche, en train d'installer les portes en acajou sculpté. Joseph les salue et fait entrer les visiteurs dans le vestibule, au fond duquel monte un grand escalier en spirale menant aux étages. Joseph guide le groupe à travers les pièces du rez-de-chaussée qui en compte sept, pouvant être réunies en une seule par un système de portes coulissantes. Des peintres sont à l'œuvre. Joseph a fait retoucher les murs du salon dont il n'aimait pas la teinte. Aux étages, des ouvriers s'affairent à la pose des manteaux de cheminée en marbre. Dans l'une des ailes, Joseph a sa suite, comprenant sa chambre, un salon, une bibliothèque, un cabinet d'archives, une salle de bain, un cabinet d'aisance. D'autres suites, plus petites, ont été prévues pour ses invités. Les visiteurs admirent les lieux, essayant d'imaginer à quoi ils ressembleront une fois les travaux terminés.

Le groupe emprunte le passage du sous-bois qui sépare la maison de Joseph de celle de Napoléon. En stuc de couleur ocre, cette gentilhommière évoque à coup sûr la Malmaison. Percier vient au-devant des visiteurs et les guide vers l'intérieur. Les généraux Bertrand et Savary reconnaissent bien la griffe de l'architecte. Se déplaçant d'une pièce à l'autre, celui-ci commente et illustre ses propos avec des esquisses. La richesse des matériaux utilisés tranche avec la simplicité du décor.

– C'est le Nouveau Monde qui vous a inspiré ! dit Savary à l'architecte en sortant.

Tandis que le groupe va visiter Bordentown, Napoléon reste sur le chantier avec Percier pour discuter de la suite des choses.

Seize heures. Le capitaine vient prévenir que l'heure avance. La brise tend à faiblir et le temps est venu de rentrer à Philadelphie. Le vent étant en effet quelque peu tombé, le trajet pourrait être plus long que prévu. Sur le chemin du retour, Napoléon demande à la ronde :

– Comment avez-vous aimé Bordentown ?

– C'est une ville typiquement républicaine, dit le général Bernard. Les gens partagent leur vie entre le travail et la famille. Il n'y a pas d'écarts de fortune, les rues sont propres, les maisons bien entretenues. Et les gens ont l'air heureux.

Puis il ajoute :

– Ce qui me frappe partout, c'est le grand nombre d'avis publics convoquant les citoyens à des assemblées.

– La place de la politique dans la vie des gens est quelque chose d'unique, surtout à Washington, dit Savary.

La duchesse renchérit :

– Les femmes passent leurs journées dans les galeries du Capitole à écouter les débats ! Parfois, elles haranguent les élus depuis les galeries, et quand la séance est levée, elles les rejoignent sur le plancher pour continuer la discussion.

Se tournant vers Napoléon, la comtesse Bertrand s'exclame :

– Sire, c'est votre genre de femmes !

Grand éclat de rire ! Lui-même esquisse un large sourire.

– Je n'aime surtout pas qu'elles me parlent de politique lorsque je leur parle d'amour, dit-il avec son regard séducteur.

L'équipage circule auprès des passagers avec apéritifs et canapés.

– En dehors d'assister aux débats du Congrès, que font les femmes ? demande la comtesse Bertrand.

– Si elles viennent d'arriver à Washington, dit la duchesse, leur activité favorite, c'est le *calling*.

– Le *calling* ? Qu'est-ce que c'est ?

– Un rituel très codé ! Le matin, les dames partent en voiture et distribuent leur carte de visite de maison en maison. Le domestique qui les accompagne descend de voiture, sonne à la porte, remet la carte au domestique venu ouvrir, qui ensuite la dépose dans une assiette posée sur une table à l'entrée. On aura tendance à mettre sur le dessus de la pile des noms « prestigieux » pour impressionner. Si après dix jours la personne ne s'est pas manifestée, cela signifie qu'elle n'est pas intéressée à vous rencontrer. Si à l'intérieur de cet intervalle elle vous apporte sa carte, cela ne veut pas dire qu'elle veuille nouer des relations avec vous pour autant. Elle peut souhaiter vous rencontrer afin de vous évaluer d'abord. Après, peut-être, recevrez-vous un carton d'invitation. Le même rituel du matin est pratiqué par les femmes déjà établies à Washington, mais au lieu de cartes de visite, elles distribuent des cartons d'invitation.

– Avez-vous distribué votre carte de visite ? demande la comtesse, sur un ton moqueur.

– Je n'ai pas encore osé ! avoue la duchesse en souriant.

Le général Gourgaud, toujours célibataire à trente et un ans, bel homme, intelligent, mais parfois difficile, s'enquiert de la vie sociale de Washington.

– Elle est très animée lorsque siège le Congrès, dit le général Savary. Elle l'était particulièrement avec Dolly Madison. On ne sait pas encore si elle le sera autant avec Elisabeth Monroe.

– Mais, à ma connaissance, il n'y a pas beaucoup de femmes seules, mon général ! ajoute la duchesse sur un ton rieur.

– Qui assistait aux réceptions de Dolly Madison ? demande Gourgaud, curieux.

– Ses soirées du mercredi étaient ouvertes à tous les citoyens : membres du gouvernement, chefs indiens avec coiffes à plumes, ruraux avec le crottin aux bottes. Nous y sommes allés à quelques reprises, dit Savary en regardant sa femme.

Les récits du couple sur leur vie mondaine à Washington suscitent un intérêt évident.

– Le président y venait aussi, ajoute Savary. Chacun pouvait lui parler. Ces réceptions s'appelaient des *squeezes*[2], parce que la foule y était compacte, et debout, ce qui était une nouvelle formule mise de l'avant par « Dolly ». Des domestiques noirs et blancs réussissaient tout de même à circuler parmi la foule avec des plateaux offrant bouchées, glaces, punch, vin, café, thé.

– Beaucoup d'hommes ont apprécié la nouvelle formule ! dit la duchesse en regardant le général Gourgaud. Elle leur permettait de « frôler » les jolies femmes, et de jeter un regard plongeant au passage sur leur féminité ! Ici aussi, les femmes portent la mode Empire !

– Croyez-vous qu'Élisabeth Monroe conservera la formule ? demande le général.

– Elle n'a encore rien dit à ce sujet, rétorque la duchesse.

– Tous n'apprécient pas les *squeezes* républicains du mercredi, dit le général Bernard. Des gens marchent avec leurs bottes pleines de boue sur les tapis. Un jour, j'ai observé une femme qui s'était enfoncé le bras jusqu'au coude dans la salade. Dolly Madison, qui l'avait vu faire, lui a demandé si

2. Signifie « serrer », en français.

elle pouvait l'aider. « Je cherche un oignon », lui avait-elle répondu.

– Ce Nouveau Monde est par moments déroutant ! dit Joseph l'air déconcerté.

– Une autre fois, poursuit le général Bernard, un sénateur du Kentucky, avec lequel je conversais, m'a avoué son étonnement d'entendre de la musique sortir d'un meuble. C'était la première fois qu'il voyait un piano !

– Je vous invite, Gourgaud, à venir passer quelques semaines cet hiver à Washington, dit Savary. Nous serions heureux de vous y accueillir.

– Gourgaud, je ne saurais vous priver d'un si bel hiver ! déclare Napoléon en riant. Je demanderai à Santini d'assurer ma garde en votre absence.

Gourgaud remercie Napoléon de le libérer de ses responsabilités le temps d'un séjour Washington, mais avant de se décider il demande encore :

– Où habitez-vous à Washington ? Si vous êtes au milieu d'un champ…

– Pas du tout. Nous avons loué un cottage à Georgetown, tout à côté de Washington. Mais vous pourriez faire comme nous les premières semaines et loger dans une pension. C'est là que logent les élus. C'est une façon de découvrir le pays, dit la duchesse. Mais j'insiste, nous serions heureux de vous accueillir chez nous pour la durée de votre séjour.

– Pourquoi habitent-ils des pensions plutôt que l'hôtel ? demande la comtesse Bertrand.

– Parce que c'est moins cher. Comme les élus payent eux-mêmes leurs frais de séjour… Et c'est plus gai, dit le général Savary. Une pension loge généralement les représentants d'un même État, et du même parti. Alors tout le monde connaît tout le monde, parle à tout le monde et, évidemment, que de politique. Souvent les femmes accompagnent leur mari à Washington. Quand la session se termine, Washington se vide.

Le soleil penche à l'horizon. La fraîcheur incite les passagers à entrer au salon. Napoléon fait un détour par la cabine de pilotage pour connaître l'heure approximative d'arrivée, puis rejoint le groupe au salon. Le sujet de conversation est demeuré le même, parce qu'intarissable: les mœurs républicaines de l'Amérique.

– Un soir, poursuit le général Savary, nous avons aperçu James Monroe, qui était encore ministre des Affaires étrangères, entrer dans la pension. Il était venu prendre un café avec un délégué au Congrès. Ils y avaient échangé des propos sur la politique de son gouvernement face à l'Espagne dans l'affaire des Florides. Le lendemain, un journal faisait état de la « politique officielle » du gouvernement américain face à l'Espagne!

– Ils vont vite se rendre compte que la « simplicité républicaine » cadre mal avec la haute politique! dit Napoléon, amusé par l'anecdote.

– Étiez-vous au courant que le président Jefferson avait un moment songé à supprimer toutes les ambassades de Washington? Elles contaminaient la république, prétendait-il.

– Oui, j'ai eu vent de cette affaire, répond l'Empereur. Mais l'idée n'est pas allée très loin.

– Ils ne veulent pas ressembler à l'Europe corrompue. Ils veulent être différents des autres nations, et en même temps reconnus et respectés. Ce qui les oblige à adopter certains usages des cours européennes.

– En même temps qu'ils prisent la modestie et la simplicité, ils sont fascinés par le luxe, les manières et les usages aristocratiques, dit le général Bernard. Ce tiraillement est évident lors des réceptions officielles et privées. On a d'ailleurs surnommé Dolly Madison « la reine républicaine ». On admire ses tenues vestimentaires dignes d'une souveraine, et ses turbans s'apparentent souvent à des couronnes. En même temps, l'autre jour, j'ai vu une femme arriver à une réception portant des bijoux en diamant. On les lui a fait enlever avant de la laisser pénétrer au salon.

– La France se trouvait dans une situation analogue lorsque je suis arrivé au pouvoir, dit Napoléon. Nos valeurs, issues de la Révolution, nous isolaient de l'Europe monarchique. Sans renier aucun des acquis de la Révolution, j'ai voulu que la France adopte certains usages afin que les nations européennes la reconnaissent comme l'une des leurs. C'est aussi ce que j'ai voulu en établissant le protocole impérial et en créant la noblesse d'Empire, qui était toutefois une noblesse non héréditaire et sans privilèges.

– La simplicité républicaine et les règles protocolaires cohabitent difficilement, dit le général Savary. Les Américains n'ont pas de protocole établi pour le corps diplomatique, qui compte actuellement douze ambassadeurs. Les guerres de préséance sont courantes. La dernière a eu lieu lors de la cérémonie d'investiture du président Monroe le 4 mars. Les diplomates n'obtenant pas satisfaction ont boycotté l'événement, d'autant plus volontiers qu'ils n'avaient pas reçu d'invitation officielle.

Tous se regardent, bouche bée.

– En Europe, les Américains ont la réputation d'être des marchands, déclare le général Bernard.

– Il est difficile de les considérer autrement ! s'exclame la comtesse Bertrand qui a toujours son franc-parler.

– Le président Monroe qui a longtemps vécu en Europe sera sans doute plus attentif à la question du protocole, rétorque Napoléon. Le président Madison n'avait jamais voyagé. Il était donc peu informé des usages à cet égard.

Le capitaine vient prévenir les passagers que le bateau sera à quai dans un peu plus d'une heure. Déjà le port de Philadelphie est en vue.

Jour de Pâques. Napoléon, qui adopte progressivement les usages du pays, a offert des œufs peints aux enfants Bertrand. Et le comte de Las Cases, devenu grand amateur de pêche à cause de son fils, s'est adonné à sa nouvelle passion. Il avait invité l'Empereur à se joindre à lui. Napoléon a préféré rester à lire dans le jardin. Il n'est pas un amateur de pêche. Il se joindra au groupe pour l'excursion à cheval cet après-midi.

Les captures de Las Cases seront au menu ce soir.

Les invités repartent demain. Avant de se retirer pour la nuit, le général Savary remet à Napoléon, de la part du président Monroe, trois tableaux de la ville de Washington, qui ont fait le voyage avec lui : la President's House, maintenant reconstruite, une vue de la ville depuis le Capitole, et une vue du Potomac se profilant dans une vallée.

Napoléon les admire, soulignant la finesse dans l'exécution du détail.

– Ils sont magnifiques. Ils iront sur les murs de ma maison de Point Breeze.

Napoléon sort d'une armoire une tabatière ovale en écaille garnie en or, ornée de trois médailles antiques.

– Je vous prie de l'offrir au président Monroe.

Chapitre xiv

Champ d'Asile

En attendant l'arrivée du général Lallemand, Napoléon, installé sous la pergola, parcourt les journaux des derniers jours. La manchette d'une gazette de Philadelphie le frappe de plein fouet : « Le général Francisco Javier Mina meurt fusillé à Mexico ! »

Il est atterré, bien qu'une telle éventualité fût prévisible. Que s'est-il donc passé depuis leur entretien, alors que Mina était venu offrir la couronne du Mexique à Joseph, puis à lui ?

Éconduit, le général n'avait pas pour autant abandonné son projet d'envahir le Mexique. Selon le journal, des marchands de New York lui étaient venus en aide, lui fournissant deux bateaux et des fonds. Fort de cet appui, le père Mier, partenaire dans l'expédition, l'avait précédé au Mexique pour prendre contact avec les insurgés. Le 26 septembre 1816, Mina s'embarquait à son tour à Baltimore, pour Haïti d'abord, car depuis son indépendance Saint-Domingue, renommé Haïti, est devenu une base d'opération pour tous les combattants de la liberté de la région. Malgré les désertions et la maladie, le général était reparti de Port-au-Prince le 27 octobre avec quatre navires et cent quarante hommes pour l'île de Galveston, au sud du Texas, où il avait fait alliance avec le corsaire Louis-Michel Aury[1] qui projetait, lui aussi, d'envahir le Mexique. Mina avait donc confié au corsaire le commandement naval de l'expédition conjointe, se gardant celui des troupes terrestres.

L'expédition avait quitté Galveston quelques mois plus tard avec huit navires et deux cent trente-cinq hommes. Le général s'était emparé de Soto la Marina sans difficulté, et avait poursuivi sa marche à l'intérieur du pays. Après plusieurs petites victoires sur les troupes espagnoles, et avoir tenté de restaurer l'unité parmi les chefs insurgés, il avait finalement été capturé. Amené à Mexico, il était jugé et exécuté au fort San Gregorio avec vingt-cinq de ses compagnons.

Napoléon laisse tomber le journal. Ce scénario, il l'avait prévu. N'avait-il pas mis en garde le général Mina ? Envahir le Mexique avec deux cent trente-cinq hommes, quelle folie !

Marchand vient prévenir l'Empereur que le général Lallemand est arrivé.

L'homme impressionne. De forte carrure, autoritaire, aux manières emportées, Lallemand est un chef né. Napoléon a dit de lui un jour : « À mon retour de l'île d'Elbe, il se déclara pour moi dans le moment le plus périlleux. Lallemand a beaucoup de résolution, il est capable de combinaisons audacieuses, et il y a peu d'hommes plus propres que lui à conduire une entreprise hasardeuse ; il a le feu sacré. Il commandait les chasseurs de la garde à Waterloo et enfonça plusieurs bataillons anglais. »

Le général arrive de la Nouvelle-Orléans. Il est venu s'expliquer. Il dira tout à l'Empereur, à qui il voue encore et toujours un véritable culte. Napoléon l'accueille avec cha-

1. Engagé d'abord dans la marine française, il se joint aux insurgés espagnols pour la libération de l'Amérique hispanique.

leur. Rien ne laisse paraître les sentiments qui l'ont animé lorsqu'il a appris son emploi du temps à la Nouvelle-Orléans. Après avoir fait une promenade le long de la falaise, Napoléon invite de nouveau Lallemand à l'intérieur.

Ali sert des rafraîchissements au salon.

Napoléon, resté debout, se tourne vers le général.

– Les rumeurs qui courent à votre sujet, mon cher Lallemand, alarment non seulement le gouvernement américain, mais aussi vos compatriotes et leurs amis aux États-Unis. Vos projets pourraient leur nuire. On dit que vous achetez des armes à la Nouvelle-Orléans, que vous entretenez des relations avec l'ambassadeur d'Espagne à Washington, de même qu'avec des agents britanniques venus de Londres. Que signifie tout cela ? Pour qui travaillez-vous exactement ?

Le général veut se faire rassurant.

– Il est vrai qu'à un moment, nous étions quelques-uns à envisager de monter une expédition contre le Mexique, depuis le territoire américain. Mais on y a renoncé pour les raisons que vous venez d'invoquer. Le général Vandamme trouvait que c'était pure folie.

Napoléon, qui veut savoir en quoi le projet de Lallemand aurait différé de celui du général Mina, demande :

– Avec combien d'hommes pensiez-vous envahir le Mexique ?

– Quatre-vingts officiers français, mille hommes, et l'appui de commerçants de Charleston, Philadelphie et Boston pour les armes, les bateaux et l'argent.

– De quels appuis jouissiez-vous à l'intérieur du pays ?

– Deux des hommes les plus riches du Mexique, Valencia et Cordoba, mettaient leur fortune à la disposition des Français. Ces hommes sont propriétaires des plus grandes mines du pays. Ils nous auraient attendus avec dix mille hommes.

– Qui sont ces officiers français ? demande encore Napoléon.

– Mon frère, Henri, le colonel Galabert, le général Rigau et moi-même. Les autres sont des officiers subalternes.

– Rigau ! s'exclame Napoléon.

Il est passé par Lansdowne House il y a quelques semaines alors qu'il était en route vers la Nouvelle-Orléans. Napoléon l'appelait « le martyr de la gloire ». Âgé aujourd'hui de soixante ans et couvert de cicatrices, la cuisse atrophiée à cause d'une paralysie partielle due à des blessures, le général Rigau avait, en 1794, été frôlé par un projectile de fusil, au bas du visage, qui lui avait fracassé la mâchoire, mutilé la langue et le palais. C'est un manieur d'hommes, mais mesuré et pondéré, ce qui est rare parmi ces vétérans. Il était arrivé en Amérique avec sa fille quelques mois auparavant.

– On raconte aussi que vous étiez en relation avec un corps expéditionnaire qui projetait de conquérir le Pérou.

– Il y a des centaines d'officiers français proscrits qui encadrent les troupes des insurgés espagnols, depuis le Texas jusqu'à Buenos Aires ! Ce ne sont pas des mercenaires, mais des combattants pour la liberté. Persat est en Colombie avec Bolivar, Brayer avec San Martin en Argentine, Bacler d'Albe avec O'Higgins au Chili. San Martin et Bolivar ont des émissaires qui recrutent des officiers français et des demi-soldes, aux États-Unis et en Europe. Baltimore est devenue une base de départ pour les demi-soldes vers l'Argentine !

Napoléon arpente le salon, les mains derrière le dos. Puis il s'arrête et regarde Lallemand droit dans les yeux.

– Rejoignez les armées de libération si vous le souhaitez, mais n'opérez pas depuis le territoire américain ! Même si l'opinion publique américaine est acquise aux insurgés, même si le gouvernement américain se déclare en leur faveur.

Napoléon remarque que Lallemand a déjà l'air d'être ailleurs !

– Est-il vrai que vous êtes en relation avec des agents de Londres ?

– Vous savez mieux que moi à quel point l'Angleterre souhaite la victoire des insurgés ! Elle veut prendre le marché de l'Amérique espagnole. Nous nous sommes donc servis des Anglais !

Le général Lallemand, pour qui l'oisiveté est le plus grand des maux, s'empresse d'ajouter :

– Nous avons actuellement un autre projet !

– De quoi s'agit-il ? demande Napoléon, qui manifeste de l'énervement.

– Nous allons fonder une colonie agricole et commerciale sur les bords du *rio* Trinidad, au Texas.

– Une colonie ? Vous aussi ?

Lallemand fait enfin état de son grand projet, pacifique celui-là. Il s'enflamme. Seuls les vétérans de la Grande Armée en feront partie, dit-il. Elle ne deviendra militaire que s'ils sont attaqués. Les femmes en sont exclues, à l'exception de quelques épouses. La colonie s'appellera Champ d'Asile. Elle sera basée sur l'égalité absolue, et fondée sur le travail. Chacun, quel que soit son rang, recevra vingt arpents. Fertiliser les terres sauvages est le premier droit que la nature confère à l'homme.

– Ou nous réussirons, ou nous mourrons ! déclare le général sur un ton solennel.

– Où se trouve le général Rigau ?

– Il est déjà parti avec un contingent de cent cinquante hommes. Je vais les rejoindre à Galveston à la fin du mois, avec un autre contingent d'une centaine d'hommes. La colonie comptera d'abord quatre cents hommes et cinq femmes.

Napoléon vient s'asseoir devant le général.

– Avez-vous déjà labouré une terre ? Combien d'anciens agriculteurs et agronomes comptez-vous dans vos rangs ?

– Parmi les demi-soldes, plusieurs sont d'origine paysanne. Ils connaissent bien le travail de la terre.

– Admettons. Et pourquoi appelez-vous la colonie Champ d'Asile[2] ? Et pourquoi au Texas ? demande Napoléon.

– Parce que ce nom nous rappelle nos revers, la nécessité de fixer notre destinée, de nous créer une nouvelle patrie, dit Lallemand. Et ce sera au Texas, parce que c'est un *no man's land.*

Le général, pris de tics, entre dans de longues explications. En pareilles circonstances son discours devient souvent incohérent. Il y est question de la Grèce antique, de Rome au temps de la République, de Jean-Jacques Rousseau, de la nature vierge, d'organisation militaire, de fraternité !

Napoléon écoute en silence ce récit délirant. Comme bien d'autres Européens, pense-t-il, Lallemand a succombé aux utopies du Nouveau Monde. Ces grands espaces inhabités, aux frontières imprécises, agissent sur l'imaginaire des siens. Combien sont-ils d'officiers proscrits et de demi-soldes à souhaiter vivre, aujourd'hui, en marge de l'Histoire ?

Il y a longtemps qu'Étienne Girard, devenu l'ami de Joseph, souhaite accueillir Napoléon à sa propriété de Philadelphie. « L'affaire Lakanal » et « l'activisme » du général Lallemand lui en fournissent l'occasion. Sachant le gouvernement américain inquiet et toujours hésitant à établir un contact direct avec son hôte français, Girard a cru bon inviter à dîner le secrétaire d'État, John Quincy Adams, et madame, ainsi que l'Empereur et son frère Joseph. Une telle rencontre est de nature à éclairer les zones d'ombre.

Jusqu'à maintenant, le gouvernement américain a refusé de publier la correspondance saisie, ne voulant pas mettre

2. Dans la Grèce antique, un « champ d'asile » ou une « terre d'asile » désignait un territoire où les hommes étaient intouchables aux yeux de la loi et de la politique.

Napoléon et Joseph dans l'embarras, d'autant plus que l'enquête menée par William Lee a montré ils n'ont rien à voir avec les projets sulfureux du révolutionnaire royaliste Joseph Lakanal.

Paris aussi s'est abstenu de publier les lettres, mais pour d'autres raisons. Le duc de Richelieu, ministre des Affaires étrangères, craint que les Alliés, informés de leur contenu, ne veuillent plus quitter le sol français qu'ils occupent depuis la défaite de Napoléon en 1815.

Stephen Girard, qui a une vingtaine d'années de plus que Napoléon, est le plus illustre Français des États-Unis et possède la plus grosse fortune du pays. Issu d'une famille de marins bordelais, peu instruit, il s'enrôle à seize ans dans la marine marchande française. Il met à profit ses longs séjours en mer pour lire, s'instruire, et apprendre à commercer. À vingt-trois ans, il est promu capitaine, puis quitte la marine française pour se lancer dans le commerce lucratif du sucre et du café avec les Antilles. En 1776, le hasard l'amène à s'établir à Philadelphie, où il est vite pris dans le tourbillon de la guerre d'Indépendance. Il est antiroyaliste. Il se range du côté des insurgés américains qu'il approvisionne, par conviction et intérêt. Il voit tout le potentiel de ce jeune pays et décide de s'y établir définitivement. La même année, il tombe amoureux d'une jeune beauté américaine, Mary Lum, qu'il épouse. Après huit ans de vie commune, elle sombre dans la folie, et meurt vingt-cinq ans plus tard, soit en 1815. C'est le drame de sa vie.

En 1778, il devient citoyen américain. La guerre de 1812-1814 en a fait un entrepreneur immensément riche. En 1813, il vient au secours du gouvernement américain dont il renfloue les coffres, y risquant sa fortune. On admire sa vision, ses décisions judicieuses, son sens pratique, et sa capacité de travail légendaire.

Mais Stephen Girard n'est pas qu'un entrepreneur de génie, c'est aussi un grand philanthrope. Au début des années

1790, alors que sévissait une épidémie de fièvre jaune et que tous fuyaient Philadelphie, le président Washington inclus, Girard choisissait de rester et de s'occuper des malades au risque de sa vie.

Aujourd'hui, il est devenu un héros national, un homme de légende. Armateur, banquier, propriétaire immobilier, philanthrope, il demeure à soixante-cinq ans un travailleur infatigable.

Il est venu accueillir ses hôtes à l'entrée du parc de sa propriété, située au sud de Philadelphie. Chauve, borgne, de petite taille, la voix forte, Stephen Girard est vif d'allure et affable. Simplement vêtu, comme toujours, rien ne laisse deviner l'immense fortune de cet émigré qui aujourd'hui parle français avec un léger accent américain.

Joseph présente Girard à Napoléon.

– Il a gardé de la France un penchant marqué pour la bonne chère et les grands crus! dit Joseph avec le sourire.

Le général Gourgaud et le colonel Planat sont présentés à leur tour.

Girard contemple l'homme au destin prodigieux qui a décidé de vivre, comme lui, dans cette république d'Amérique. Le malheur ne semble pas l'avoir atteint. Il a bon teint, à peine quelques cheveux gris, alerte, le sourire séducteur, le regard envoûtant. Ils sont de la même race. Stephen Girard, toujours à l'affût d'une bonne affaire, peut-être jauge-t-il déjà tout le potentiel d'une telle alliance!

Avant d'entrer, les hôtes jettent un coup d'œil sur la propriété imposante mais quelque peu austère. Girard l'a baptisée La Gentilhommière.

L'intérieur est un véritable musée. Meubles, tableaux, sculptures, objets d'art ont été achetés au gré de ses voyages au fil des ans. Girard commente les principales pièces de sa collection, dont plusieurs ont été ramenées de Chine. Napoléon s'arrête à un vase chinois en porcelaine.

– C'est une pièce datant de la dynastie Ming, si je ne m'abuse !

– Vous avez raison, sire, répond Girard.

– Comment avez-vous été amené à commercer avec la Chine ?

– Lorsque vous avez décrété le Blocus continental, pour riposter au blocus maritime de l'Angleterre, plus personne ne voulait se risquer sur l'Atlantique. C'est là que je me suis tourné vers l'Amérique du Sud et l'Asie.

– Comment avez-vous trouvé la Chine ? demande Napoléon.

– En pleine décadence. Elle tombe progressivement sous la coupe de l'Occident. C'est que la révolution industrielle permet maintenant aux Occidentaux de produire plus et moins cher. Il y a actuellement une véritable désindustrialisation de la Chine. La production artisanale chinoise est incapable de faire face à la concurrence.

– Pour le moment la Chine dort, rétorque Napoléon. Mais lorsqu'elle se réveillera, le monde tremblera.

– Profitons de son sommeil ! dit Girard avec le sourire.

– Je vois que vous avez plusieurs céramiques incas. Les Incas ont été de grands architectes et urbanistes, mais n'ont pas produit beaucoup d'artistes, contrairement à la Chine sous les Ming.

– J'ai rapporté ces pièces à l'époque où ma flotte, en route vers l'Asie, faisait escale dans divers ports de l'Amérique du Sud. J'y approvisionnais en armes les insurgés espagnols, en particulier Simon Bolivar. Mais le président Madison, qui l'a appris, m'a demandé de discontinuer le commerce d'armes, ce que j'ai fait.

L'entrée de Polly Kenton interrompt la conversation. Girard présente à ses hôtes celle qui partage sa vie depuis vingt ans. Ancienne blanchisseuse, Polly vit aujourd'hui en femme comblée, veillant au confort de celui à qui elle doit tout. Comme son homme, elle est infatigable au travail et exigeante pour ses domestiques. Elle et lui sont de la même étoffe.

Girard dirige ensuite ses invités vers sa cave à vin.

– Elle est digne d'un château bordelais ! s'exclame Napoléon. Combien de bouteilles avez-vous là ?

– Environ vingt mille.

– C'est beaucoup pour un homme comme moi qui boit toujours le même vin !

Girard saisit une bouteille de porto.

– Les meilleurs portos sont exportés en Angleterre. C'est là que je m'approvisionne. J'aimerais vous faire découvrir celui-ci.

Après que tous ont dégusté un verre de porto, Girard propose une visite de sa ferme, qu'il a achetée pour son plaisir il y a plusieurs années. Il aime toucher la terre, manier les instruments aratoires. Il y vient presque tous les jours.

– Que cultivez-vous ? demande Napoléon.

– Surtout le maïs et la pomme de terre.

– Vous avez ici un sol et un climat qui vous permettraient de produire des vins blancs.

– Je crois que ce serait effectivement possible, mais un vignoble requiert trop de travail.

– Ce sera donc pour votre retraite ! réplique Napoléon en riant, sachant bien que Stephen Girard ne sera jamais à la retraite.

Un domestique vient prévenir son maître de l'arrivée des Adams.

Girard et ses hôtes français s'avancent pour les accueillir. L'homme qui descend de voiture n'a que deux ans de plus que Napoléon mais en paraît dix de plus. À peine plus grand de taille, grassouillet, le crâne lisse, de longs favoris, les yeux rougis et légèrement mouillés, John Quincy Adams a priori n'a rien pour séduire les femmes. Mais les hommes recherchent sa conversation. Louisa Adams, élégante et souriante, descend à son tour. Girard se retourne vers Napoléon.

– Je vous présente le plus européen de nos hommes politiques.

John Quincy Adams est un homme complexe. Intellectuel indiscipliné, idéaliste, profondément religieux, farouchement opposé à l'esclavage, boulimique de lectures, particulièrement de Cicéron et de Platon, il rêve d'être un grand bienfaiteur de l'humanité. C'est aussi un grand connaisseur en vins. Ses ennemis l'appellent « l'aristocrate yankee », se moquent de ses mises et de ses manières européennes. Ils lui reprochent entre autres choses d'avoir épousé une « étrangère ». Louisa Johnson Adams est née en Angleterre d'une mère anglaise et d'un père américain, riche industriel du Maryland et consul à Londres. Il est vrai que Louisa a découvert les États-Unis quelques années seulement après son mariage. Jolie, intelligente, excellente musicienne, sa personnalité franche et directe avait plu à l'homme torturé qu'est John Quincy Adams.

Napoléon tend la main à Louisa Adams, qu'il regarde avec insistance, puis enfin au secrétaire d'État.

– Ils rentrent d'Europe après huit ans d'absence, dit Girard. C'était leur second séjour.

– Où étiez-vous en poste ? demande Napoléon.

– D'abord à Saint-Pétersbourg durant six ans, puis deux ans à Londres, répond Adams.

– Vous parlez parfaitement français, remarque Napoléon.

– Je le parle depuis mon plus jeune âge. Ma femme également. Enfant, elle a habité la France.

Girard invite ses hôtes à l'intérieur.

Les Adams, à leur tour, parcourent le « musée », puis prennent place au salon. Napoléon félicite le nouveau secrétaire d'État pour sa nomination.

– Vous êtes le prochain président des États-Unis, ajoute Napoléon. Dans ce pays, ce sont les ministres des Affaires étrangères qui succèdent aux présidents sortants.

Puis, après une pause, il dit :

– Vous étiez donc à la cour du tsar lorsque j'étais au pouvoir ! Vous avez connu mon ambassadeur, le duc de Vicence ?

– Oui, en effet. Nous avons été là ensemble quelques années.

– Comment avez-vous aimé Saint-Pétersbourg ?

– C'était mon deuxième séjour, déclare Adams. Ma première visite remonte à 1781-82, alors que j'avais quatorze ans. C'était l'époque où le Congrès cherchait à faire reconnaître les États-Unis d'Amérique par les cours européennes. Mon père, qui était alors ambassadeur aux Pays-Bas[3], envoya son secrétaire en mission auprès de la Grande Catherine. Je l'ai accompagné comme interprète, car à la cour de Russie on ne parlait que français. Mais la tsarine n'avait montré aucun intérêt pour notre pays. Lorsque j'y suis retourné comme ambassadeur en 1809, ce fut à la demande même de l'empereur Alexandre, qui voulait absolument un ambassadeur américain à sa cour. J'ai aimé ce second séjour.

– Et comment avez-vous trouvé Alexandre ? demande encore Napoléon.

– Je ne sais pourquoi, mais il avait une amitié particulière pour moi. Il avait trente-deux ans, j'en avais quarante-deux. Il avait l'habitude de se promener seul, sans escorte, le long des quais de la Neva, saluant au passage ses sujets d'un hochement de la tête. Je l'y croisais régulièrement. Nous conversions, puis poursuivions ensemble notre promenade. C'est un monarque éclairé, humain, moderne.

3. John Adams (1735-1826). Second président américain (1797-1801).

– Je le pense aussi, affirme Napoléon. Malheureusement, il a été mal conseillé. On l'a induit en erreur quant à mes intentions réelles en Europe.

– Mon gouvernement avait du mal à comprendre l'échiquier européen, les enjeux, les intentions de chacun ! avoue l'ancien diplomate. Je devais tout expliquer, et longuement. Malheureusement, durant plusieurs mois de l'année, les glaces de la Baltique rendaient les communications avec l'Amérique difficiles, sinon impossibles.

Napoléon, qui, sous l'Empire, avait fait de la cour de Paris la plus brillante d'Europe, voudrait connaître l'opinion de son interlocuteur sur celle du tsar.

– La cour de Saint-Pétersbourg, à ce que me disait mon ambassadeur, était brillante. Était-ce votre avis ?

– Oui, c'est vrai. Mais les réceptions offertes par votre ambassadeur l'étaient aussi ! avoue Adams. Les nôtres étaient plus modestes, ajoute-t-il avec un léger sourire. Mon salaire annuel était de trois mille dollars, celui de l'ambassadeur de France était de trois cent mille dollars !

– Je dois dire, ajoute Louisa, qu'il était difficile de rivaliser d'élégance avec les femmes qui assistaient aux réceptions données à l'ambassade de France. Je n'en avais pas les moyens. Pour cette raison, il est arrivé que nous ne donnions pas suite à certaines invitations.

– Vous avez aussi séjourné en France. À quel moment y étiez-vous ? demande encore Napoléon.

– La première fois c'était durant la guerre d'Indépendance, en 1778. Mon père avait été envoyé comme commissaire pour seconder Benjamin Franklin, déjà à Paris, pour faire la promotion de la cause américaine auprès des puissances européennes. Nous sommes débarqués à Bordeaux. J'avais dix ans. Jamais je n'oublierai. Mon père et moi marchions dans les rues, en admiration devant tout ce que nous voyions. Nous logions chez un particulier, où l'on servait une nourriture raffinée. Mais ce qui m'a le plus impressionné, ce sont les théâtres et les salles de concert. Le soir même de notre arrivée nous sommes allés à l'Opéra. Il y avait de la danse, de la musique, des costumes. Je n'avais encore jamais rien vu de tel.

– Habitué à la tranquillité de Boston, Paris a dû vous étonner ! dit Girard.

– Je n'avais jamais vu autant de circulation ! s'exclame Adams. La ville était encombrée de fiacres et de voitures, la plupart avec des domestiques en livrée.

– Où habitiez-vous ? demande Joseph.

– Le coût des hôtels étant pour nous prohibitif, nous avons accepté l'invitation de Benjamin Franklin d'habiter chez lui à Passy, en banlieue de Paris. Nous y sommes restés un an.

– La vie culturelle a dû néanmoins vous faire oublier la circulation ! dit Girard.

– En effet, nous étions éblouis par la vie culturelle de Paris, admet Adams.

– Quand êtes-vous retourné en France par la suite ? demande Napoléon.

– C'était en 1815. En dépit de la guerre, je dois dire que Paris était demeuré la ville de tous les plaisirs. J'y attendais la confirmation officielle de ma nomination à Londres comme ambassadeur, lorsque j'appris votre retour triomphal aux Tuileries, dit Adams. Quelques jours plus tard, j'obtenais cette confirmation, et je prenais la route du Havre pour m'embarquer vers Londres. C'était la cohue. Tout le monde se disputait les places sur les bateaux à destination de l'Angleterre. J'ai quitté le jour même où vous imposiez le couvre-feu, les hostilités avec l'Angleterre ayant repris.

Napoléon reste muet. Depuis son arrivée en Amérique, il prend régulièrement la mesure des conséquences de ses politiques.

Joseph se tourne alors vers les Adams et demande :

– Après huit ans d'absence, qu'est-ce qui vous a le plus frappé à votre retour aux États-Unis ?

– Je crois que c'est le bateau à vapeur, déclare Adams. C'était la première fois que je l'empruntais. Ma femme et moi l'avons pris pour nous rendre de Boston à Washington. Nous avons fait le tronçon New London – New Haven de soixante-quinze kilomètres en onze heures seulement, en dépit d'une forte marée et de vents contraires, utilisant cinq cordes de bois.

– Moi, ce qui m'a le plus frappée, dit Louisa, c'est l'accroissement de la population. Les villes se sont densifiées. Il y a partout de nouvelles constructions : routes, canaux, manufactures, immeubles.

– Ce qui étonne en rentrant d'Europe, ajoute Adams, c'est à quel point les gens ne cherchent qu'à faire fortune. Tout le monde commerce. On ne parle que d'argent !

Un domestique noir vient prévenir son maître que le dîner est prêt. Girard guide ses hôtes vers la salle à manger, qui est un autre musée.

– Êtes-vous retourné en France depuis que vous vous êtes établi aux États-Unis ? demande Napoléon à Girard.

– J'y suis retourné en 1788, soit juste un an avant la Révolution. J'étais le capitaine de mon bateau. Ce fut la dernière fois. Mon père est mort durant mon séjour. Dans son testament, il m'a légué cent dollars, qui étaient toute sa richesse, ainsi que sa maison à Bordeaux, là où je suis né.

La conversation est interrompue par une équipe de domestiques qui entrent, comme dans une sorte de ballet, apportant les plats que chacun dépose sur une grande table nappée. Le service est assuré par le maître d'hôtel, aidé de deux assistants. Joseph avait raison. Non seulement la cave à vin, mais la table et le service sont dignes de ceux d'un château bordelais. Reprenant la conversation, Napoléon, qui a créé la Banque de France, demande à son hôte :

– Comment êtes-vous devenu propriétaire de la Girard's Bank ?

– Lorsque le Congrès des États-Unis a approuvé, en 1791, la création d'une banque nationale, la First Bank of the United States, le public pouvait acheter des actions. Avec les années, j'en suis devenu l'actionnaire majoritaire. Vingt ans plus tard, la charte de la banque vint à échéance et le Congrès vota finalement contre son renouvellement. Les actifs de la banque furent alors mis en vente. J'ai acheté le tout, puis rebaptisé la banque Girard's Bank.

– Le comte de Survilliers m'a dit que vous étiez venu au secours du gouvernement peu après, dit Napoléon.

– Oui. La même année, nous entrions en guerre contre l'Angleterre. Un an plus tard, les caisses du Trésor étaient à sec. La guerre était perdue si personne ne les renflouait. J'ai décidé d'intervenir. J'ai contacté d'autres banquiers. Chacun donna ce qu'il put. J'ai fourni le reste, et même davantage, au risque de tout perdre. Les États-Unis furent sauvés. Je n'ai rien sollicité en échange. Je devais cela à ce pays qui m'a tant donné, et qui aujourd'hui est le mien.

Ce patriotisme laisse les Français pantois !

Après un instant de silence, Stephen Girard, changeant de registre, dit à Napoléon :

– Vous avez appris l'heureuse nouvelle ? Henri Lallemand épouse ma nièce le 26 octobre.

– Oui, le général Lallemand m'a dit que son frère Henri était tombé amoureux d'une Américaine. Je m'en réjouis, dit Napoléon.

Le repas terminé, les convives passent au salon pour le café. La conversation se poursuit tard en soirée. John Quincy Adams évoque ses souvenirs d'ambassadeur dans l'Europe napoléonienne. On discute de Platon, Plutarque et Cicéron.

Napoléon, qui aime les gens de conversation, apprécie cette soirée. À minuit, les invités quittent La Gentilhommière.

Les Français passeront la nuit à la maison de Joseph à Philadelphie. La ville est déserte et faiblement éclairée. Alors que tous somnolent, Napoléon s'enfonce dans ses pensées. Si Étienne Girard était resté en France, avec la même fortune, serait-il venu à son secours à son retour de l'île d'Elbe, alors que les caisses de l'État étaient vides ? Un pays doit-il mériter l'amour de ses citoyens ? Les États-Unis d'Amérique ont-ils davantage fait pour leurs citoyens que la France ?

Lui, que n'a-t-il pas fait pour la France ? Et qu'en est-il résulté ? Les Français étaient las de l'anarchie ? Il leur a apporté la stabilité, une constitution qu'ils ont plébiscitée. Ils voulaient l'égalité ? Il leur a donné le Code civil. Ils voulaient la liberté ? Il leur a donné *l'Acte additionnel aux constitutions de l'Empire*. Ils rêvaient de fraternité, de réconciliation ? Il a tout fait pour fusionner la France de l'Ancien Régime avec celle de la Révolution. Et quoi encore ! Il a créé les lycées, les Grandes Écoles, bâti des routes, des canaux, des ports, des manufactures, construit et embelli Paris, fait de la France la première puissance continentale. N'était-ce pas assez ? Que fallait-il encore ?

Bien sûr, il y a eu la conscription, les guerres. Mais il fallait bien que la France se défende. Elle avait contre elle l'Europe coalisée.

Soudain, Joseph, assis à ses côtés, rompt le silence.

– Je crois que tu lui as plu.

– De qui me parles-tu, demande Napoléon, toujours plongé dans ses réflexions.

– D'Étienne Girard.

– Étienne Girard… plutôt Stephen Girard. C'est un homme étonnant.

Après un moment d'hésitation, il ajoute :

– Il n'est plus Français.

Revenu à Lansdowne House, Napoléon parcourt les journaux du jour, comme chaque matin à son lever. Un article de la gazette de Philadelphie attire son attention. Il y apprend avec stupeur le naufrage du *McDonough,* avec à bord plus de trois cent quarante « soldats de Napoléon », comme les nomme le journal, au large de Mobile en Alabama. La presse les qualifie de « voyageurs romantiques ». Tous ont cependant pu être rescapés.

Le *schooner*, rapporte le journal, s'approchait de Mobile Point lorsqu'il dut affronter de violents coups de vent. Le capitaine, se guidant sur une carte marine obsolète, s'engagea dans la mauvaise direction. Depuis la rive, le commandant du fort Bowyer, voyant le danger qu'encourait le bateau, sonna l'alarme en tirant un coup de feu. La nuit, qui tombait déjà, ne permettait plus au capitaine du bateau de distinguer la terre de la mer. Le commandant fit alors allumer les bornes qui longeaient le rivage afin de guider le navire en détresse. Mais le vent toujours plus violent propulsa le navire sur des récifs. Le capitaine émit des signaux de détresse. Le commandant du fort, accompagné de six hommes, s'embarqua alors au milieu d'une mer déchaînée en direction du *McDonough* qu'il atteignit à une heure du matin. Le vent s'était alors calmé. Le commandant du fort fit monter à bord femmes et enfants, qui furent conduits au fort Bowyer. Les hommes restés à bord furent ramenés sains et saufs, le *schooner* ayant été tiré vers des eaux plus profondes pour ensuite accoster en toute sécurité.

Secoué, Napoléon se lève et se met à marcher d'un pas rapide, selon son habitude lorsqu'il est affecté. Il veut maintenant connaître la suite des événements. Il attend impatiemment des nouvelles des généraux Clausel et Lefebvre-Desnouettes, qui sont à la tête de l'expédition.

Le général Lallemand, lui, a eu plus de chance. Sa lettre d'il y a quelques jours indique qu'il est arrivé sain et sauf à

Galveston, au Texas, où il a retrouvé, dit-il, le célèbre pirate Jean Laffite, un fervent bonapartiste. Avec son aide, il a recruté cent vingt colons, tous vétérans de la Grande Armée, précise-t-il, auxquels se sont ajoutés d'autres vétérans venus de la Nouvelle-Orléans. Sur plusieurs petits bateaux, les colons ont ensuite remonté le *rio* Trinidad jusqu'à Atascosito, où ils ont déjà bâti deux forts, et creusé des fossés et des retranchements. En attendant la première récolte de coton, d'indigo et de canne à sucre, écrit le général, les colons chassent et pêchent. Le soir, pour se divertir, ils font bonne chère autour des feux. « À défaut de vin, on boit de la liqueur de pulque, sorte de boisson fermentée, fabriquée avec le suc de certains agaves », dit-il. Il termine sa lettre en mentionnant que « les hommes sont pleins de courage, et les femmes, vertueuses ».

La chaleur humide s'est maintenant installée pour l'été. Le temps est orageux. Napoléon accueille le lieutenant américain Ralph Stewart dans le jardin anglais, l'endroit le plus frais du parc. Enfin, aujourd'hui, il aura des nouvelles de l'Alabama. Le lieutenant est porteur d'une lettre du général Lefebvre-Desnouettes, qu'il a rencontré à son arrivée à Mobile et avec lequel il s'est depuis lié d'amitié. Comme il venait à Philadelphie, le général Lefebvre-Desnouettes lui a demandé de passer par Lansdowne House. L'homme est grand et costaud, sa voix est forte, ses manières directes, mais néanmoins avenantes. Napoléon se dit que les colons de l'Alabama doivent être ainsi. Ali apporte des glaces et des jus de fruits.

– Comment vont les affaires de la colonie ? demande Napoléon d'entrée de jeu.

– Comme vous l'avez appris, *Sir*, leur aventure a mal commencé, ce qui leur a valu, d'ailleurs, la sympathie des autorités de la ville de Mobile, où ils ont séjourné quelques jours après le naufrage. À leur départ, ils ont remercié leurs hôtes en offrant une fête. Vous savez, les Américains aiment les Français parce qu'ils savent bien s'amuser ! dit-il en souriant.

Napoléon sourit à son tour, puis demande :

– À combien de temps se trouve la concession de la ville de Mobile ?

– Ils ont mis quelques jours à remonter le fleuve Tombigbee parce qu'ils voulaient visiter avant de commencer à travailler. Je peux vous assurer que partout ils ont été bien accueillis. Les Américains admiraient leur courage et leur enthousiasme.

– Et à la concession ? Comment ont-ils été accueillis ?

– Là, *Sir*, je dois dire que ce fut un choc pour tout le monde ! Il n'y avait personne, et pas le moindre hébergement ! Que le silence. Ils se sont retrouvés dans le dénuement le plus complet. De plus, ils étaient incapables de localiser les terres désignées sur les cartes qu'ils avaient en main, et rien n'avait été arpenté !

Napoléon regarde son interlocuteur, médusé.

– Cette histoire est invraisemblable ! dit-il.

– Ils ont néanmoins commencé à se construire des abris, poursuit le lieutenant américain. Puis ils ont tracé les plans d'une ville qu'ils ont nommée Demopolis, la ville du peuple !

Napoléon écoute le lieutenant en silence. Il sait à quel point la nature originelle et les grands espaces jouent sur l'imaginaire des siens, au point de transformer ces hommes, pourtant aguerris, en pionniers romantiques.

– Et alors ? demande Napoléon.

– Malheureusement, ils ont été contraints de quitter les lieux quand ils ont appris qu'ils avaient bâti sur le mauvais lot ! Ils ont dû alors tout recommencer, jusqu'à ce qu'ils découvrent qu'ils étaient encore sur le mauvais lot ! Les cartes qu'ils avaient en mains étaient inexactes.

– C'est ahurissant, ce que vous me racontez là ! s'exclame Napoléon, qui se lève et se met à arpenter le jardin.

– Heureusement qu'ils avaient apporté beaucoup de nourriture de Philadelphie, dit le lieutenant, et que le gibier est abondant dans la région, car il était trop tard en saison pour ensemencer.

Stewart s'arrête, le temps de vider son verre de jus de fruits, puis poursuit son récit.

– Ils se sont aussi rendu compte qu'ils n'avaient pas les vêtements appropriés pour ce genre de vie, et qu'ils avaient été mal informés quant au climat. La chaleur est oppressante l'été, et les hivers sont froids et pluvieux.

– Va pour les vêtements, dit Napoléon, atterré. Mais si le climat n'est pas celui qu'on leur a dit, peut-être n'est-il pas celui qui convient à la culture de la vigne et de l'olive ! Les plants qu'ils ont apportés ne leur serviront à rien !

– En effet. Le climat n'est pas assez sec pour ces cultures. Et puis, avant de cultiver, il faut défricher, ce qu'ils ne savent pas faire. Même avec trente chevaux ils ne parviennent pas à abattre un arbre ! Il y a aussi les marécages et les moustiques. Plusieurs parlent maintenant d'embaucher du personnel. Mais je dois vous dire que tous ont refusé d'acheter des esclaves.

Que ces combattants de la liberté aient refusé d'asservir des hommes est dans l'ordre des choses, pense Napoléon. Puis il demande :

– Comment ont-ils pu être induits en erreur de la sorte ?

– Ils ont été conseillés par un Américain qui a passé un an en France, répond Stewart.

Puis il ajoute :

– Je dois cependant vous dire qu'en dépit de leurs malheurs, vos hommes n'ont pas perdu courage. Le soir, pour se consoler, ils organisent des fêtes dans leurs cabanes en rondins, avec musique et danse, et s'habillent comme ils l'étaient dans leurs palais parisiens !

Frappé sans doute par l'incongruité de la situation, le lieutenant éclate de rire. Mais sa sympathie pour ces déracinés qui essaient de se refaire une nouvelle vie est bien réelle.

– Où en sont-ils rendus maintenant? demande Napoléon, consterné.

– Pas loin d'où ils étaient à leur arrivée. Ils ont nommé leur nouvelle ville Aigleville[4], et ses deux artères principales, rue de France et rue de la République. Des poteaux, à l'entrée des rues ébauchées, portent des noms de victoires de la Grande Armée!

– Combien y a-t-il d'habitants à Aigleville?

– Une centaine, je dirais. Des souscriptions sont organisées en France afin de leur venir en aide. En dépit de tout, les colons continuent d'arriver par vagues. Ils doivent tous avoir des vivres pour six mois. Je ne sais pas si vous avez été informé que le gouvernement américain a autorisé le général Lefebvre-Desnouettes à nommer la concession État de Marengo[5].

– Non, je ne le savais pas, répond Napoléon, étonné.

– Ils ont désigné Aigleville comme la capitale de l'État de Marengo.

– Sont-ils tous établis à Aigleville?

– Non. Plusieurs sont dispersés sur la concession. J'ai accompagné le général Lefebvre-Desnouettes il y a quelques semaines jusqu'à New Albany, un village dans le nord de l'Alabama. Nous avons rendu visite à M. Garnier de Saintes[6].

4. L'aigle était l'emblème du Premier Empire.

5. Nom de la célèbre victoire remportée par le général Bonaparte sur les Autrichiens en Italie, le 14 juin 1800. Le général Lefebvre-Desnouettes était alors l'aide de camp du vainqueur de Marengo.

6. Jacques Garnier, dit Garnier de Saintes (1755- 1817 ou 1818). Député à la Convention nationale, condamné à mort pour avoir voté la mort de Louis XVI. Fut président du tribunal criminel de Saintes sous l'Empire.

– M. Garnier de Saintes ? s'exclame Napoléon, qui continue à arpenter le jardin.

– Oui. Il habite un *log house* en assez mauvais état qui fait aussi office de boutique, dit Stewart. Il y vend du whisky, du rhum et des cigares pour vivre. Nous avons frappé à sa porte. Un petit garçon est venu ouvrir. Il nous a conduits dans une pièce qui servait à la fois de cuisine, de chambre à coucher et de salon. M. Garnier s'est avancé vers nous, une cuillère à la main et un cahier dans l'autre. C'est que tout en faisant lui-même sa cuisine, il écrivait un ouvrage. Il nous a reçus avec la plus grande cordialité. La visite du général Lefebvre-Desnouettes lui a fait un immense plaisir. Il nous a invités à rester pour goûter à sa cuisine. Le dîner fut fort gai, malgré l'indigence des lieux. Puis, le repas terminé, le général a demandé à notre hôte s'il pouvait jeter un coup d'œil sur l'ouvrage qu'il écrivait. C'était un ouvrage philosophique, *Sir*, qu'il avait intitulé *Émérides ou Soirées de Socrate*.

Le récit du lieutenant est interrompu par l'approche d'un violent orage. Des éclairs sillonnent le ciel assombri. Napoléon, qui souhaite prolonger la conversation, invite son hôte à rentrer, puis le dirige vers le petit salon. Stewart contemple les tableaux au mur. Il semble amusé.

– C'est la première fois que je vois ce genre de peinture ! déclare le lieutenant américain.

Ali s'empresse d'allumer les lampes. Napoléon invite le lieutenant à prendre place sur le canapé.

– Qui d'autre avez-vous rencontré à Aigleville ? demande-t-il.

– Un soir, j'ai été invité à dîner chez le général Lefebvre-Desnouettes. J'ai fait là la connaissance de quelques militaires, dont le général Clausel et le colonel Raoul. Celui-ci disait vous avoir accompagné à l'île d'Elbe. Sa femme, la belle marquise de Sinbaldi, était couverte de bijoux et chaussée de souliers de satin, comme elle dut l'être au temps où elle était la dame d'honneur de votre sœur, la reine Caroline de Naples. À la fin du repas, le général Lefebvre-Desnouettes m'a fait visiter son sanctuaire. Il s'agissait d'une petite pièce dont les murs étaient tendus des trois couleurs du drapeau français. Au centre de la pièce se trouvaient votre buste, déposé sur un socle, ainsi que le sabre et le pistolet du général Lefebvre-Desnouettes.

– Le général m'a toujours été très attaché, dit Napoléon, ému.

– Il y avait aussi quelques civils, dont l'éditeur de *L'Abeille américaine*, M. Simon Chaudron.

– Comment se porte-t-il ? J'ai entendu dire que son journal était au bord de la faillite.

– C'est ce qu'il a confirmé, dit le lieutenant. Les exilés français sont trop pauvres pour soutenir le journal. Mais malgré sa situation financière désespérée, il a réussi à rejoindre l'Alabama avec sa nombreuse famille. Avant son départ, M. Chaudron a écrit à l'ancien président Jefferson pour lui faire part de son dénuement, et lui demander une lettre d'introduction auprès des autorités américaines de l'Alabama. Jefferson la lui a donnée, ainsi que des graines de sésame, à sa demande, pour qu'il en essaie la culture.

– Avez-vous des nouvelles de Champ d'Asile, la colonie du général Lallemand au Texas ? demande Napoléon, qui est sans nouvelles du général depuis un bon moment.

– Elle a été dissoute ! Vous ne le saviez pas ? répond le lieutenant, étonné que Napoléon n'en ait pas été informé.

– Racontez-moi, dit Napoléon, visiblement perturbé par la nouvelle.

– Les colons de Champ d'Asile ont aussi connu de mauvais jours, *Sir* ! Deux officiers ont été pris et mangés par des sauvages qui rôdaient autour de la colonie. Et quand la saison des pluies est arrivée, rien n'allait plus. La colonie a sombré dans la plus complète immoralité malgré son code de conduite des plus exigeant. Il y a eu des duels et des tentatives de viol sur les cinq femmes de la colonie. À quoi s'est ajouté l'avis d'expulsion du gouvernement espagnol, qui a décidé d'invoquer sa souveraineté sur les terres occupées par Champ d'Asile. Très probablement avec l'accord des Américains ! Lallemand a décidé de ne pas résister.

– Qu'est-il advenu des généraux Lallemand et Rigau, de même que des colons ? demande Napoléon, redevenu impassible.

– Lallemand a ramené ses ouailles sur la côte du golfe du Mexique, poursuit Stewart, puis les a quittées pour aller chercher du secours à la Nouvelle-Orléans. Après son départ, le général Rigau a essayé de maintenir la discipline en instaurant une cour martiale, pour condamner à mort ceux qui voulaient fuir la terreur et la famine. Puis un cyclone a donné le coup de grâce à la colonie. Plusieurs sont morts. Les malades et les blessés ont été hébergés sur la flotte du pirate Jean Laffite, pour être conduits à la Nouvelle-Orléans où ils ont finalement débarqué après avoir traversé une autre épouvantable tempête. À leur arrivée certains ont été hospitalisés, d'autres ont été hébergés par des particuliers. Quant aux survivants, certains se sont dispersés en Louisiane, quelques-uns se sont enrôlés dans les armées du vice-roi du Mexique, Apodaca, tandis que d'autres ont rejoint la colonie du général Lefebvre-Desnouettes en Alabama, ou encore les tribus indiennes natchitoches, leur offrant de cultiver leurs terres fertiles. Enfin, il y a ceux qui ont décidé de longer la côte à pied jusqu'à la Nouvelle-Orléans sous la direction du général Rigau. La marche a duré cinq semaines. Les hommes se nourrissaient des produits de leur chasse. Quelques-uns sont morts d'épuisement, les autres sont arrivés à la Nouvelle-Orléans affamés et en haillons. C'était les malheureux débris de la colonie !

L'histoire de Champ d'Asile prend fin dans un long silence.

Le lieutenant se met à fouiller dans sa poche, puis il dit :

– En France, la colonie avait la sympathie de ceux qui s'opposent aux Bourbons. Je ne sais pas si vous étiez au courant des souscriptions qui ont été organisées pour leur venir en aide. Tout comme pour la colonie d'Aigleville du général Lefebvre-Desnouettes, d'ailleurs.

– J'en ai été informé.

– On y a aussi frappé des monnaies, ajoute le lieutenant, avec d'un côté, un soldat labourant avec sa charrue[7], et de l'autre, un coq chantant[8]. Le général Lefebvre-Desnouettes m'en a remis une pour vous.

Le lieutenant tire enfin de sa poche une médaille et la tend à Napoléon qui la contemple un moment.

– Combien de temps a duré Champ d'Asile ?

– Quatre mois, *Sir*.

À peine deux semaines se sont-elles écoulées depuis la visite du lieutenant Ralph Stewart que l'ambassade de France publie le communiqué suivant : « M. Garnier de Saintes et son fils se sont noyés dans le Mississippi en se rendant de Louisville à la Nouvelle-Orléans. On n'en a d'autres preuves que le bateau dans lequel ils se sont embarqués et que l'on a retrouvé. »

7. Évocation du soldat laboureur de la Rome antique.
8. Symbole gaulois, devenu symbole national de la France.

Chapitre XV

Les Bonaparte d'Amérique

Connaissant l'aversion de l'Empereur pour les odeurs de peinture, Marchand, accompagné de quelques domestiques, l'a précédé d'une semaine afin de ventiler les lieux et de les mettre en état de l'accueillir. C'est aujourd'hui que Napoléon emménage à Point Breeze.

Comme d'habitude, Percier est venu au-devant de son client.

– Je m'y sens déjà chez moi, dit Napoléon en entrant, admiratif du travail de son architecte.

– Je n'ai fait que concrétiser ce que vous aviez conçu, dit celui-ci.

– Vous y avez ajouté la touche de l'artiste que je ne suis pas, lui répond Napoléon.

L'effet d'ensemble est saisissant. D'abord à cause de la luminosité de chacune des pièces, éclairées par de hautes fenêtres côté cour et côté jardin. Napoléon voulait être en contact avec la nature. Puis il y a la palette des couleurs, qui s'inspire du cycle des saisons, privilégiant l'ocre, toutes les gammes de vert, le jaune, le cramoisi, le doré, qui contrastent avec les boiseries d'acajou.

La porte d'entrée s'ouvre sur un vestibule aux murs verts et au plafond blanc, dont le sol est recouvert d'un somptueux dallage de marbre vert et blanc. Deux stèles de marbre, l'une portant le buste d'Hortense, l'autre celui d'Eugène, ont été placées de part et d'autre des portes-fenêtres qui s'ouvrent sur une grande terrasse.

Le rez-de-chaussée se compose de pièces en enfilade. À gauche, le vestibule donne sur la salle à manger, meublée d'une table en acajou pour vingt couverts, de deux grandes consoles importées de Paris, laquées noir avec poignées de bronze et surmontées de deux grands miroirs sertis dans des cadres dorés, de petits meubles, et de quelques fauteuils de style Empire, recouverts de drap couleur chamois, ornés de galon doré. La pièce est éclairée par un magnifique lustre de bronze. Les murs sont tendus de coutil ocre. Un tapis vert, bordé de formes géométriques, recouvre le parquet en acajou. Des rideaux en mousseline brodée sont suspendus à chaque fenêtre, comme dans chacune des pièces du rez-de-chaussée. Sur la cheminée de marbre noir sont posés deux candélabres en argent et un superbe pendule de bronze ciselé. Sous la salle à manger se trouve la cuisine, dotée d'installations des plus modernes. Les plats sont acheminés sur les plateaux d'un monte-charge, mû par un système à poulies.

Un mur coulissant permet de réunir la salle à manger au grand salon. Pour créer une continuité, les murs des deux pièces ont été recouverts du même tissu. Plusieurs canapés et fauteuils de bois doré, recouverts de velours cramoisi et de drap vert émeraude, sont agencés afin de favoriser la conversation en petits groupes. Un grand tapis à fleurs recouvre le parquet. Le portrait de Napoléon, qu'a retourné l'ambassade de France, a été accroché au-dessus de la cheminée. Plusieurs tableaux de peintres espagnols, rapportés de Madrid par Joseph, ornent les murs du rez-de-chaussée.

Au-delà du salon se trouve son cabinet de travail, qui occupe la pièce d'angle du bâtiment. Des rayonnages sont encastrés dans les murs tout autour de la pièce. Ses livres y sont déjà, ainsi que son globe terrestre et ses mappemondes. Sur un petit meuble, Napoléon a fait mettre un portrait de Joséphine par Isabey. Percier a voulu donner à cette pièce un caractère différent, plus campagnard : plafond avec poutres, haute cheminée en pierre des champs. Le mobilier a été exécuté par l'atelier de Michel Bouvier. Ses deux portes-fenêtres s'ouvrent sur un charmant jardin anglais, car l'Empereur aime lire et travailler à l'extérieur. Un escalier privé relie son cabinet à son appartement situé à l'étage.

À droite, le vestibule donne sur un petit salon peint en vert, meublé de deux canapés de velours couleur chamois, placés en angle devant la cheminée, de quelques fauteuils recouverts de gourgouran de la même teinte que les canapés, d'un guéridon, d'une petite console laquée noir et surmontée d'un miroir au cadre doré. Un tapis de couleur chamois, avec quelques motifs floraux ocre en bordure, recouvre le parquet. C'est sur la petite table, face à la fenêtre, qu'il prendra ses repas lorsqu'il sera seul. Au mur, sont accrochés d'autres tableaux de la collection de Joseph, et les trois vues de Washington offertes par le président Monroe.

Suit la salle de jeu, avec au centre un billard en acajou, orné de bronze en applique, et tendu d'un drap vert qu'éclairent deux lampes suspendues. Des petites tables de jeu ont été disposées autour de la pièce. Murs et chaises sont revêtus du même coutil rayé vert et ocre.

Vient ensuite une salle dédiée à la musique et au théâtre, avec son grand piano, posé sur un plancher surélevé, et une trentaine de fauteuils vert émeraude disposés en rangées.

Enfin, la salle d'angle sera consacrée à son musée personnel. Rien n'a encore été fait, car Percier attend de voir les pièces qui sont toujours dans les caisses.

À l'étage, au-dessus de son cabinet de travail, se trouvent ses appartements constitués d'une grande chambre à coucher avec cheminée, d'un cabinet de toilette, d'une salle de bain, d'une antichambre avec penderie, ainsi que d'un salon. Le mobilier comporte un lit à baldaquin de style Empire, avec dais, rideaux et couvre-lit en soie jaune dorée, auxquels se marient des draperies en satin de même ton. Deux grandes armoires en acajou, deux guéridons, quelques petits meubles et deux fauteuils cramoisis complètent l'ameublement. Quant au petit salon, dont deux des murs sont couverts de livres, son ameublement comporte un canapé de velours vert, deux fauteuils de coutil rayé vert et cramoisi, quelques petits meubles, une console sur laquelle sont posés deux candélabres en argent, et deux bustes de marbre, l'un de Mère, l'autre du roi de Rome, son fils.

L'appartement symétrique, à l'autre extrémité du couloir, communique également avec le rez-de-chaussée par un escalier privé. Percier l'habite présentement. Il sera celui des invités de marque. Les quatre autres pièces de l'étage ont été aménagées pour ses deux fils.

Au deuxième étage se trouvent deux modestes suites, l'une pour M. de Mauvière, le précepteur de ses enfants, et l'autre pour une future gouvernante, et quatre chambres, l'une pour l'intendant Marchand et trois pour les invités. Bien que ces chambres soient meublées plus modestement, Percier a néanmoins donné un caractère différent à chacune d'elles. Toutes comportent une salle de bain et un cabinet de toilette.

Un système de chauffage central des plus modernes, avec des bouches d'air dans chaque pièce, devrait assurer partout une température confortable, même par grand froid. Napoléon est frileux.

Les bâtiments annexes, telles l'écurie, l'étable et la remise pour les voitures, seront complétés au cours de l'été.

Tous les domestiques, à l'exception de son valet de chambre, Ali, et de l'intendant, Marchand, habitent Bordentown, situé à moins d'un kilomètre. Le général Bertrand et Las Cases y ont acheté chacun un cottage. Planat et Gourgaud ont loué deux maisons en face de l'entrée du « Bonaparte Park », comme disent les Américains.

Joseph emménagera demain.

Percier qui souhaite visiter les États-Unis, maintenant que le chantier est terminé, a retardé son départ de quelques jours à l'invitation de Napoléon.

Ce soir les deux hommes dînent en tête-à-tête. L'Empereur évoque les projets grandioses qu'il caressait pour Paris avec celui qui en avait tracé les plans. Il voulait faire de sa ville la capitale de l'Europe. Plusieurs de ces projets, cependant, étaient demeurés inachevés précisément à cause de leur démesure. Certains n'avaient même jamais débuté faute de temps. Ils devaient témoigner de la grandeur de son règne auprès des générations futures. Le plus imposant de tous devait être le palais du roi de Rome, sur la colline de Chaillot.

– J'avais rêvé d'une ville de deux, trois ou quatre millions d'habitants, quelque chose de fabuleux, de colossal, d'inconnu jusqu'à nos jours, et dont la taille des établissements eût été en rapport avec l'importance de sa population.

Installé à Point Breeze depuis quelques semaines, l'Empereur se sent enfin chez lui. Ses journées commencent habituellement par une promenade à pied dans le parc, dans l'air tiède et sec de l'automne qui s'annonce. Souvent, faucille en main, il parcourt les allées, coupant ce qui dépasse. Il aime mettre la main à la pâte. Et lorsqu'il aperçoit des collets, posés par des jeunes du voisinage, il les supprime. Les lièvres, il les aime vivants. Il s'arrête régulièrement pour échanger quelques mots avec les jardiniers. L'allée du sous-bois, qui relie sa maison à celle de Joseph, sera bientôt complétée. Les socles de pierre destinés à recevoir les sculptures venues de Mortefontaine sont déjà en place. Au passage il salue sa nouvelle garde, qui acquiesce d'un signe de la main. Ses promenades se terminent toujours sur le belvédère, orné de vases étrusques en porphyre, offerts à Joseph par la reine de Suède, sa belle-sœur. Il contemple le paysage.

Au pied de la falaise, les îles ont été aménagées en jardins aquatiques reliés par un ensemble de ponts. À gauche, un lac artificiel de sept cents mètres de long a été créé par la construction d'une digue. Des cygnes noirs, importés d'Europe, sillonnent ses eaux calmes. Souvent, à la tombée du jour, il s'y promène en barque et admire le soleil couchant. Il a fait tracer quinze kilomètres de sentiers à travers la forêt pour ses promenades en calèche ou à cheval. Certains jours, il se croit encore à Fontainebleau.

Point Breeze est digne de lui, de ce qu'il a été. Il est satisfait.

Toute sa vie, il s'était senti poussé par une force irrésistible, vers un but qu'il ne connaissait pas. Tout avait été provisoire, en mouvement. À Las Cases, un jour, il avait dit: « On peut donner une première impulsion aux affaires, après elles vous entraînent. » Maintenant tout devenait stable et permanent. Il accepte son destin avec philosophie. Ce n'est cependant pas la retraite qu'il avait imaginée. Une fois la paix revenue en Europe, il avait rêvé de parcourir son empire, allant d'une capitale à l'autre, nourrissant pour chacune d'elles de grands projets d'embellissement. Voyageant comme un bourgeois, à la petite journée, accompagné de Marie-Louise, il aurait fait halte le soir dans de magnifiques châteaux.

Le voilà dans le New Jersey. Sans Marie-Louise. Avec comme seul projet d'embellissement Point Breeze. Mais bientôt, il ne sera plus seul. Marie prévoit le rejoindre avant la fin de l'année. Il espère que les lieux lui plairont. Il lui a déjà fait parvenir quelques croquis.

Il peut maintenant se consacrer à la rédaction de ses mémoires. Les documents demandés à Ménéval, son ancien secrétaire, sont arrivés entre-temps de Paris. Depuis lors, ses journées débutent à six heures. En robe de chambre, un madras sur la tête, il dépouille le contenu des caisses. Ce matin, il a mis la main sur l'Almanach impérial. « C'était un bel empire ! pense-t-il en se frottant le menton. J'avais quatre-vingt-trois millions d'êtres humains à gouverner, plus que la moitié de la population de l'Europe entière ! » Puis son regard s'est arrêté sur des noms qui lui sont familiers. Il rendra justice à chacun.

Joseph, lui, a décidé de ne pas écrire ses mémoires. Le souvenir de ses années en Espagne lui est trop pénible. Des témoins ont déjà écrit sur le sujet. D'autres écriront plus tard, pense-t-il. Il mettra à leur disposition sa correspondance. Mais lui n'écrira rien.

Napoléon s'attendait bien à ce qu'un jour Élisabeth Patterson se manifeste, maintenant qu'elle sait qu'il vit en Amérique. Il ne l'a encore jamais rencontrée, ni son fils. En août 1815, alors qu'il faisait route vers l'Amérique, elle naviguait vers l'Angleterre. Ils ont dû se croiser en mer. Elle est rentrée à Baltimore en juillet dernier. Après quelques hésitations, sans doute, elle a décidé d'écrire à celui qui a brisé sa vie. Elle aimerait, écrit-elle, lui présenter son fils, Jérôme Napoléon Bonaparte, aujourd'hui âgé de onze ans.

L'histoire remonte à 1803. Alors que la France se retirait définitivement de Saint-Domingue, vaincue par la fièvre jaune et la révolte des Noirs, Jérôme Bonaparte, lieutenant de vaisseau, quittait son poste pour visiter les États-Unis, la reprise de la guerre avec l'Angleterre l'ayant dissuadé de s'aventurer en mer. À la fin de l'été, Jérôme arrivait à New York et était reçu avec tous les honneurs dus au frère du Premier Consul. Le commodore Joshua Barney, qui avait servi dans la marine française aux Antilles l'année précédente avec le capitaine Bonaparte, ayant appris l'arrivée de Jérôme aux États-Unis, l'avait invité à lui rendre visite chez lui, à Baltimore. En septembre, Jérôme, accompagné de sa suite, arrivait chez le commodore qui l'accueillait avec tous les égards et l'introduisait dans la haute société de Baltimore où il devint vite le point de mire. C'est aux courses que Jérôme entrevit Miss Élisabeth Patterson[1] pour la première fois. On la surnommait « la belle de Baltimore ». D'une grande beauté, douée d'une intelligence vive, très ambitieuse, elle était la fille d'un richissime industriel de la ville. Jérôme, âgé de dix-neuf ans, devint follement amoureux d'elle et, quelques semaines plus tard, décidait de l'épouser. Celle-ci, éblouie par la perspective d'une telle alliance, consentait à unir sa destinée à celle de Jérôme. Elle avait dix-huit ans.

Mais M. Patterson prévint sa fille du risque qu'elle encourait en épousant un citoyen français mineur sans le consentement de sa famille. Pour l'en dissuader, il envoya Betsy en Virginie, espérant que l'éloignement refroidirait les sentiments des deux jeunes gens. Mais Élisabeth revint vite retrouver Jérôme, et obtint de la cour du comté de Baltimore l'autorisation de se marier. Cependant, quelques jours plus tard, M. Patterson recevait une lettre d'une connaissance l'informant que le capitaine Bonaparte ne cherchait qu'à se faire héberger en attendant de rentrer en France, et « laisserait alors tomber sa fille en riant de son incrédulité ». Ébranlé, M. Patterson revint à la charge auprès de Betsy qui déclara préférer « être la femme de Jérôme une heure, plutôt que la femme de n'importe qui d'autre pour la vie ».

M. Patterson se résigna et prit les mesures nécessaires pour que le mariage soit célébré selon les formes, religieusement et civilement, et que le contrat de mariage soit rédigé

1. Élisabeth Patterson Bonaparte (1785-1879).

de manière à dédommager Élisabeth si la République française ne reconnaissait pas cette union. Ce fut un grand mariage, célébré la veille de Noël par l'évêque de Baltimore, en présence du consul de France et du maire de Baltimore, ainsi que de nombreux invités de marque. La robe de la mariée était de style Empire, en fine mousseline richement brodée. L'un des invités remarqua que la robe diaphane aurait pu tenir dans sa poche !

Après leur mariage, les époux visitèrent Washington où ils furent reçus par l'ambassadeur de France, le général Turreau. Le Tout-Washington se disputait l'honneur d'accueillir le jeune couple. À Boston, New York, Albany, Philadelphie, où ils se rendirent ensuite, des fêtes brillantes en leur honneur se succédèrent.

Mais des nouvelles alarmantes avaient commencé à circuler durant le voyage des jeunes mariés. M. Patterson décida d'informer l'ambassadeur américain à Paris, Robert Livingston, qu'il avait été contre ce mariage, mais que, le couple étant maintenant marié, il ne restait plus qu'à faire accepter par la famille Bonaparte le fait accompli. Il lui demandait de transmettre au Premier Consul les lettres qu'il avait reçues du président Jefferson et du secrétaire d'État, James Madison, qui se réjouissaient de l'événement. Le 11 mars, son fils Robert Patterson arrivait à Paris. Le lendemain, il informait son père qu'il n'avait pu rencontrer l'ambassadeur Livingston, tant celui-ci était occupé à faire accepter le mariage de Jérôme par le Premier Consul, dont l'humeur était telle qu'il valait mieux, pensait-il, que Jérôme reste aux États-Unis pour le moment. Mais s'il désirait néanmoins rentrer en France, sa femme devait l'accompagner à tout prix.

Quelques jours plus tard, son fils lui faisait part de l'entrevue qu'il avait eue avec Lucien Bonaparte, frère du Premier Consul. Toute la famille approuvait le mariage de Jérôme, avait-il dit, à l'exception du Premier Consul. Lui-même, précisait-il, avait vécu une situation analogue, ayant contracté un mariage que son frère n'approuvait pas. Le mariage, affirmait Lucien Bonaparte, est une affaire personnelle, et Jérôme devait agir selon ses sentiments. Il pensait que celui-ci devait s'installer aux États-Unis et prendre dès que possible la citoyenneté américaine, même si cela devait signifier la perte de ses titres de noblesse. Il devait changer son style de vie, ne plus se comporter comme un prince de sang royal, mais adopter les manières et les usages républicains de cette grande nation. « Nous souhaitons tous, avait-il ajouté, qu'il vive sur le même pied que ses citoyens les plus respectés, mais jamais au-dessus d'eux. » En vue de l'établissement de Jérôme aux États-Unis, confiait-il, la famille envisageait de lui assurer des revenus adéquats, ainsi qu'une résidence de ville et une autre de campagne.

Robert Patterson avait quitté Lucien, troublé. Sa force de caractère et son indépendance d'esprit l'avaient vivement impressionné.

Le 20 avril, rompant un long silence, le Premier Consul mandatait le ministre de la Marine d'informer le consul général de France à New York de n'avancer aucune somme d'argent au citoyen Jérôme, qui avait reçu l'ordre de rentrer immédiatement en France. En outre, la consigne était donnée aux capitaines de navires français de refuser à bord « la jeune personne qui accompagne Jérôme », sous peine de ne pouvoir débarquer à l'arrivée en France et d'être retournée immédiatement aux États-Unis. Si Jérôme se conformait aux volontés du Premier Consul, il se mériterait toute son affection. Dans le cas contraire, il connaîtrait le sort de Lucien. La France était en guerre, avait-il dit, et Jérôme devait venir assumer ses responsabilités aux côtés de ses frères.

Puis un décret du sénat interdisait à tous les officiers civils de l'Empire de transcrire dans leurs registres l'acte de mariage de Jérôme Bonaparte, contracté dans un pays étranger, sans le consentement de sa mère, alors qu'il était mineur, et sans la publication des bans.

Ces documents parvinrent à Jérôme au début de l'été de 1804, alors que le jeune couple, très entouré, menait grand train à New York. Effrayé par la détermination de son frère, Jérôme envisagea de rentrer en France. Le 19 octobre, il recevait une lettre affectueuse de son frère aîné Joseph, fait depuis peu sénateur et grand officier de la Légion d'honneur par Napoléon. Il approuvait le choix de son frère cadet et lui offrait son soutien financier si nécessaire.

Robert Patterson, toujours à Paris, faisait part de son pessimisme à son père. Napoléon était le type d'homme, écrivait-il, qui ne changeait pas d'idée une fois sa décision prise. Il suggérait donc à Jérôme de prolonger son séjour aux États-Unis.

Entre-temps, Napoléon était couronné par Pie VII, le 2 décembre, à Paris[2].

Rentré à Baltimore, Jérôme, que la presse française appelait maintenant Son Altesse impériale, apprenait que la détermination de son frère n'avait fait que croître : il le mettrait en prison dès son arrivée, et il y resterait aussi longtemps qu'il n'aurait pas renoncé à cette Américaine. Jérôme, ajoutait-il, devait contracter un mariage susceptible de soutenir ses politiques en Europe.

Au printemps de 1805, Jérôme, tourmenté, avait décidé finalement de rentrer en France, mais accompagné de sa femme, sur un bateau appartenant à M. Patterson, le *Erin*. Élisabeth était confiante que l'Empereur, en la voyant, se laisserait séduire par sa beauté, son esprit et ses larmes.

2. Par le sénatus-consulte du 18 mai 1804, l'Empire succédait au Consulat, et Napoléon Bonaparte devenait Empereur des Français. Le couronnement avait lieu le 2 décembre.

Le *Erin* arriva à Lisbonne le 2 avril. Il fut immédiatement entouré par une garde française qui interdit à la jeune femme de quitter le bateau. À l'ambassadeur de France qui lui avait demandé : « Comment puis-je vous être utile, Miss Patterson ? », celle-ci avait répondu : « Dites à votre maître que madame Bonaparte est ambitieuse, et qu'elle veut faire valoir ses droits en tant que membre de la famille impériale. »

Laissant sa femme à Lisbonne, Jérôme accouru à Paris pour tenter d'arranger ses affaires avec l'Empereur. Napoléon refusa de le recevoir, mais il accepterait une lettre. Il répondit à Jérôme que ses fautes n'étaient pas impardonnables s'il se repentait sincèrement. Son mariage était nul, écrivait-il, aux plans civil et religieux. « Je ne le reconnaîtrai jamais. » Si Miss Patterson rentrait en Amérique, il promettait de lui assurer une généreuse pension à vie, à la condition qu'elle ne porte pas le nom de la famille, auquel elle n'avait pas droit, le mariage étant nul. À la mi-avril, on conseilla à Élisabeth, qui attendait toujours la suite des événements à Lisbonne, de faire voile vers Amsterdam qui n'était pas sous l'autorité de Napoléon. Mais le temps d'y arriver, voilà que la Hollande était passée sous l'autorité de l'Empereur qui, de plus, avait déjà donné l'ordre de ne laisser descendre personne du nom de « madame Jérôme Bonaparte ». Même l'ambassadeur américain n'avait pas été autorisé à communiquer avec Miss Patterson. Et un messager, envoyé par Jérôme, était arrivé dans le port d'Amsterdam après le départ du bateau qui, après huit jours d'attente, avait pris le chemin de l'Angleterre.

Le 19 mai, il accostait à Douvres. Une foule immense s'était rassemblée sur le quai, désireuse d'entrevoir la célèbre jeune femme. Le premier ministre Pitt avait envoyé une escorte militaire pour lui permettre de débarquer en toute sécurité.

Madame Bonaparte décida de se terrer en banlieue de Londres, dans l'attente de nouvelles de Jérôme et de la venue de leur enfant, qui y naissait le 7 juillet et qui était nommé Jérôme Napoléon Bonaparte. Le 29 juin, Élisabeth recevait enfin des nouvelles de Jérôme qui disait lui être attaché plus que jamais. Elle était confiante qu'il ne céderait pas, et elle décida de passer l'hiver en Angleterre, jouissant de la sympathie et du soutien de James Monroe, alors ambassadeur des États-Unis à Londres.

Pendant ce temps, l'ambassadeur de France à Washington sondait M. Patterson pour savoir à quelles conditions sa fille accepterait une séparation.

Le 24 mai, Napoléon avait envoyé une lettre officielle à Pie VII pour lui demander de publier une bulle annulant le mariage de Jérôme qui, en plus d'être mineur, disait-il, avait épousé une protestante. Le pape lui avait répondu que le mariage, ayant été célébré selon les règles de l'Église catholique, ne pouvait être annulé, et qu'il devait être respecté de la part du « fils aîné de l'Église ». Devant cette rebuffade, Napoléon s'était tourné vers le conseil d'État français, plus conciliant, qui déclarait le mariage nul.

Jusqu'en octobre, Jérôme continuait à faire parvenir des lettres à sa femme, l'assurant de son amour éternel. « La vie n'est rien sans toi et mon fils. Sois tranquille. Ton mari ne t'abandonnera jamais. »

Mais un mois plus tard, Jérôme cédait finalement aux volontés de l'Empereur. En guise de récompense, il était fait prince d'Empire et élevé au rang d'amiral de la Marine française.

Le rêve d'Élisabeth Patterson d'une vie éblouissante à la cour impériale venait de prendre fin. En novembre, madame Bonaparte rentrait à Baltimore accompagnée de son fils.

Elle avait cru longtemps aux tendres confidences de Jérôme. Mais lorsqu'elle s'était rendu compte qu'il n'avait été qu'une marionnette aux mains de l'Empereur, son amour et son admiration s'étaient transformés en mépris. Élisabeth Patterson devint une jeune femme cynique, égocentrique, égoïste, mais toujours aussi belle et pourvue d'esprit, souvent caustique.

Le 12 août 1807, Jérôme épousait en grande pompe à Paris la princesse Frédéricka Catharina, fille du roi du Wurtemberg. Après les festivités, le couple royal prenait possession du petit royaume de Westphalie, offert à Jérôme en récompense de son obéissance, et qu'il devait conserver jusqu'en 1813. Élisabeth n'existait plus. Se souvenait-il même qu'il avait un fils en Amérique ? Ce mariage politique était néanmoins heureux. Le roi et la reine de Westphalie menaient grand train.

« Madame Bonaparte », elle, était revenue vivre chez son père, à Baltimore et dans ses maisons de campagne du Maryland, suivant de près les événements en France, et continuant à être un point de mire de la haute société de Baltimore et de Washington.

En 1815, après la chute de Napoléon et la fin des hostilités en Europe, les voyages transatlantiques reprirent. Élisabeth Patterson n'attendait que ce moment pour retourner en Angleterre, car seule l'Europe lui offrait la vie brillante et sophistiquée qu'elle recherchait. Laissant derrière elle son fils de dix ans, confié aux soins de son grand-père, elle resta en Europe un an, entourée d'admirateurs séduits par sa beauté et ses manières, disait-elle, parmi lesquels se trouvaient à Londres le duc de Wellington, à Paris, Chateaubriand et Talleyrand. Même Mme de Staël fut apparemment éblouie.

Convaincue que le roi de Westphalie était maintenant ruiné, et ne voulant pas que celui-ci puisse prétendre à une partie de sa fortune, Élisabeth se hâta de demander le divorce, qu'elle obtint par une loi spéciale de la législature du Maryland. À l'été 1816, Élisabeth rentra d'Europe pour s'occuper de ses placements financiers et revoir son fils.

Après avoir hésité un moment, Napoléon accepte de recevoir Élisabeth Patterson. Car, malgré tout, il demeure un homme de famille, et Jérôme Napoléon Bonaparte est son neveu. Mais il se méfie de cette femme ambitieuse. Il la soupçonne de vouloir obtenir pour son fils ce qu'elle n'a pu obtenir pour elle-même : faire partie de la famille impériale, même si celle-ci ne gouverne plus. Il invite donc Mme Patterson à lui rendre visite avec son fils lors des prochaines vacances scolaires.

Napoléon se rend chez Joseph pour lui faire part de la lettre d'Élisabeth Patterson, et l'informer de sa décision de la recevoir.

– Elle souhaite me présenter le fils de Jérôme, dit Napoléon.

Celui-ci tend la lettre à son frère. Joseph la lit, puis la lui redonne.

– Nous devons établir des liens de famille avec cet enfant qui porte le nom de Bonaparte.

– C'est aussi ce que je pense. J'ai invité la mère à me rendre visite avec son fils aux prochaines vacances scolaires.

Napoléon se souvient soudain d'une anecdote à son propos.

– Un jour, quelqu'un m'a répété qu'elle préférait recevoir de moi vingt mille francs de pension, plutôt que cent mille francs de Jérôme. Il paraît qu'elle éprouve pour lui le plus grand mépris, et pour moi la plus grande admiration ! Je serais apparemment son genre d'homme ! dit-il en riant. Elle aime les hommes forts, paraît-il !

Joseph se met à rire à son tour.

– J'imagine la réaction de Jérôme lorsque nous lui apprendrons que nous avons vu son fils américain ! Nous devrions inviter Jérôme à prendre contact avec lui.

– Oui, j'en ai l'intention.

La réponse d'Élisabeth ne s'est pas fait attendre. Elle sera à Point Breeze avec son fils avant la rentrée scolaire.

Élisabeth Patterson descend de voiture, accompagnée de Jérôme Napoléon, maintenant âgé de douze ans. À trente-deux ans, elle mérite toujours le surnom de Belle of Baltimore. Mince et élégante dans son ensemble vert émeraude, ses cheveux bouclés à la grecque, les traits fins, elle est accueillie d'abord par l'Empereur qui lui tend la main. Puis, celui-ci se tourne vers l'enfant, son neveu.

– Il vous ressemble! dit-il d'emblée.

Joseph s'avance à son tour. Lui non plus n'a jamais rencontré Élisabeth. Mais celle-ci se rappelle sans doute qu'à l'époque, Joseph avait été favorable à son mariage.

– Parle-t-il français? demande Joseph à Élisabeth.

– Oui, répond l'enfant, quelque peu intimidé. J'ai eu une gouvernante française. Et puis ma mère me parle souvent en français.

Napoléon n'a jamais été contre Élisabeth Patterson, seulement contre son union avec Jérôme. Aujourd'hui, il en a une opinion plutôt favorable, suite à ce qu'il a entendu ou lu à son sujet. On dit qu'elle a le cynisme de la Rochefoucauld, dont elle a lu les *Maximes* dans son jeune âge, le sens pratique de Benjamin Franklin dans la gestion de ses biens, et le savoir-vivre de Chesterfield. Napoléon aime les femmes qui, en plus d'être jeunes et jolies, ont de l'esprit.

Élisabeth ne s'est pas remariée, sans doute parce qu'elle n'a jamais rencontré un parti d'un rang comparable à celui de Jérôme. Et si l'Empereur a brisé sa vie, il demeure qu'elle doit, en grande partie, sa notoriété et sa réussite sociale à sa brève alliance avec lui, car personne n'a oublié qu'elle fut un temps « madame Bonaparte ». Mais cette réussite, elle la doit aussi à elle-même. Une vie obscure dans une ville américaine n'était pas pour elle. Seule la vie brillante des cours européennes, où elle était adulée par les grands de ce monde, qui savent rendre hommage à la beauté et à l'intelligence d'une femme, dit-elle, était digne d'elle.

Aujourd'hui est un grand jour pour Élisabeth Patterson. C'est une reconnaissance « posthume ». Oui, les temps ont changé. Lui qui, à l'époque, avait donné l'ordre à tous les ports de l'Empire français d'empêcher Élisabeth de débarquer, le voilà réfugié dans le pays d'Élisabeth !

Napoléon invite la mère et l'enfant à entrer. Joseph les accompagne.

Il choisit de les accueillir dans le grand salon plutôt que dans le petit. Mieux vaut garder ses distances dans un premier temps.

Mme Patterson jette un regard admiratif sur les lieux. Napoléon l'invite à s'asseoir.

– Êtes-vous revenue définitivement en Amérique ? lui demande-t-il.

– Je n'y suis revenue que pour m'occuper de mes affaires. Je compte retourner en Europe dès que possible.

– Où étiez-vous en Europe ?

– J'ai d'abord séjourné quelque temps à Londres, avant de passer l'hiver de 1815-1816 à Paris.

– Comment avez-vous trouvé l'Angleterre ? demande Napoléon, toujours intéressé par son ancienne rivale.

– Je dois vous dire qu'en 1815, les Britanniques étaient d'une vanité monstrueuse. Ils se proclamaient modestement la plus grande nation du monde. Ils venaient de vous vaincre et, du même coup, d'anéantir la France, sa rivale. Vos talents menaçaient leur existence, disaient-ils. On vous admirait en même temps qu'on vous redoutait. Beaucoup d'Anglais vous ont néanmoins rendu justice. J'ai entendu peu de gens vous injurier. Vos malheurs en ont ému plusieurs.

– J'ai toujours su qu'une partie de l'opinion anglaise ne m'était pas hostile. Et comment était Paris ?

– Puisque c'était mon premier séjour, je ne pourrais comparer. Mais jamais Paris n'avait été aussi gai, disait-on. C'est que les royalistes célébraient leur retour ! Les fêtes se succédaient, plus extravagantes les unes que les autres. Il aurait été difficile d'imaginer une ville plus brillante. Comment vivre à Baltimore après avoir vécu à Paris ? Louis XVIII avait exprimé le souhait de me présenter à la cour. J'ai décliné l'offre. L'ingratitude n'est pas l'un de mes vices.

C'est que Napoléon continue à verser une rente viagère à Élisabeth depuis sa séparation d'avec Jérôme.

– Quel était l'état d'esprit des Français ? demande Napoléon.

– La ville était encore aux mains de factions. La présence des Alliés maintenait un semblant d'ordre. Pour nous, étrangers, il était extrêmement difficile de se loger. Tous les hôtels, toutes les chambres dans les maisons des particuliers, étaient réquisitionnés pour l'armée d'occupation. Les prix étaient exorbitants. Les biens de première nécessité manquaient.

La conversation est interrompue par l'arrivée d'Ali qui apporte café et pâtisseries.

– Ce qui est nouveau en Europe, poursuit Élisabeth, c'est le respect et l'intérêt que suscitent maintenant les Américains. Même chez les Anglais ! On s'intéresse à leurs institutions, leur gouvernement, leur climat, leurs manières de faire. Je suis fière d'appartenir à un pays dont on dit qu'un jour il sera grand.

Napoléon regarde son neveu que la conversation des adultes ennuie.

– Aimerais-tu que nous fassions une promenade à cheval ? demande Napoléon.

Le jeune garçon sourit et acquiesce.

Joseph, resté seul avec Élisabeth, lui propose à son tour une promenade à pied dans le parc.

– Avez-vous tenté de contacter Jérôme pendant votre séjour en Europe ? demande Joseph.

– Non. L'ex-roi de Westphalie vit maintenant chez son beau-père, à la cour du Wurtemberg. Malgré sa grande fortune de l'époque où il était roi de Westphalie, il a été trop mesquin pour subvenir aux besoins de son fils.

Élisabeth s'arrête, puis interroge Joseph.

– Saviez-vous qu'il m'avait offert de résider en Westphalie après son mariage ? Je lui ai répondu que son royaume était trop petit pour deux reines. D'autre part, après notre séparation, il m'avait offert une rente de deux cent mille francs, alors que l'Empereur m'en offrait une de soixante mille. J'ai décliné la sienne et accepté celle de l'Empereur en lui disant que je préférais être abritée sous les ailes d'un aigle que d'être suspendue au bec d'une oie.

– Puisque vous entendez retourner vivre en Europe, en amenant Jérôme Napoléon cette fois, peut-être pourrions-nous organiser une rencontre entre mon frère et son fils par l'entremise de ma mère ou de ma sœur Pauline qui vivent à Rome.

– Je n'y suis pas opposée, répond Élisabeth.

– Nous écrirons à Jérôme pour lui dire que nous avons fait la connaissance de son fils, et pour l'inviter à entrer en contact avec lui.

La conversation se poursuit encore un moment sur les différences entre la vie en Europe et en Amérique, lorsque soudain les cavaliers surgissent au détour d'un sentier. Arrivés à la hauteur des promeneurs, Napoléon aide son neveu à descendre de cheval.

– Aimerais-tu venir passer Noël à Point Breeze avec tes cousins Alexandre et Léon ? demande-t-il.

L'enfant, intimidé, ne sait exactement quoi répondre. Napoléon passe affectueusement la main dans les cheveux de son neveu.

– Tu reviendras, j'en suis sûr !

Le jour avance. Élisabeth voudrait rentrer à Trenton avant la nuit. Joseph et Napoléon la raccompagnent à sa voiture. Il est convenu que Jérôme Napoléon viendra passer quelques jours à Noël.

À suivre

Table